Du même auteur, chez le même éditeur :

Le Seigneur de Cristal (2002)

Genesia - Les Chroniques Pourpres :
1. *Sorcelame* (2003)
2. *La Septième Étoile* (2005)

Du même auteur, chez d'autres éditeurs :

La Pierre de Tu-Hadj :
1. *Le Sang d'Arion* (1999)
2. *Les Voix de la mer* (2001)
3. *Celle-qui-dort* (2001)
4. *Les Dragons étoilés* (2002)

www.bragelonne.fr

Alexandre Malagoli

La Septième Étoile

Genesia – Les Chroniques Pourpres, 2

Bragelonne

Collection dirigée par Stéphane Marsan et Alain Névant

© Bragelonne 2005

Illustration de couverture :
© Stéphane Collignon

Carte :
Pascal Huot

ISBN : 2-914370-62-8

Bragelonne
35, rue de la Bienfaisance - 75008 Paris - France

E-mail : info@bragelonne.fr
Site Internet : http://www.bragelonne.fr

Genesia

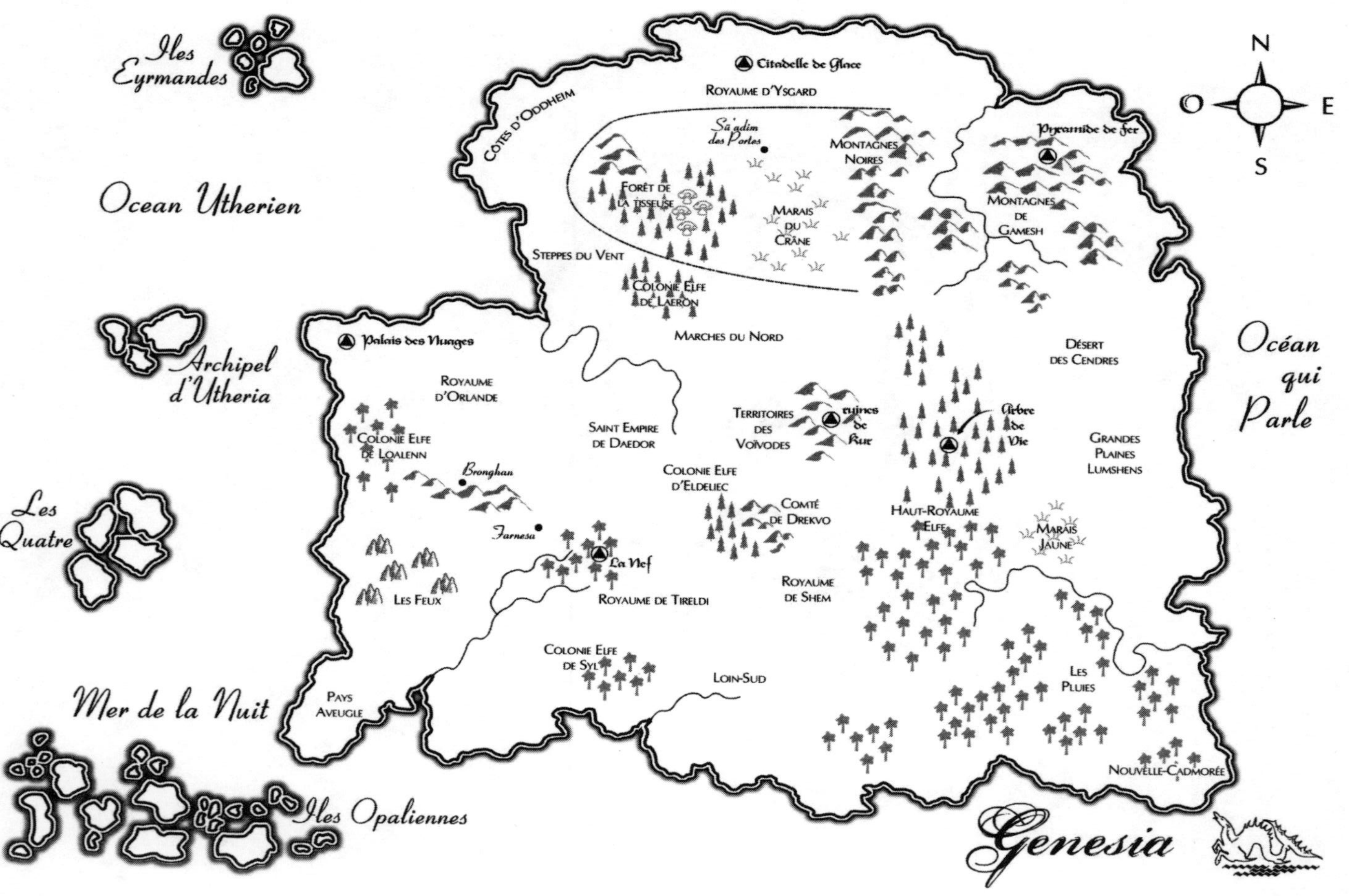

Genesia
N
O
E
S
Iles Eyrmandes
Ocean Utherien
Archipel d'Utheria
Les Quatre
Mer de la Nuit
Iles Opaliennes
Océan qui Parle
Citadelle de Glace
Royaume d'Ysgard
Côtes d'Oddheim
Sâ'adim des Portes
Montagnes Noires
Pyramide de Fer
Montagnes de Gamesh
Forêt de la Tisseuse
Marais du Crâne
Steppes du Vent
Colonie Elfe de Laeron
Marches du Nord
Palais des Nuages
Royaume d'Orlande
Désert des Cendres
Territoires des Voïvodes
ruines de Kur
Arbre de Vie
Grandes Plaines Lumshens
Saint Empire de Daedor
Colonie Elfe de Loalenn
Bronghan
Colonie Elfe d'Eldeliec
Comté de Drekvo
Haut-Royaume Elfe
Marais Jaune
Farnesa
La Nef
Les Feux
Royaume de Tireldi
Royaume de Shem
Colonie Elfe de Syl
Loin-Sud
Les Pluies
Pays Aveugle
Nouvelle-Cadmorée

Résumé de l'épisode précédent

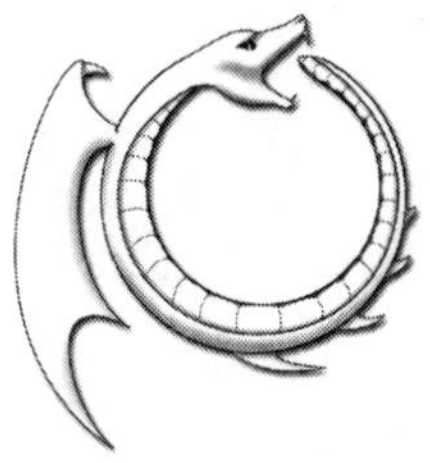

Dans les profondeurs d'une crypte oubliée, les Anciens Rois ont attendu mille ans la naissance de leur champion, l'Ost-Hedan. Aujourd'hui, leur patience est enfin récompensée. Grâce à cet élu et à sa maîtrise des puissants Aethers, ils espèrent emporter la victoire finale sur leur vieille ennemie : la Mère Stérile, entité d'une patience infinie et malveillante, résolue à imposer sa loi tyrannique aux peuples de Genesia.

Pour les six seigneurs, l'heure est venue de regagner leurs royaumes, et de s'apprêter à l'ultime combat. Six ? Non… car le Roi de l'Ouest a été assassiné pendant leur sommeil, et le coupable se cache forcément parmi eux.

Au pays des Lacs, dans le royaume d'Orlande, on ignore tout de ces choses. Evan, le jeune orphelin tire-au-flanc, n'a en tête que l'amusement et les bêtises, malgré les sages conseils d'Aiswyn, sa douce amie d'enfance.

Pourtant, un beau jour, il reçoit la visite d'un étrange vieillard nommé Finrad, qui le met en garde contre les religieux fanatiques de la Fraternité, avant de lui donner rendez-vous dans la cité de Farnesa. Le soir même, les Fraters envahissent son village. Evan et

Aiswyn leur échappent de justesse.

Gaelion, un ménestrel rencontré sur le chemin de Farnesa, accepte de les prendre sous sa protection. Il comprend que les Fraters les pourchassent parce qu'Evan est peut-être l'Ost-Hedan.

Pendant ce temps, dans la nation voisine, la jeune princesse Caessia s'interroge sur son père. Le roi de Tireldi est-il un tyran, comme beaucoup le prétendent ? Une chose est sûre : elle n'épousera pas le prétendant qu'il a choisi pour elle, préférant s'enfuir du palais.

Sur la route, elle entend des voix inquiétantes. Les voix des morts ? En prime, le Troll de bât qu'elle a acheté se révèle intelligent, et l'enlève pour la remettre aux forces rebelles, connues sous le nom de « République ». Après quelque temps passé en leur compagnie, la princesse décide de rejoindre leur cause, reniant définitivement son père. Une première mission lui est confiée : avec Aljir le Troll, elle prend à son tour la route de Farnesa.

Les deux groupes se rencontrent sur le chemin. Un vieux Barbare transportant une mystérieuse épée fait halte dans le même village qu'eux. Lorsque Evan libère malencontreusement le pouvoir de l'arme, ils sont soudain assiégés par des serviteurs de la Mère Stérile, bien décidée à récupérer cette dernière. Car l'épée runique n'est autre que Sorcelame, l'un des puissants Aethers qui pourraient signifier sa chute… ou l'aider à achever sa régénération.

Le Barbare révèle que les siens l'ont déjà dérobée une fois à l'entité de l'Ombre. Ils avaient compris que celle-ci, autrefois blessée à mort par Sorcelame, se servait à présent de la puissance de l'Aether pour regagner ses forces. Détournant et corrompant le pouvoir même de l'épée qui l'avait abattue, elle était peu à peu revenue à la vie, et seule l'audacieuse expédition des Barbares l'avait empêchée d'achever ce processus.

Evan, se montrant capable de manier Sorcelame, repousse les assaillants démoniaques. Mais Caessia doit venir à son secours lorsqu'il se retrouve possédé par la volonté de l'épée. Elle parvient à le tirer d'affaire, prouvant qu'elle aussi est intimement liée aux Aethers. Alors, tous se retrouvent face à la même interrogation : lequel des deux enfants est l'Ost-Hedan ?

Les Fraters, arrivant sur ces entrefaites, entendent trancher la question à leur manière. La Soror qui dirige l'escouade lance un sortilège mortel sur les deux candidats. Seul l'un d'entre eux aura le pouvoir d'y survivre, révélant ainsi sa nature d'élu…

Prologue

La Première conseillère de Tireldi s'avança vers le chaudron. À l'intérieur tournoyait un liquide bouillonnant : le sang des dernières victimes sacrifiées. Les bulles qui se formaient à la surface éclataient avec de petits claquements secs, libérant des vapeurs à la senteur âcre.

La Première conseillère, qui avait jadis porté un autre nom, caressa machinalement les plumes de son oiseau de compagnie. Niché sur son épaule, le rapace avait croché ses serres à travers le tissu noir de sa robe cérémonielle, lui imprimant une légère douleur.

Elle plongea un index dans le bassin de sang, dessinant vaguement la forme d'un huit. Le liquide brûlant ne lui occasionnerait pas la moindre blessure. Ici, en Pourpremonde, sa magie était puissante. Ici, elle n'était plus une simple politicienne… mais la détentrice de pouvoirs immortels. La Mère Stérile, sa maîtresse, lui avait accordé de nombreux dons.

Autour d'elle s'étendait une vaste grotte, son antichambre personnelle. De la lave en fusion s'y écoulait en un delta dont les bras étaient enjambés par des ponts faits d'ossements blanchis.

Plusieurs bassins de magma, comme autant de cratères miniatures, entraient régulièrement en éruption, projetant vapeur et particules de roches incandescentes. Des fumerolles rougeâtres au parfum de soufre s'élevaient entre les lutrins encombrés de parchemins et les établis de torture qui constituaient le seul mobilier de ce lieu. Enfin, placées en octogone et reliées entre elles par des chaînes de métal noir, huit vierges de fer étreignaient habituellement des suppliciés hurlants. Pour l'heure, elles étaient vides, et le sang des occupants précédents commençait à sécher dans les rigoles censées l'acheminer jusqu'au chaudron rituel.

Un sourire satisfait sur les lèvres, la belle femme aux cheveux cuivrés savourait le sombre pouvoir qui s'épanouissait en elle. Au bout de son doigt, le sang prit une texture plus fluide et sa surface acquit bientôt l'apparence moirée d'un miroir. La pourpremagie était à l'œuvre. Les images commencèrent à se dessiner…

Grâce aux *yeux noirs*, ses fidèles espions, elle n'avait jamais perdu la piste de la jeune Caessia. Dans le chaudron de sang, elle pouvait suivre à la trace les faits et gestes de sa petite protégée.

Caessia…, répéta l'Ombrienne avec ce qu'elle pouvait éprouver de plus proche d'un amour maternel. *Ma chère enfant…* Corrompue, vouée aux ténèbres, elle serait le fléau de Genesia. Elle offrirait les cendres des anciens royaumes à sa sombre maîtresse. *Et je suis celle qui la guidera dans cette voie,* songea avec gourmandise la marâtre, concluant ainsi sa brève rêverie.

Puis elle reporta son attention sur le chaudron.

Tout d'abord, la Première conseillère vit apparaître un calme village tireldien, non loin de la frontière orlandaise. Calme… ? Non, à la réflexion. Plutôt… muet, tendu, pétrifié. Un village victime d'un siège, de toute évidence. Et qui était donc cet homme des Steppes, assis en face de la jeune fille ?

La Première conseillère eut un hoquet de stupeur en reconnaissant Kendan, le gardien de Sorcelame. L'homme qu'elle traquait depuis des mois ! Blessé, pourchassé depuis les confins ouestiens par les hordes qu'elle avait lancées à ses trousses, il paraissait à bout de forces. Mais que faisait-il ici, précisément dans le village où Caessia avait fait halte ?

Les protagonistes semblaient tenir quelque conseil de guerre. En une poignée de mots, l'Ombrienne comprit : c'étaient ses propres troupes qui assiégeaient le village, les Shërlims qu'elle avait envoyés sur la piste de Sorcelame !

La marâtre aurait pu annuler l'ordre d'attaque, soucieuse de préserver sa protégée. Mais elle n'en fit rien. L'occasion de récupérer l'Aether pour sa maîtresse était trop belle. Elle se contenta de prévenir ses escadrons pour qu'ils prennent soin d'épargner Caessia, l'enfant de l'Ombre.

Bientôt la bataille commença. Les défenseurs n'avaient aucune chance, bien entendu.

Une seconde..., réagit soudain l'Ombrienne, inquiète. Que se passait-il ? Qui était ce petit baladin ?

— Il... il manie Sorcelame ! s'étrangla-t-elle, parcourue d'un frisson hystérique.

Du calme..., se somma-t-elle aussitôt, fâchée contre elle-même. C'était sa sérénité glaciale qui avait fait d'elle ce qu'elle était. Elle devait réfléchir posément.

Voyons, le village est encerclé : ce n'est donc plus qu'une question de patience... et la patience est la plus grande qualité de l'Ombre.

Toutefois, durant les quelques heures de flottement qui suivirent, la politicienne vit avec incrédulité et désespoir ses Shërlims perdre peu à peu l'avantage. L'enfant inconnu brandissait Sorcelame, repoussant les Chaosiens grâce aux pouvoirs de l'Aether. Et elle était aux premières loges pour assister à l'infortune de son armée.

Serrant les mâchoires, la dignitaire tireldienne sentit une décharge de haine froide lui parcourir l'échine. Toujours penchée au-dessus du chaudron, elle songea qu'elle briserait ce garnement, qui puisse-t-il être, qu'elle le verrait écorché et suppliant.

L'ironie cruelle de la situation ne faisait qu'aviver sa colère. Elle avait perdu de si nombreuses troupes dans les Steppes du Vent, essayant en vain de ravir Sorcelame à ses gardiens Barbares ! Chacune de ses tentatives s'était soldée par un échec, ses serviteurs se faisant repérer et tailler en pièces par les Ouestiens – inexpugnables dans leurs Steppes natales. Tout ça pour voir aujourd'hui l'artefact échoir entre les mains d'un vulgaire amuseur public, à peine en âge de se raser ? C'en était trop pour elle. D'où venait ce fanfaron qui osait la défier ainsi ? Et surtout *qu'était-il,* pour manipuler sans vergogne un Aether ?

Pire que tout, elle le vit soudain s'en prendre aux pourpremages. S'il les empêchait d'invoquer l'avatar de la Mère Stérile, tout était perdu… Sorcelame leur échapperait une fois encore.

Elle pria tous les démons de sa connaissance pour que le jeune garçon fût arrêté. Il *ne devait pas* interrompre le rituel. Hélas, le coup de grâce tant redouté vint la frapper, lorsque Evan – ainsi que Caessia avait nommé le porteur de Sorcelame au début des combats – massacra un à un les quatre démonistes. Le portail dimensionnel se referma aussitôt, et l'avatar de sa maîtresse fut renvoyé avant d'avoir pu s'emparer de l'Aether.

La Première conseillère se sentit victime d'une soudaine nausée. Ce garnement venait-il vraiment de mettre en déroute ses meilleurs pourpremages ?

Comme une enfant, elle versa des larmes de rage et de dépit. Tous ses espoirs, qui avaient fait battre follement son cœur pourtant réputé insensible, étaient réduits à néant. *Quel gâchis !* se lamentait-elle. Une incantation comme on n'en avait plus tenté depuis des siècles… La manifestation d'un avatar de la Mère Stérile ! La simple évocation de ce rituel faisait trembler les pourpremages les plus aguerris, et sa réalisation avait nécessité des milliers de sacrifices humains devant Sü'adim afin d'offrir aux invocateurs la quantité de Douleurs nécessaire. Tous ces efforts pour rien ! Un seul malheureux grain de sable… un petit morveux de quinze ans, et c'était fini. Non seulement Sorcelame leur avait échappé, mais il faudrait maintenant des mois à la Dernière Prophétesse pour se remettre de cette tentative d'incarnation avortée… Et dire que la victoire avait semblé si proche !

Elle avait été le témoin direct de toute la bataille, épiée pour elle par les *yeux noirs,* et malgré tout elle osait à peine y croire. Quelques minutes irréelles s'écoulèrent, le temps qu'elle reprenne ses esprits. Ceci était la réalité, fulmina-t-elle en suivant les images de la débâcle. Cette nuit, l'Ombre avait échoué. Et la mort de Kendan lui semblait bien peu de chose pour s'en consoler.

Elle brouilla d'un geste la surface du chaudron. Elle n'avait pas besoin d'en voir davantage. Mais il lui restait quelques sujets à méditer avant de regagner ses appartements de la Nef…

Elle commença à faire les cent pas entre les cratères fumants. Evan pouvait-il représenter un réel danger pour la Mère des Douleurs ? Si jamais les Anciens Rois le trouvaient et l'éduquaient…

Non ! se corrigea-t-elle, cette pensée claquant comme un fouet. *Les Anciens Rois ne sont rien.* Dans leur grande naïveté, ces fantômes inutiles ignoraient seulement qu'ils étaient déjà vaincus. Il avait été si facile de faire assassiner Brenghenann, jetant ainsi le soupçon et la division dans leurs rangs. Aujourd'hui, ils étaient affaiblis, leur belle unité sapée. Ils avaient en outre retrouvé un monde qui ne ressemblait en rien à celui qu'ils avaient autrefois abandonné. Les collèges des Six Voies, constituant à l'époque la base de leur pouvoir, avaient passé un millénaire à se quereller et à se jalouser. Au lieu de guider les nations dont ils avaient la garde, les Dracomanciens s'étaient réfugiés dans des conservatoires coupés du monde, trop occupés à élaborer leurs intrigues à l'encontre des Voies rivales. Peu à peu, les fiers royaumes du passé s'étaient donc délités, les alliés d'autrefois s'entre-déchirant pour ne laisser finalement que des ruines. Dans la chaleur de son enfer privé, la Tireldienne sentit – malgré le spectacle auquel elle venait d'assister – un fin sourire s'épanouir sur ses lèvres. Les pitoyables monarques appartenaient au passé.

Bien entendu, il ne fallait prendre aucun risque. Pour le moment, l'épée devait absolument être retrouvée. Et le jeune Evan devait périr.

Par chance, s'il demeurait en compagnie de Caessia, elle pourrait le tenir à l'œil par l'intermédiaire de ses serviteurs, qui espionnaient sans relâche la jeune fille. Mais pour le tuer…

Le sourire de la marâtre s'élargit. Elle savait exactement à qui confier cette tâche. Après la frustration qu'il lui avait occasionnée, le baladin présomptueux méritait qu'elle traitât son cas avec un soin tout particulier…

Revenue faire face au chaudron de sang, l'Ombrienne inspira très lentement. Elle joignit méticuleusement les extrémités de ses doigts, conférant à son esprit le calme qui convenait à la conjuration. Puis elle appela à elle l'Écorcheur d'Âmes.

Chapitre 1

° Écoute-moi.

— …

° Evan, écoute-moi !

Le garçon se mourait. Il étouffait. La sorcellerie de l'Examinatrice était à l'œuvre, comprimant chacune de ses artères. Son sang semblait s'être solidifié dans ses veines, le laissant nauséeux et incapable de se concentrer.

° Evan ! claqua à nouveau la voix, d'un ton maintenant impérieux.

Allongé sur le sol, haletant, l'adolescent tenta de déterminer qui l'interpellait ainsi. Ce ne pouvait être la Soror, dont il avait vu les pieds bottés s'éloigner quelques instants plus tôt.

— Caessia ? appela-t-il, la voix rauque.

Pas de réponse. Les yeux d'Evan perçaient difficilement cette pénombre précédant l'aube, mais il lui semblait bien que son amie avait sombré dans l'inconscience.

D'ailleurs, à la réflexion, cette voix n'était pas celle – aux accents cassants et juvéniles – de la jeune noble. C'était une voix féminine plus mature, plus chaude aussi.

° Evan, insista l'inconnue. Viens à moi.

Le ton était autoritaire mais dépourvu d'agressivité. Le garçon tâcha de rassembler ses esprits. Au prix d'une pénible contorsion, il parvint à tordre le cou pour observer autour de lui.

Personne. L'Examinatrice discutait toujours avec ses cavaliers, un peu plus loin. Comme elle l'avait dit, il lui suffisait maintenant d'attendre que son sortilège achève son œuvre...

° Tends la main, reprit la voix mystérieuse, cette fois avec un soupçon d'impatience.

Perplexe, Evan observa encore plus attentivement son environnement immédiat. Alors, clignant des yeux, il comprit.

Là, à quelques pas de lui...

Sorcelame gisait au sol, à l'endroit même où il l'avait laissée tomber juste après la bataille. Le joyau rouge qui ornait l'extrémité de son pommeau semblait le fixer comme un œil dépourvu de paupières.

° C'est ça..., fit la voix.

Evan, ayant admis que cette dernière ne pouvait appartenir qu'à l'Aether, se demanda fugitivement s'il était le seul à pouvoir l'entendre. Un nouveau coup d'œil lui confirma que nulle agitation ne venait perturber le groupe de Fraters rassemblés à quelque distance. Il devina donc que les paroles de l'épée n'étaient audibles que par lui.

À la lueur de ce nouvel élément, un début d'espoir parut renaître dans les entrailles du garçon... Mais son optimisme fut de courte durée. *Soyons réaliste,* rumina-t-il avec une amertume que la curiosité ne suffisait pas à chasser. *Quand bien même l'arme magique aurait le pouvoir de me sauver, jamais je ne parviendrai à l'atteindre...* Non, pas avec le poids du sortilège qui pesait sur lui. La cage thoracique étreinte par un étau invisible, à peine parvenait-il encore à respirer. Il savait qu'il serait totalement incapable de se lever.

° Fais-moi confiance, reprit pourtant la voix de l'épée. Il te suffit de tendre la main. Je suis toute proche...

Non, c'est trop loin ! pensa-t-il avec désespoir. Mais tandis que ses yeux roulaient nerveusement, cherchant une improbable solution, le regard d'Evan retomba sur Caessia. Le visage à demi caché par ses longs cheveux noirs, la jeune fille paraissait toujours évanouie… dans le meilleur des cas.

Evan sentit son cœur se serrer et se mit subitement à penser à Aiswyn, ainsi qu'à leurs autres compagnons, prisonniers des Fraters quelques pas plus loin. Il se faisait peu d'illusions quant au sort qui les attendrait lorsqu'ils seraient conduits en Daedor.

Il entendit ses dents grincer. *Pourpremonde…*, gronda-t-il intérieurement. S'il y avait le moindre moyen de sortir de cette situation, il devait tout essayer pour y parvenir.

Au prix d'un effort qui lui tira un gémissement étouffé, il réussit à mouvoir légèrement ses jambes et son bassin. Il parvenait à bouger ! Retenant des sanglots de douleur et tâchant d'oublier les tonnes invisibles qui pesaient sur ses organes internes, il entama une lente et maladroite reptation vers Sorcelame.

Hélas, après avoir progressé de la moitié de sa taille environ, il dut déjà s'arrêter, en nage. Il ne pouvait plus faire le moindre geste. Objectivement, il ne le pouvait plus. Malgré tout, il serra la mâchoire à nouveau, presque à s'en briser les dents. *Je ne vais pas flancher maintenant !* rugit-il intérieurement. Et il trouva les forces nécessaires.

Roulant sur lui-même, priant pour ne pas écraser quelque brindille dont le bruit attirerait l'attention de la Soror, il se rapprocha encore un peu de l'épée. Le rubis au bout de la garde l'observait toujours, comme un encouragement silencieux.

Evan tendit son bras droit, qui semblait fixé à ses côtes par des chaînes d'acier. À l'horizon, il vit sa main se déplacer lentement, traînant dans la poussière, se mouvant au ralenti. Là… dans le prolongement, un tout petit peu plus loin… Sorcelame. Bon sang, il pouvait presque la toucher !

Durant ce qui lui sembla être une éternité, ses doigts griffèrent la terre, sa main se crispant dans ses tentatives pathétiques pour atteindre l'arme. Du reste de son corps, il ne pouvait hélas plus espérer le moindre mouvement. Ses limites avaient déjà été largement dépassées.

Il allait perdre espoir, lorsque l'extrémité de ses doigts heurta le métal de l'arme. Subitement, c'était comme si l'épée s'était rapprochée. Evan ferma les yeux, se concentrant sur sa main. Celle-ci se referma sur la garde noire de l'Aether. Il y avait là quelque chose d'incompréhensible. Un instant plus tôt, il s'escrimait encore à ronger les derniers centimètres qui le séparaient de l'artefact, et à présent il sentait le métal contre sa paume. À croire que l'épée avait parcouru elle-même la fin du chemin pour lui permettre de s'emparer d'elle…

Mais Evan n'eut pas l'occasion de s'interroger davantage. Dès qu'il eut saisi Sorcelame, il sentit son pouvoir affluer en lui.

Il trembla lorsque la lueur rouge, maintenant familière, nimba l'arme puis enveloppa son propre corps. Il aurait dû craindre que cela n'éveille l'attention des Fraters, mais il n'y pensa même pas. Ce tremblement qui le parcourait n'était pas un frisson de terreur, mais bien de plaisir. C'était l'expression d'une soudaine plénitude, celle de retrouver ce pouvoir pulsant, sauvage et désordonné. Comme s'il s'était abreuvé à la source même de la vie. L'adolescent songea qu'il y avait presque de quoi perdre la raison.

° Viens…, fit la voix chaude de Sorcelame.

Alors, oubliant les souffrances de son corps livré au sortilège de la Soror, abandonnant son esprit dans celui de l'Aether, Evan obéit.

Par un mouvement de l'âme dont la réelle nature lui échappait – il eut simplement l'impression de chuter, ou d'être aspiré vers le haut, il n'aurait su le dire – le garçon sentit qu'il quittait brusquement le monde terrestre. Autour de lui, s'étendait maintenant un vide sans ciel ni sol, parcouru de sentiers d'argent. Ces chemins brillants le firent tressaillir, lui rappelant amèrement la manière dont il s'était retrouvé emprisonné dans l'esprit de l'épée, durant la première bataille contre les Chaosiens.

Du calme, se dit-il pour faire taire son angoisse. Depuis cette expérience malheureuse, il avait prouvé une fois qu'il pouvait manier l'épée magique sans tomber sous sa domination. Et de toute façon, songeait-il, il n'avait guère d'autre choix que de faire confiance à Sorcelame, s'il voulait avoir une chance de sauver ses amis.

Non sans appréhension, il accepta donc de se perdre à nouveau dans l'esprit inquiétant de l'Aether. Incapable de s'orienter au sein de ce qui lui apparaissait comme une pelote emmêlée de fils métalliques et scintillants, il suivit l'écho de la voix féminine. Jusque dans les profondeurs de cette âme inconnue.

° Il va te falloir puiser au Fleuve, l'entendit-il bientôt chuchoter.

Evan n'avait pas la moindre idée de ce que cela pouvait signifier. Pour le moment, il se contentait de se laisser guider. Les fils d'argent défilaient sous ses pas, se déroulant et se contorsionnant avec la souplesse de serpents.

° Puiser au Fleuve, répétait au loin Sorcelame, comme une litanie.

Soudain, l'adolescent vit de quoi elle voulait parler. Le monde semblant avoir subitement retrouvé un haut et un bas, il se sentit glisser le long d'un sentier argenté jusqu'au sol. Les filins mouvants disparurent, le laissant dans ce nouvel environnement.

Il se trouvait sur les berges d'une étrange rivière. Nu et agenouillé, comme si on l'avait simplement posé là sans se soucier de sa volonté. Par terre, une herbe couleur de fer-blanc ployait par vagues sous l'action d'une brise légère. Au-dessus de sa tête, des nuages spiralés s'étiraient dans un ciel d'argent. Enfin, face à lui, coulaient les eaux luisantes d'un fleuve large et paisible.

C'était un lieu frais, serein. À la vue de ce monde monochrome, Evan comprit qu'il avait quitté l'esprit de Sorcelame. L'épée n'avait été que son moyen de transport jusqu'ici. Ici, où la lumière étrange, parfois clignotante, donnait l'impression d'être *négative*, d'aspirer toute couleur.

Le garçon ressentait une émotion qu'il ne parvenait pas à décrire. Cet univers de métal poli avait quelque chose d'immuable. À la fois originel et étranger, il ne semblait situé ni en lui-même… ni réellement en dehors. Mais Evan était sûr d'une chose : c'était un endroit qu'il avait bien connu. Une partie de lui, au moins, l'avait bien connu. *Un jour ou l'autre… je parviendrai à me souvenir,* fit cette portion de son esprit. Et, une fois encore, le bruit d'un millier de battements d'ailes se fit entendre au fond de son âme. Il ne s'agissait pas d'un bourdonnement, mais d'un son lourd, majestueux.

Toutefois, un détail le tira vite de sa rêverie. Il n'était pas seul sur la berge.

Une jeune femme se tenait à quelques pas de lui. Elle était nue, elle aussi, mais debout. Ce fut avant tout la couleur inhabituelle de ses yeux qui attira l'attention de l'adolescent. Le regard de l'inconnue était semblable à du métal liquide. Ses yeux, intégralement argentés, ne possédaient ni blanc ni pupille. Et ils étaient calmement, implacablement fixés sur lui.

Hormis cette étrange particularité, la jeune femme aurait pu ressembler à une habitante de Genesia. Sa poitrine lourde et sa peau laiteuse contrastaient néanmoins avec la tension presque surnaturelle qui habitait son corps. Ses cheveux, raides et très longs, flottaient de telle manière qu'on les aurait dits animés d'une vie propre. Ses membres étaient filiformes et nerveux, leurs muscles dessinés comme si on en avait ôté toute chair inutile. À l'image de ses longs doigts, ils étaient tendus, semblant prêts au combat. *Ou prête à bondir sur sa proie...*, ne put s'empêcher de songer Evan en réprimant un frisson.

La créature qui lui faisait face avait plus ou moins apparence humaine, jugea-t-il, mais elle dégageait également quelque chose de... pas totalement domestiqué. Quelque chose dans sa posture féline, dans la cambrure exagérée de son dos, indiquait qu'il n'avait pas affaire à une entité parfaitement civilisée. L'inconnue brûlait tout entière d'une sauvagerie qui lui donnait l'allure de quelque dangereuse et perverse nymphe des bois.

Venant renforcer cet aspect inquiétant, de larges tâches couleur de rouille attaquaient certaines parties de son corps et de son visage, comme une gangrène rougeâtre. Et malgré tout cela, impossible de le nier, elle était magnifique. La pureté de ses traits, des lignes de son corps, avait un éclat irréel.

— Sorcelame..., murmura Evan, incrédule et envoûté.

Son premier mouvement de recul passé, l'adolescent l'avait

identifiée sans peine. Dans ses proportions et son allure générale, il aurait été difficile de ne pas reconnaître la silhouette sculptée sur la garde de l'épée.

L'incarnation de l'Aether lui sourit, révélant une rangée de dents qui étaient comme autant de petits crocs aiguisés.

— Je t'ai guidé jusqu'ici, confirma-t-elle. Tu n'as pas eu trop de mal à me suivre ?

Evan reconnut la voix onctueuse qu'il avait suivie à travers les sentiers d'argent. Sans répondre à la question, il lâcha tout bas :

— Alors vous êtes vraiment vivante. Ce morceau de métal possède bel et bien… une âme.

— Tu en doutais encore ?

La créature s'avança, ses cheveux noirs ondulant autour d'elle comme des tentacules teigneux.

— Je vis depuis bien plus longtemps que tu ne peux l'imaginer. Je suis née au cœur des forges d'Opale, il y a des éons. Ciselée de la main même d'Ouros aux Doigts de Diamant. Et notre présence ici signifie que mon destin va bientôt s'accomplir.

— Je ne comprends pas, bafouilla Evan, un peu perturbé malgré la sérénité que ce lieu lui inspirait.

— J'ai été créée pour l'époque actuelle, reprit Sorcelame. Evan, je suis ta préceptrice draconique. À présent, tu dois me faire confiance.

Toujours agenouillé face au fleuve, le garçon fronça les sourcils avec une évidente défiance.

— Je ne sais pas, dit-il d'une voix qu'il espéra ferme. Tu as pris le contrôle de mon corps, la nuit dernière. On m'a raconté ce qui s'était passé. J'étais devenu fou… Par ta faute, j'aurais pu tuer mes meilleurs amis !

La jeune femme soupira.

— Je suis désolée, dit-elle. Bien que ce ne soit pas réellement ma faute.

S'approchant encore, elle saisit doucement le poignet d'Evan et posa la main du garçon sur son propre flanc, à un endroit marqué par la gangrène. Cette zone était brûlante, pulsant d'une chaleur que le garçon jugea malsaine, sans bien comprendre pourquoi.

— Je suis malade, petit frère. C'est le Sombre-Venin.

L'adolescent leva un œil interrogateur, incitant son interlocutrice à poursuivre.

— Je suis restée trop longtemps en symbiose avec la Mère Stérile, expliqua-t-elle. Lorsque le Lion Rouge s'est servi de moi pour la terrasser, il m'a laissée profondément enfoncée dans ses chairs. Il la supposait vaincue, mais elle ne l'était pas. Elle a profité de ma présence pour puiser dans mes propres forces, afin de soigner cette blessure qu'on avait crue mortelle. Cet échange durable d'énergie entre moi et la Mère des Douleurs a laissé de terribles traces, comme tu peux le voir.

Sorcelame fit un pas en arrière pour reprendre ses distances, comme si elle répugnait à prolonger le contact entre la main d'Evan et son corps lépreux.

— Elle a fait de moi une part d'elle-même et... aujourd'hui, hélas, je dois avouer qu'une part d'elle demeure encore en moi. Je lutte à chaque instant contre cette corruption, mais parfois les instincts du Sombre-Venin prennent le dessus. À tout moment, je peux basculer dans la folie. C'est ce qui s'est passé cette nuit. Et cela durera aussi longtemps que je n'aurai pas été guérie par un Initié exécutant le rituel approprié.

— Charmant, railla Evan. Et tu me demandes de te faire confiance ?

Un sifflement rageur passa entre les dents pointues de Sorcelame.

— Pour le moment, il n'y a pas d'autre solution, tu le sais.

Elle se dressa de toute sa taille, qui aurait été similaire à celle d'Evan s'il s'était trouvé debout.

— Bien, conclut-elle. Si tu veux que je puisse t'aider à rompre le sortilège qui pèse sur toi, tu vas devoir puiser au Fleuve, répéta-t-elle en désignant les eaux argentées. Mais il faut que je te prévienne...

Elle baissa les yeux, pour la première fois, avant d'enchaîner :

— Quand tu auras touché le Fleuve, ta vie ne sera jamais plus la même.

— C'est-à-dire ? la questionna Evan.

Légèrement embarrassée, l'incarnation de l'Aether marqua un temps avant de poursuivre :

— Eh bien, pour commencer, tu « verras » la magie. Pour *toujours*. C'est irréversible. Et ton âme… (À nouveau, elle hésita.) ton âme sera prisonnière de…

Comme elle se taisait une fois de plus, l'adolescent s'empourpra. Tout ce qui lui importait pour le moment, c'était de pouvoir sauver ses amis ! Et pour cela il devait se libérer du sort de la Soror.

— Quoi ? soupira-t-il donc, impatient. Je perdrai mon âme, c'est ça ? Quel terrible drame. Comme si je m'en servais tous les jours… Bon, c'est tout ? Je peux y aller ?

Sorcelame parut sur le point d'ajouter quelque chose, mais elle se contenta finalement d'acquiescer. Du menton, elle indiqua la direction du Fleuve.

— Plonges-y tes mains, déclara-t-elle. Puise au Fleuve…

Evan s'exécuta. Ses doigts puis ses poignets pénétrèrent dans l'eau brillante. Le contact de cette dernière était glacial, mais pas douloureux. C'était comme toucher de la neige, la sensation de brûlure et les picotements en moins.

Parfaitement immobile, l'adolescent sentit une énergie diffuse l'envahir. Il avait déjà expérimenté cette sensation de pouvoir lorsqu'il s'emparait de Sorcelame, mais cette fois cela s'exprimait différemment. Aucun tremblement, aucun choc, aucune décharge violente dans le flux qui se déversait en lui. L'énergie du Fleuve se répandait dans ses veines en prenant son temps, comme si les eaux avaient pressenti que le temps était ici infini. L'impression de fraîcheur parcourait Evan tout entier, révélant lentement la magie sur son passage. Réveillant le pouvoir dans chaque molécule de son corps, dans chaque particule de son esprit. Le Fleuve le transfigurait. Confusément, le garçon comprit alors que l'Aether avait dit vrai et qu'il ne serait jamais plus le même.

Le processus achevé, il observa ses mains sortir de l'eau, les doigts toujours couverts par endroits d'une pellicule argentée. Puis il tourna la tête vers sa préceptrice, comme Sorcelame s'était elle-même baptisée. Il n'avait aucune idée du temps qui s'était écoulé, et doutait que cela ait une quelconque importance en ce lieu.

— Que dois-je faire à présent ? demanda-t-il, l'esprit parfaitement clair en dépit de l'étrangeté du moment.

— Tu es prêt, répliqua la femme aux yeux d'argent. Il ne te reste plus qu'à détisser le sortilège de ton ennemie. Mais, pour cela, il va falloir te battre. Et cette fois, je ne pourrai pas le faire à ta place…

En entendant ces mots, Evan lâcha un soupir tranquille. *Cette créature ne cessera donc jamais de s'exprimer par énigme…*, pesta-t-il intérieurement.

— Je veux bien, mais… là encore, mon ignorance est totale, avoua-t-il calmement. Je suis un gamin, pas un mage !

Sorcelame hocha la tête.

— Je sais. Je suis là pour te guider.

Elle soupira à son tour, ajoutant dans un murmure :

— Triste siècle que celui-ci, où la descendance du Tatrøm ne reçoit même pas la plus élémentaire des éducations…

Toutefois, chassant ces méditations personnelles d'un geste blasé, la jeune femme n'attendit pas pour reprendre d'une voix plus autoritaire :

— Bien. Tu vas m'écouter attentivement. Ensuite, il te suffira de suivre à la lettre mes instructions…

— Impossible ! C'est impossible !

Sitôt de retour dans son environnement naturel, Evan fut assailli par les cris hystériques de l'Examinatrice. Succédant à la sérénité presque irréelle des berges du Fleuve, ce retour à la réalité s'avérait cruel. L'espace d'une seconde, l'adolescent se sentit un peu nauséeux et désorienté. Il prit néanmoins sur lui, sachant que ce n'était guère le moment de se laisser aller.

Il ne tarda pas à comprendre ce qui provoquait l'émoi de la Soror. À quelques pas d'elle, plusieurs de ses cavaliers venaient de s'écrouler, terrassés par un sortilège brutal. Les Fraters semblaient avoir été arrachés à leur monture par une large langue de feu, qui les avait touchés à hauteur de poitrine. Tandis qu'ils roulaient au sol – les moins mal en point tentant d'éviter les sabots de leurs chevaux paniqués –, des flammèches l'attestaient encore, courant le long de leur habit ecclésiastique.

° Tu vois, j'ai tenu parole, déclara sobrement Sorcelame.

En entendant cette voix dans son esprit, le garçon se permit de sourire. L'âme de l'épée l'avait assurée qu'elle viendrait en aide à ses compagnons prisonniers tandis qu'il affronterait la Soror. D'un rapide coup d'œil, il remercia l'artefact, toujours nimbé de son aura rouge. Il resserra également sa prise autour de la garde de métal noir, espérant ainsi se donner du courage.

Son regard croisa alors celui de l'Examinatrice, et ceux-ci s'accrochèrent aussitôt, imitant les lames de deux duellistes. Les étincelles qui brillaient dans leurs yeux rappelèrent un instant les poussières incandescentes nées du frottement de deux rapières. Bien qu'encore contraint à une position de reptation peu glorieuse, Evan tâcha de faire passer dans ce regard toute l'assurance et toute la dignité dont il se sentait capable. La Soror ne cilla pas davantage.

Sans attendre un instant de plus, le jeune garçon appliqua les conseils de Sorcelame. Sous les traits de la jeune femme aux yeux argentés, l'Aether lui avait expliqué que tous les Dracomanciens avaient le pouvoir d'imposer une lutte de volonté à leurs semblables. La plupart des sortilèges actifs pouvaient ainsi être annulés, à condition de vaincre le mage qui les maintenait. Il suffisait pour cela de faire plier l'esprit de son adversaire au terme de ce combat invisible. En fait, Evan se souvenait à présent d'avoir vu Gaelion procéder de la sorte, le soir où l'Examinatrice les avait débusqués dans la forêt.

À l'époque, cela lui avait paru si étranger… Mais aujourd'hui, il était un autre. Il *voyait* la magie. Il voyait la forme floue qui flottait devant la Soror, à la hauteur de son plexus. Tout comme il voyait autour de Sorcelame l'embryon de la nouvelle attaque magique préparée par l'Aether.

Il se concentra sur le sortilège qu'il devait détisser : ces trois fils d'argent ondulant paresseusement en l'air devant la Soror. C'était le sort de son ennemie, ou du moins, sa modélisation d'énergie. La magie qui menaçait de les tuer, Caessia et lui, en comprimant leurs artères et leurs organes internes.

Il en observa la structure attentivement, cherchant la faille, ainsi que Sorcelame le lui avait expliqué. Ces trois filins, en tout point semblables à ceux qui s'emmêlaient par centaines dans l'esprit de l'Aether, semblaient attachés ensemble selon un nœud lâche, qui lui parut plutôt simple. À vrai dire, l'adolescent était un peu surpris par l'apparence du sortilège. C'était donc cela, la magie. Des fils entrelacés, des formes à faire et défaire, comme dans un jeu de construction. C'était donc *ça* qui faisait tellement souffrir son corps, menaçant même sa vie ? Le *construct* dracomancien lui paraissait à présent si inoffensif, si grossier...

Toutefois, Evan prit bien soin de ne pas crier victoire prématurément. L'incarnation de l'Aether l'avait clairement mis en garde : les adeptes de la Voie du Vide, auxquels appartenait la Soror, étaient hélas les spécialistes du combat psychique. Les joutes de volonté étaient leur terrain de prédilection et ils possédaient toute une palette de sortilèges spécialement destinés à ce domaine, faisant d'eux de redoutables adversaires. En dépit de l'apparente rusticité du sort à contrer, le garçon pouvait donc craindre quelque ruse imprévue de la part de la télépathe et devait rester particulièrement vigilant.

Avec précaution, il commença à insinuer sa psyché entre les fils d'argent. Dès le premier essai, le mouvement à acquérir lui apparut comme une évidence. Evan, qui avait craint d'éprouver des difficultés à mettre en pratique les principes enseignés par sa préceptrice, se réjouit de constater que le procédé lui semblait totalement naturel. Il lui suffisait d'appliquer son esprit sur la forme de magie, là où il souhaitait exercer une pression. En théorie, il sentait qu'il aurait pu dénouer les liens argentés à la seule force de sa volonté. En théorie seulement, car la résistance de la Soror l'empêchait pour l'heure de parvenir à ses fins.

° Elle est forte, fit la voix de l'épée dans sa tête. Ne lui fais pas de cadeau.

Evan n'avait guère besoin de ce conseil. Il sentait la puissance mentale de l'Examinatrice se dresser en face de lui, comme un mur infranchissable. Il avait l'impression de se heurter à une paroi de pierre sans la moindre aspérité. Sur le front de son adversaire, le tatouage représentant un dragon enroulé sur lui-même était réapparu, comme un avertissement.

Ils s'affrontèrent, la nuque tendue et courbée en avant, exactement comme deux lutteurs qui utiliseraient leur poids et leurs muscles pour renverser l'autre. Une fois encore, le temps sembla disparaître. Très vite, le garçon sentit qu'il transpirait à grosses gouttes.

Par bonheur, la Soror semblait trop sûre d'elle pour recourir à quelque chausse-trape. Délaissant les sortilèges de sa Voie – qui auraient pourtant pu lui conférer un avantage supplémentaire –, la jeune femme s'était jetée dans la mêlée psychique avec sa seule force brute. Laquelle, Evan devait l'avouer, lui paraissait pour le moment amplement suffisante. Il ignorait où et comment son adversaire avait pu se forger une telle volonté, mais il était conscient d'une chose : quelques minutes plus tôt, il n'aurait même pas eu la moindre chance de rivaliser avec elle. Pas sans cette étrange sérénité, celle qu'il avait retirée de sa récente union avec le fleuve argenté. Il comprenait à présent que les eaux de l'étrange cours d'eau, sans doute constituées de magie à l'état pur, avaient réveillé en lui des ressources insoupçonnables.

Puisant dans ces forces nouvelles, oubliant l'apparente invulnérabilité de son ennemie, il se battit de plus belle. Il percevait toujours son environnement, bien que de manière floue. À en juger par les événements extérieurs, le combat ne durait sans doute pas depuis plus de quelques instants… et pourtant la fatigue nerveuse qu'éprouvait l'adolescent était celle de plusieurs heures de lutte. Malgré tout, il tenait bon. Et si, pour l'instant, il n'était pas parvenu à faire reculer d'un pouce les défenses de la Soror, il n'avait pas battu en retraite non plus. La Daedorienne devait commencer à comprendre que le combat ne serait pas si facile. Toutefois, comme si elle mettait un point d'honneur à écraser le jeune présomptueux tel un vulgaire insecte, elle répugnait toujours à tirer bénéfice de sa maîtrise supérieure.

Tendu dans l'effort, Evan sentait la présence réconfortante de Sorcelame, dont le pouvoir pulsait au bout de son bras. Une fois de plus, la voix de l'Aether chuchota en lui, comme si la jeune femme aux yeux d'argent se penchait à son oreille.

° Tu y es presque, l'encouragea-t-elle doucement. Je sens qu'elle faiblit.

— Tu parles..., grogna le garçon entre ses dents.

Lui ne percevait rien de ce genre. Ce murmure de soutien l'avait néanmoins stimulé, la confiance tranquille dans la voix de l'épée lui apportant la détermination qui lui manquait pour lancer toutes ses forces dans la bataille. Il réalisa que jusque-là, il s'était contenté de résister, n'osant pas vraiment croire qu'il pouvait vaincre. Maintenant, il devait se jeter en avant...

Pendant ce temps, Sorcelame ne demeurait pas inactive. Bien que son esprit soit presque totalement accaparé par sa lutte psychique, Evan ne pouvait ignorer les efforts de son alliée. Les Fraters chargés de garder les chevaux sur lesquels étaient ligotés Aiswyn, Gaelion et le Troll de Caessia – deux destriers avaient été nécessaires pour répartir le poids de ce dernier – s'étaient dispersés. Après avoir fait éclater leur formation par deux nouvelles langues de flammes magiques, l'épée les maintenait à distance sous un feu nourri d'éclairs bleutés. Totalement désorientés, les Daedoriens semblaient attendre désespérément quelque ordre de leur supérieure. Le garçon, lui, ne pouvait s'empêcher d'admirer l'habileté de son alliée. Toute la difficulté de sa tâche résidait dans les précautions à prendre pour ne pas toucher leurs amis. Mais Sorcelame visait parfaitement juste... Et, par chance, les montures qui portaient ses camarades attachés étaient suffisamment accoutumées à la magie pour ne pas paniquer. Du coin de l'œil, Evan apercevait déjà le nouveau sort que sa préceptrice était en train de tisser, un champ de force translucide destiné à la protection de ses compagnons.

Ce fut à ce moment-là que l'Examinatrice céda. Evan, qui ne s'était pas attendu à une capitulation si soudaine, sentit son esprit perforer violemment le mur indestructible qui s'était dressé devant lui. Le corps de la Soror, projeté en arrière par le choc, vacilla et tomba aux pieds de ses hommes.

J'ai gagné ?... s'exclama mentalement l'adolescent, largement incrédule. Il était épuisé, mais stupéfait de la rapidité avec laquelle son adversaire avait baissé les armes. Cependant, il lui fallait encore rompre le sortilège qui pesait sur son corps et celui de Caessia.

° Tisse le sort à l'envers, l'exhorta Sorcelame. Voilà... comme ça. Ce n'est plus qu'un nœud à défaire.

Le garçon obéit et vit les fils argentés se séparer avant de se dissiper. En réaction à la pression brusquement disparue, un sursaut parcourut alors son corps. Il était libre ! *Est-ce réel ?* se demanda-t-il, ivre de soulagement. Il essaya de remuer ses membres ankylosés. *Magnifique !* rugit-il intérieurement. Il ne sentait plus le poids du sortilège sur ses artères. Lui et Caessia étaient sauvés.

À nouveau capable de se déplacer normalement, il se hissa sur ses jambes. Un regard vers son amie sudienne lui confirma qu'elle aussi semblait sortir doucement de sa torpeur. Secouant la léthargie qui pesait encore légèrement sur son corps, il saisit la jeune fille par le bras et l'aida à se relever à son tour. Puis, la tenant contre lui, il la soutint pour l'emmener vers leurs compagnons, toujours à l'abri du dôme opalescent invoqué par Sorcelame.

Les Daedoriens, quant à eux, se réorganisaient rapidement. Sitôt redressée, la Soror n'avait pas perdu une seconde pour clamer une série d'ordres brefs et précis. Evan comprit que si lui et ses amis voulaient avoir une chance de s'évader, il leur fallait saisir le moment sans attendre. Déjà, les Fraters avançaient vers eux en formation de combat, épée et bouclier en position.

BIBLIOTHÈQUE MUNICIPALE D'ALMA

— Attaquez-les par le flanc droit ! cria l'Examinatrice. Flanc gauche, exorcisme !

Evan, tout en tranchant les liens qui retenaient Aiswyn, vit l'aile gauche des colosses au crâne rasé s'arrêter et ces hommes ranger leurs armes. Ils portèrent les mains à leurs tempes, tandis que le tatouage dracomancien apparaissait sur leur front. Chacun fit naître devant lui un filin argenté – invisible pour des yeux non-initiés – qui alla se mêler aux autres pour former un *construct* complexe. Le garçon, laissant à ses deux jeunes amies le soin de délivrer Gaelion et le Troll, reporta toute son attention sur la manœuvre des Daedoriens. *Exorcisme… ?* répéta-t-il en réfléchissant. Puis il comprit : les Fraters unissaient leurs forces pour tenter de détruire le champ de force !

Il n'y avait pas une seconde à perdre. Se tournant vers ses compagnons, dont ceux qui venaient d'être délivrés frottaient encore leurs articulations meurtries, il s'écria :

— En selle ! Dépêchez-vous !

Joignant le geste à la parole, il aida Caessia à se hisser sur l'un des destriers daedoriens. Gaelion fit de même avec Aiswyn, avant de monter derrière elle. Le Troll, bien entendu, demeura à terre. Si la réputation de ces créatures était fondée, il pourrait sans peine suivre le rythme des chevaux.

— Tu partageras la monture de Caessia, lança Gaelion à Evan. Je présume que tu n'es pas un cavalier émérite…

Le garçon hocha la tête. Pour l'instant, le bouclier magique couvrait toujours leur retraite, se déplaçant en même temps qu'eux. Les religieux étaient passés à l'attaque, mais leurs puissants coups d'épée rebondissaient sur le dôme en ne provoquant que des étincelles blanches sur sa surface cristalline. Combien de temps Sorcelame parviendrait-elle à le maintenir ? Les Fraters avaient l'avantage du nombre et le soutien d'un sortilège de contre-magie… Derrière eux, l'Examinatrice les encourageait d'un regard sévère. Ses lèvres cerise étaient pincées dans une moue autoritaire et concentrée.

Toujours pied à terre, Evan s'adressa mentalement à son épée :

° Tu sais à quoi je pense ?

L'Aether haleta, en plein effort :

° Bien entendu. Développe quand même...

Le garçon eut un rictus malgré lui. Il allait devoir se faire à ce manque d'intimité psychique.

° Tous ces sortilèges..., reprit-il, ça a l'air si facile, pour toi. Ne pourrais-tu pas nous débarrasser de nos ennemis définitivement ?

La voix de Sorcelame laissa échapper un petit rire rauque et féminin.

° Si, évidemment. Je pourrais.

° Mais... ? fit Evan.

° Pourquoi crois-tu que je ne t'ai pas aidé davantage, lorsque la Prophétesse a failli s'incarner ? Je préfère ne pas éveiller trop ouvertement mes pouvoirs, tant que je ne serai pas guérie, expliqua l'épée. Tu te souviens, le Sombre-Venin...

° Je vois. Tu as peur de perdre le contrôle de tes actes ?

° Oui, répondit-elle. Cette nuit, la proximité des forces de l'Ombre rendait le péril encore plus grand. Je ressentais la présence de la Mère Stérile à travers elles, et le Sombre-Venin s'agitait terriblement en moi. À présent, je me sens un peu mieux... mais le risque subsiste de me voir me retourner contre toi et tes amis. Tenons-nous en donc au strict nécessaire, cela vaudra mieux, tu ne crois pas ?

° Si, admit l'adolescent en faisant la moue. Je comprends.

Il hésitait néanmoins. Il avait vaincu la Soror dans un duel de volonté. Elle ne lui faisait plus aussi peur. *Et grâce à Sorcelame,* songeait-il, *nous sommes plus ou moins en position de force. Une telle situation ne se reproduira sans doute pas de sitôt.*

Il avait la certitude que l'Examinatrice ne se laisserait pas arrêter par cet échec, mais qu'elle continuerait à les poursuivre, lui et ses compagnons. Pouvait-il laisser passer cette occasion de lui régler son compte pour de bon ? *C'est maintenant que j'ai peut-être une chance...,* se répétait fébrilement l'adolescent. Mais une peur qui n'était pas seulement due aux Fraters le freinait. Éliminer la menace représentée par la Soror, cela voulait dire la tuer. Tuer un être humain... Rien à voir avec les aberrations chaosiennes qu'il avait occises la nuit précédente. Malgré l'aversion que lui inspirait la jeune religieuse, Evan ne se sentait pas le courage d'assumer la responsabilité d'un tel acte. *Quelle lopette je fais !* se fustigea-t-il. *Sûr qu'elle ne se gênerait pas, à ma place...*

Soudain, Aiswyn poussa un petit cri de terreur derrière lui. Sa monture venait de faire un brusque écart, et elle avait manqué chuter, retenue de justesse par le bras de Gaelion.

Evan leva de nouveau les yeux sur la ligne des Fraters, qui continuaient de s'acharner sur le bouclier de Sorcelame. Il réalisa que celui-ci ne résisterait peut-être pas éternellement et que leur situation demeurait précaire. Non sans lâcher un soupir de frustration, il se résigna enfin à fuir. D'un bond agile, il grimpa derrière Caessia.

— D'accord, grogna-t-il. En route !

Alors que les chevaux s'élançaient au galop, la jeune aristocrate se tourna à demi vers lui.

— Bien joué, Evan, le félicita-t-elle. J'ignore comment tu t'y es pris pour nous sortir de là, mais... Merci.

Prenant malgré lui un air suffisant, le garçon sourit d'une oreille à l'autre, tandis que ses bras venaient entourer la taille de Caessia. L'intéressée, dans un geste apparemment machinal, ouvrit et ferma alors le poing comme pour délier ses doigts.

— Une dernière chose... Fais seulement mine de te coller à moi, l'avertit-elle, et je te ferai regretter la compagnie de l'Examinatrice.

Chapitre 2

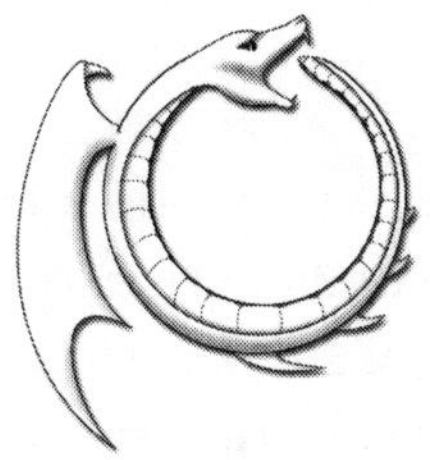

La silhouette de l'Écorcheur se matérialisa au milieu des flammes. S'extirpant du brasier qui venait de surgir au-dessus du chaudron, elle gagna le sol et posa un genou à terre, face à la Première conseillère.

— Je suis à vos ordres, Sombre-Épouse.

La *chose* s'exprimait avec une voix criarde. Une voix de petite fille, qui contrastait avec son apparence cauchemardesque.

Pendant quelques instants, la politicienne fixa le démon sans rien dire. Cette créature de Pourpremonde avait l'apparence d'un cadavre vieux de plusieurs jours, accoutré d'un costume de bouffon aux rayures multicolores. Un bonnet à grelots complétait l'ensemble, tandis que des plaques de cuivre rivetées à même la peau s'affichaient sur diverses parties de son corps, comme pour maintenir soudées ses chairs pourrissantes. Même dans cette posture – que le mort vivant voulait certainement servile et empreinte de gravité –, son corps était secoué de ricanements larmoyants. Mais le détail dont se délectait l'Ombrienne par-dessus tout, c'était cette lueur aussi malsaine que déterminée dans l'œil du démon. Une étincelle de tueur sadique.

— Écorcheur d'Âmes, le nomma la femme d'une voix forte.

Le démon courba l'échine encore davantage. De toute évidence, il était terrorisé par elle.

— Tu n'as rien à craindre, le rassura son invocatrice. Tu peux te redresser. Je sais qu'à la cour de mon bien-aimé, tu fais partie de ses favoris. Je sais aussi que tu ne me décevras pas.

Elle se tut soudain. Ses propres paroles l'avaient troublée malgré elle. Être ainsi confrontée à un mignon de son époux secret lui rappelait cruellement combien ce dernier lui manquait. Combien son absence la brûlait jusqu'au fond d'elle-même.

L'Arlequin… Son conjoint démoniaque, son amour incendiaire, sa seule passion. Celui pour qui elle avait tout renié. Lui seul était capable d'embraser son cœur de glace. Il était l'un des Six Apôtres, l'un des six plus puissants serviteurs de la Mère Stérile. Un général des forces de l'Ombre.

Hélas, la fierté d'avoir un amant aussi glorieux ne compensait pas l'amertume de devoir le partager avec les nombreuses préoccupations d'un Apôtre. L'Arlequin, en effet, n'avait guère de temps à accorder à sa concubine. En sus des préparatifs de guerre ordonnés par la Dernière Prophétesse, le seigneur des enfers devait administrer sa portion du royaume diabolique. Il régnait sur les démons du vice et de la farce, de la folie et de la corruption, de l'obscénité et de l'humour noir. Tout un peuple querelleur, comploteur et fourbe à maintenir sous sa poigne.

De plus, il payait toujours cher sa défaite contre les Anciens Rois, mille ans plus tôt. Ces derniers l'ayant terrassé et banni de Genesia, il avait perdu le pouvoir de s'y incarner, et demeurait donc confiné en Pourpremonde. C'était là que la Première conseillère pouvait parfois le retrouver, dans ses rares moments libres et lorsque ses propres obligations politiques lui en laissaient le loisir. Quelques instants volés, pas un de plus, alors qu'ils avaient déjà été séparés si longtemps…

La femme à l'oiseau lâcha un soupir sec et se força à se ressaisir. Elle savait combien sa passion pour l'Apôtre frôlait les frontières de la folie et combien cela était désirable, mais elle devait rester concentrée sur sa mission.

Sa mission, qui devenait à présent celle de l'Écorcheur.

— Tu vas te rendre sur Genesia, ordonna-t-elle. Tu y trouveras Caessia et tu me la ramèneras, ainsi que l'épée Sorcelame. Tu trouveras également Evan, ajouta-t-elle plus sèchement, le garçon qui les accompagne. Lui... tu le tueras.

Le démon s'inclina, sans parvenir à dissimuler un rictus nerveux.

— C'est avec joie que j'accomplirai votre volonté, promit-il de sa voix enfantine.

Evan..., répéta mentalement la politicienne. Elle ne pouvait chasser le mauvais pressentiment que lui inspirait cet enfant.

— Méfie-toi de lui, mit-elle en garde l'Écorcheur. Il dispose de ressources... insoupçonnées, et il a déjà obtenu une victoire sur plusieurs pourpremages.

Le mort vivant parut hésiter un instant, puis répondit :

— Cela a fait grand bruit, Sombre-Épouse. On ne parle plus que de ça, ici, en Pourpremonde. Mais ne vous en faites pas, et considérez qu'il s'agissait d'un contretemps plutôt que d'une défaite.

— Tes paroles sont de velours, murmura l'Ombrienne, qui comprenait soudain mieux comment la créature avait pu se faire une telle place à la cour infernale malgré l'ampleur de ses névroses.

Et tu as parfaitement raison, songea-t-elle, en réponse aux derniers propos du bouffon. Les troupes que le garnement avait mises en fuite n'étaient que l'avant-garde des légions qui ravageraient bientôt Genesia. Ce n'était rien.

Avec une sorte de gourmandise perverse, elle passa mentalement en revue les forces de l'Ombre. Les imagina déferlant sur les nations. Il y aurait bien sûr ces millions de Chaosiens, créatures façonnées en Pourpremonde par les soins de la Mère Stérile. Déjà, ils se battaient le long de la Muraille, multipliant leurs incursions dans les steppes du Vent et dans les marches du Nord. Déjà, les farouches Barbares ouestiens commençaient à donner des signes de faiblesse. Cela faisait trop longtemps qu'ils défendaient à eux seuls le reste du monde, assumant toute la pression de Sü'adim et attendant vainement des renforts. Seuls les Nains allégeaient un peu leur fardeau, en opposant un second front à l'est. Là-bas, les petits guerriers opiniâtres poursuivaient sans relâche leur immémoriale guerre de tranchées et de galeries, creusant sous et dans les montagnes, faisant de chaque vallon un champ de mines ou un bastion retranché. Mais cela ne suffirait pas. Bientôt, les Chaosiens parviendraient à franchir la Muraille en grand nombre. Les populations des Steppes seraient alors balayées, et les cohortes de l'Ombre ne feraient qu'une bouchée des sentinelles inexpérimentées d'Orlande. Avant de s'attaquer au reste de Genesia.

Mais il y aurait également – continuait de rêvasser la Sombre-Épouse – les Ombriens, traîtres aux Peuples Cadets, félons à leur propre race. Les forces de Pourpremonde en avaient posté au moins un dans chaque cité, dans chaque village, où il attendait son heure en secret. Grâce à eux – encore bien plus nombreux que les *yeux noirs* – la Dernière Prophétesse n'ignorait rien de Genesia et pouvait agir partout. Même alors qu'elle était mourante, prisonnière du Hall du Chaos, ces serviteurs l'avaient soutenue, préparant patiemment son retour.

Dans ces conditions, songeait la Première conseillère, que pourrait bien tenter Evan, ce malheureux berger, pour contrarier durablement les projets de l'Ombre ? Non… il n'y avait aucune raison de s'en inquiéter.

D'ailleurs, il serait bientôt mort.

— Maintenant va, Écorcheur d'Âmes, murmura-t-elle en congédiant le démon de la main. Va, et accomplis ton œuvre.

Chapitre 3

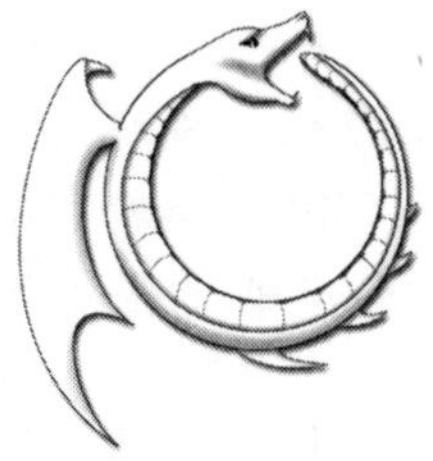

Evan et ses compagnons ne firent halte que tard dans la soirée. Ils avaient galopé sur une grande partie du chemin, ralentissant seulement lorsque les chevaux donnaient des signes d'épuisement. Ils avaient échangé peu de mots durant la journée, mais tous souhaitaient apparemment la même chose : mettre le plus de distance possible entre eux et le village où s'étaient déroulés les tristes événements de la nuit précédente.

Lorsqu'ils se décidèrent enfin à s'arrêter, ils choisirent un modeste relais de voyageurs, comme il y en avait des dizaines le long de la route du Sud. Dans un concert unanime de soupirs exténués, ils mirent pied à terre dans la cour, chacun ne songeant plus qu'à goûter au repos. Pourtant, ils le savaient, leurs récentes péripéties allaient demander certaines mises au point, et il leur faudrait répondre à plusieurs questions cruciales avant de pouvoir s'abandonner au sommeil. Toute la journée, seule la fuite avait occupé leurs pensées, mais à présent venait le moment des explications et des décisions.

Malgré l'heure tardive, un jeune homme sortit bientôt du bâtiment principal pour venir à leur rencontre. À Gaelion qui s'enquérait de chambres disponibles, il répondit par l'affirmative. Puis il s'inclina poliment, saisissant la bride des deux destriers daedoriens et du Troll de bât pour les conduire aux écuries.

— Allez vous asseoir près du feu, je m'occupe de vos bêtes.

Le Harpiste salua le palefrenier et fit signe à ses cadets de le suivre à l'intérieur de l'auberge. Evan, lui, intercepta le regard évaluateur que le jeune homme promenait sur leurs montures, et se dit qu'ils avaient certainement bien fait d'abandonner sur la route les tapis de selle brodés aux armes de la Fraternité. Il espérait seulement que cet étrange Troll ne ferait rien qui puisse attirer l'attention. *Inutile de provoquer des questions embarrassantes...* Il gageait que ses compagnons allaient lui en poser suffisamment, après ce qui s'était passé le matin même.

La salle commune était presque vide, la plupart des autres clients ayant probablement déjà gagné leur chambre. Seuls deux voyageurs – des courriers au costume poussiéreux – s'affrontaient aux Dragons dans un coin de la grande pièce. Malgré ce manque d'animation, l'atmosphère avait quelque chose de chaleureux et de rassurant. *Ouais...*, se moqua intérieurement Evan, *quel endroit ne me paraîtrait pas enchanteur, après une nuit de massacre et une journée de fuite à cheval ?* Le charme rustique des lieux lui faisait l'effet d'avoir atteint un havre de paix. Avec une sensation de délassement proche de la béatitude, il se laissa tomber dans un fauteuil et étendit ses jambes sur le sol carrelé d'un damier ocre et lie-de-vin. En face de lui, une haute flambée dansait doucement dans la cheminée, jetant des ombres joyeuses sur les lambris. Quelques tapisseries aux couleurs chaudes réchauffaient encore le décor, renforçant ce sentiment de réconfort et de sécurité.

Gaelion, Aiswyn et Caessia vinrent prendre place aux côtés du garçon, chacun goûtant précieusement ce moment de calme. Après les émotions des dernières heures, Evan aurait souhaité qu'il dure une éternité. Rester simplement ici, à écouter le craquement des bûches, dont l'écorce se désagrégeait parmi les flammes en embaumant la pièce d'une senteur poivrée.

Odeur qui se mélangeait avec celles provenant de la cuisine, plus délicieuses encore pour des cavaliers à l'estomac vide. Tournant la tête pour suivre leur provenance, l'adolescent aperçut plusieurs marmites fumantes par une porte entrouverte. Divers ustensiles de cuisine, mais aussi des jambons et des saucisses, étaient pendus aux poutres du plafond. Evan venait de se rendre compte qu'il salivait lorsque l'aubergiste surgit de la pièce pour s'approcher de leur groupe.

L'homme, un robuste gaillard à l'expression aimable et placide, semblait parfaitement assorti à son établissement. Une énorme cuillère en bois à la main, il les salua d'un hochement de tête.

— Soyez les bienvenus, voyageurs, déclara-t-il avec un sourire. À cette heure, je ne pourrai guère faire de miracles, s'excusa-t-il. Mais, par chance, je tiens toujours quelque chose au chaud pour les arrivants tardifs. Installez-vous à une table, je vous servirai dans une minute.

Un peu plus tard, les quatre compagnons dînèrent de viande rôtie et de champignons bruns. Mets qui leur parurent succulents, sans qu'ils parviennent vraiment à déterminer si le mérite en revenait au talent du cuisinier ou à la faim qui les tenaillait. Ils se sustentèrent en silence, étirant autant que possible ces minutes paisibles, soucieux en vérité de retarder celle où ils devraient enfin tenir conseil. Ce moment redouté où ils seraient contraints, pour faire le point, de regarder leur situation en face.

— Nous avons à parler, finit néanmoins par lâcher Gaelion, sonnant le glas de l'accalmie.

Repoussant leurs assiettes vides, tous comprirent alors que l'instant de grâce était terminé. Ils n'avaient pas dormi depuis deux jours. Chacun d'entre eux rêvait d'un bain chaud et de s'écrouler dans un lit aux draps blancs et propres. Mais ils savaient que certaines choses devaient être débattues sans attendre.

Acquiesçant avec lassitude, les trois adolescents suivirent donc le Harpiste, qui retournait s'asseoir devant la cheminée. Les deux courriers étaient montés se coucher, et Gaelion avait fait comprendre à l'aubergiste qu'ils n'auraient plus besoin de ses services, si bien qu'ils demeuraient seuls dans la grande salle. Ils pourraient parler sans craindre les oreilles indiscrètes.

Evan soupira, posant successivement son regard sur l'aristocrate sudienne, le ménestrel et la bergère. Autant d'alliés improbables réunis par l'acharnement du destin, pensait-il. Aiswyn tenait sur ses genoux messire Soliloque, son pantin favori, le serrant contre elle pour se rassurer. Le garçon lui trouvait un air apeuré, mais il remarqua qu'elle tenait son dos très droit, et comprit qu'il était sans doute le seul à la connaître suffisamment bien pour deviner cette angoisse au fond de ses yeux. Malgré lui, il fut soudain très fier d'elle et égoïstement heureux de la savoir à ses côtés.

Pendant qu'ils dînaient, l'aubergiste et son garçon d'écurie avaient soufflé les bougies qui éclairaient la pièce, ne laissant que la lumière tamisée qui provenait de l'âtre. Celle-ci se reflétait sur les lambris et sur les vitraux colorés des fenêtres proches, créant une impression d'intimité en dépit des dimensions de la pièce. Réunis auprès de la cheminée, les quatre voyageurs rapprochèrent leurs sièges comme pour se blottir les uns contre les autres. Ils sentaient la chaleur des flammes sur leur visage, et voyaient rosir la peau de leurs interlocuteurs. Avant de prendre place, Caessia avait entrouvert une fenêtre pour laisser pénétrer la brise printanière, si bien qu'ils n'avaient pas non plus la sensation d'étouffer.

Ils se sentaient parfaitement isolés et solidaires, petit noyau soudé autour de l'âtre, protégé d'un monde hostile. Et même si les trois natifs de l'Ouest ne savaient encore presque rien de leur jeune alliée sudienne, les épreuves traversées ensemble semblaient avoir suffi à les rapprocher.

— Alors, mon garçon, commença Gaelion en se tournant vers Evan, je crois que tu nous dois quelques éclaircissements… Que s'est-il produit, ce matin ? Je croyais que tout était perdu, mais… cette magie… Comment diable as-tu pu faire appel à elle ?

° Magnifique, fit mentalement Evan à l'intention de Sorcelame. De quelle manière vais-je bien pouvoir leur expliquer tout ça ? Tu me vois leur raconter mon escapade dans un monde spirituel où coule un fleuve de pure magie ? La pauvre Aiswyn ne doit déjà plus comprendre grand-chose, je ne veux pas la terroriser pour de bon…

° Tu n'as qu'à te contenter des vérités concrètes, lui conseilla l'épée d'une voix lasse. Dis-leur que tu t'es servi de mes pouvoirs pour te libérer et faciliter notre évasion.

Evan se retint d'acquiescer et déclara à voix haute :

— En fait, ma compréhension des pouvoirs de cet... Aether, comme le nommait Kendan, s'est accrue depuis mon premier contact. Je crois que je suis capable de le contrôler, dans une certaine mesure, et de m'en servir pour faire appel à la magie.

Comme le garçon l'avait craint, Aiswyn ne manqua pas de tressaillir à ces paroles. Mais il avait aussi redouté qu'elle se mette à le regarder comme un monstre, et ce ne fut pas le cas. Dans ses yeux, il était clair qu'elle se faisait plutôt du souci pour lui, et Evan s'en sentit plus qu'un peu soulagé.

— Ça dépasse l'entendement, murmura Gaelion comme pour lui-même. Tu n'as reçu aucune formation ! Je veux bien croire que les possibilités de cet artefact sont immenses, mais comment as-tu été capable de modeler ces sortilèges ? Seul un Dracomancien en a la compétence, et uniquement après des années d'études, je suis bien placé pour le savoir...

Evan soupira profondément, cherchant les mots justes. Sur leur table, qui n'avait pas encore été débarrassée, un corbeau picorait sans vergogne les miettes de leur repas. Probablement entré par la fenêtre entrouverte, il semblait ponctuer leur conversation en rythme, son bec frappant le bois et le grès avec de petits bruits mats.

— Il y a une sorte d'esprit dans l'épée, expliqua le garçon. C'est elle qui a façonné les *constructs* des sorts, en vérité.

° Je te remercie pour la « sorte d'esprit », mon cher, se plaignit Sorcelame.

° Tais-toi ! rétorqua Evan. Laisse-moi me concentrer...

Au même moment, résonnaient les voix de Caessia et d'Aiswyn, plongeant l'adolescent dans une désagréable sensation de cacophonie.

— Constr... quoi ? interrogeait l'aristocrate.

— *Elle* ? avait relevé la bergère.

Le garçon fronça les sourcils.

— Pitié, pas toutes en même temps !

Se tournant vers Caessia, il répéta :

— Le *construct.* La forme du sortilège, si tu préfères. Peu importent les termes. C'est ainsi que l'esprit de l'épée nomme les formules d'énergie qui permettent la matérialisation d'un sort. Un peu comme un patron de couturière, si on veut.

Puis, s'adressant à son amie d'enfance :

— Et... oui, *elle.* C'est une femme. En quelque sorte.

Gaelion, bouche bée, sembla sur le point de poser une nouvelle question, mais s'abstint finalement. Chacun prit un instant pour assimiler ce qu'il venait d'entendre.

Evan en profita pour s'adresser à sa préceptrice :

° Mon compagnon dit vrai ? Il faut un entraînement spécifique pour jeter des sorts comme tu l'as fait à l'encontre des Fraters ? Ou bien pourrai-je apprendre à le faire par ton intermédiaire ? En admettant que je le souhaite, bien sûr...

° Impossible, répliqua l'épée. La composition d'un sortilège est beaucoup trop complexe pour se transmettre oralement. Pour apprendre un sort, il faut étudier longuement le parchemin qui le décrit. Il n'y a pas d'autre solution, même pour quelqu'un comme toi.

Quelqu'un comme moi ? Qu'entend-elle par-là ? Mais d'autres questions se bousculaient dans la tête du garçon. Paradoxalement, il était presque certain de vouloir se tenir à l'écart de la magie, sous toutes ses formes. Il ne voulait plus d'histoires de ce genre, plus de tueries ni de poursuites. Il ne voulait pas, surtout, qu'Aiswyn le considère un jour comme une aberration de la nature. Et pourtant, il se sentait irrésistiblement attiré et curieux.

° Des parchemins ? interrogea-t-il donc Sorcelame.

° Oui, insista-t-elle. Ou quelle qu'en soit l'appellation selon les Voies : *partitions* pour les Harpistes, *sermons* pour les membres de la Fraternité... Le fait est que les formules magiques nécessitent un support écrit. Seul l'esprit des dragons d'autrefois pouvait les assimiler par tradition orale. Les Humains, eux, ont besoin de les archiver... c'est même pour cela que les Six Voies furent fondées, à l'origine.

Des dragons ? frissonna Evan, ne sachant qu'en penser.

° Où trouve-t-on ces fameux parchemins ? demanda-t-il, comme s'il brûlait malgré lui de le savoir.

° Tu te prends au jeu, on dirait, le railla l'épée. Méfie-toi : le pouvoir est une drogue, tu sais. Et la dracomancie est le plus addictif de tous les pouvoirs.

» Pour répondre à ta question, on trouve ces manuscrits... là où se trouvent les mages, évidemment. Dans les académies et les tours où ils se retranchent, les places fortes des Voies. Leurs bibliothèques renferment tous les sortilèges mis au point depuis les origines de la sorcellerie.

Pendant ce temps, le Harpiste demeurait coi, l'air préoccupé. Voyant cela, Caessia prit soudain les choses en main.

— Peu importent les détails... nous avons pu fuir, voilà ce qui compte. Mais ce que j'ai besoin de comprendre, c'est pourquoi nous avons dû affronter ces péripéties. Attaqués par les créatures de Sü'adim, puis par les fanatiques de la Fraternité... cela fait beaucoup pour une seule nuit, vous ne trouvez pas ?

Ses trois interlocuteurs soupirèrent leur assentiment. L'aristocrate poursuivit, s'adressant plus particulièrement à Evan :

— Je sais que les Chaosiens ont attaqué parce que tu avais eu la bonne idée de sortir Sorcelame de son étui. Mais ça n'explique pas tout. D'une manière ou d'une autre, nous sommes tous deux liés à cette épée.

Le garçon hocha la tête.

— Ouais, fit-il, pensant à voix haute tandis qu'il tâchait de rassembler ses idées. Que savons-nous d'autre ? De toute évidence, la Fraternité recherche cette entité qu'on appelle Ost-Hedan. Pourquoi ça ? L'Examinatrice a parlé de l'utiliser... J'avoue que je me demande bien ce qu'elle entend par-là.

— Moi également, approuva Caessia, tout aussi pensive. En tout cas, il semble que quelque chose fasse de nous deux des candidats possibles. As-tu la moindre idée de ce que cela pourrait être ?

Evan réfléchit un instant puis haussa les épaules.

— Non, avoua-t-il. Mais nous avons confirmé que nous pouvions l'un comme l'autre entrer en contact avec l'esprit de Sorcelame, ce qui semblerait corroborer l'hypothèse des Fraters.

Les quatre compagnons se souvenaient, en effet, de la manière dont Evan et Caessia avaient uni leurs forces pour reprendre le contrôle, lorsque l'Aether – pris d'une crise de démence – s'était emparé du corps d'Evan.

— Quant aux serviteurs de la Mère Stérile, grommela la jeune noble, on peut supposer qu'ils ne vont pas non plus nous oublier de sitôt. Je crois que nous leur avons infligé une défaite cruciale en empêchant leur rituel d'aboutir.

Gaelion acquiesça :

— De plus, si l'on en croit Kendan, ils auraient besoin de Sorcelame pour achever la régénération de leur maîtresse. Soyons donc certains qu'ils vont nous traquer, mes enfants.

— Bien… D'autres bonnes nouvelles ? fit Aiswyn d'une petite voix.

Mais Evan, perdu dans ses réflexions, enchaîna sans lui accorder d'attention :

— L'Ost-Hedan… Sorcelame… On en revient toujours à ça. (Il se passa la main sur le visage.) Tout tourne autour de ces foutues choses-là… Quand je pense qu'il y a quelques jours, je n'en avais même jamais entendu parler !

Gaelion reprit, d'un ton apaisant :

— Résumons-nous. Je crois, moi aussi, à l'existence d'un élément, encore inconnu mais probablement lié à la légende de l'Ost-Hedan, qui rend Evan et Caessia différents des autres jeunes gens de leur âge. Cela éclaire une bonne partie des récents événements. Ce qui importe maintenant, c'est…

— Une seconde, le coupa Caessia. Je ne sais rien de cette légende. En tant que Harpiste, vous devez la connaître, n'est-ce pas ?

Le troubadour fit la grimace, se mordant l'intérieur des lèvres.

— Bien sûr, dit-il, mais cela se confine à... pas grand-chose, hélas. Comme je l'ai déjà expliqué à Evan, l'Ost-Hedan est un être annoncé comme surhumain, possédant un lien intime avec le fleuve Invisible. La source du pouvoir des Dracomanciens, précisa-t-il à la jeune fille qui l'interrogeait du regard. On dit que son époque serait également celle du retour des Anciens Rois et de la Mère Stérile, qui se livreraient alors l'ultime bataille pour la domination de Genesia.

— Par les six Trônes..., lâcha la jeune aristocrate. La semaine dernière, j'aurais encore qualifié tout cela de sornettes, mais à présent... J'ai bien peur que ces sornettes ne soient fondées : le retour de la Mère Stérile a déjà eu lieu, nous en sommes témoins.

Elle glissa un regard calme mais grave à ses compagnons, avant de demander :

— Sait-on quel serait le rôle de l'Ost-Hedan dans cette ultime bataille ?

Cette fois, Gaelion répondit dans un murmure :

— D'après la prophétie, qui provient de la Mère des Douleurs elle-même, l'Ost-Hedan pourrait être l'arme absolue des Anciens Rois, et donc l'artisan de sa chute. La principale faculté de cet être consisterait à maîtriser les artefacts baptisés « Aethers », ce qui lui conférerait un pouvoir presque sans limites. D'où mon appréhension : maintenant qu'elle vous sait capables de manipuler Sorcelame, je crains que la Mère Stérile ne soit résolue à vous éliminer. Vous signifiez potentiellement sa destruction, vous comprenez ?

— Je vois, fit Caessia, paraissant plus soucieuse qu'apeurée. J'aimerais bien comprendre ce qui me lie à cette épée et à cette histoire d'Ost-Hedan... Il y a forcément une explication.

— Oui... probablement en rapport avec notre naissance, déclara Evan. Souviens-toi, Aiswyn, lorsque les Fraters sont venus à Bronghan. Ils cherchaient un enfant d'un âge bien précis. Le moment où l'Ost-Hedan était né : c'était apparemment le seul renseignement dont ils disposaient. Je pense qu'il faudrait chercher de ce côté-là.

Il ouvrit les mains d'un air désolé.

— Hélas, je ne sais rien des circonstances de ma naissance.

À son tour, Caessia fit la moue.

— Ma mère est morte en couches, confessa-t-elle, et je suis un peu… en froid avec mon géniteur. Nous n'aurons pas plus d'informations de mon côté.

Gaelion paraissait de plus en plus maussade.

— J'aimerais croire que cette conversation n'est pas stérile et que nous allons trouver le moyen de sauver nos vies…, marmonna-t-il. Mais soyons lucides, nos ressources sont maigres, à tout point de vue. Quelques indices glanés dans des légendes antiques… Et nous ignorons toujours lequel de vous deux est l'Ost-Hedan… En vérité, j'ai bien peur que nous soyons l'enjeu d'événements qui nous dépassent. Il faut que nous trouvions de l'aide.

Evan acquiesça, résigné. On y venait. Il reprit calmement la parole :

— Ce qui nous amène à la dernière question. Qu'allons-nous faire maintenant ? Pour ma part… je tiens plus que jamais à gagner Farnesa. Peu importent les risques, j'ai une très bonne raison.

Ses amis levèrent sur lui des regards interrogateurs.

— J'ai un aveu à vous faire, poursuivit-il. Peu avant la venue des Fraters dans notre village, j'avais rencontré un vieillard nommé Finrad. Il voulait m'emmener avec lui sur-le-champ, mais… (L'orphelin toussota, embarrassé.) il s'est passé quelque chose de, disons, bizarre. Toujours est-il que j'ai refusé de le suivre.

Evan observa ses compagnons pour s'assurer de la clarté de son récit. Tous trois demeuraient muets, l'air attentif et curieux. Seule Aiswyn était déjà au courant de cet incident, mais Evan, peu désireux de revenir sur l'étrange colère qui s'était emparée de lui à cette occasion, ne lui avait jamais fourni beaucoup de détails.

— Pour finir, il m'a donné rendez-vous à Farnesa. Sur le coup, je ne pensais pas lui obéir, bien sûr. Seulement, le soir même, les Fraters envahissaient Bronghan. Vous connaissez la suite.

» La nuit dernière, dans son dernier souffle, Kendan m'a à son tour commandé de me rendre dans cette cité. Je ne sais s'il s'agit d'une coïncidence, mais il devait précisément y rencontrer Finrad. Sa mission était de lui porter Sorcelame, afin que le vieillard exécute le rituel qui devait la purifier de sa corruption et la rendre à nouveau utilisable en toute sécurité. Sachant qu'il ne pourrait accomplir cette quête, le Barbare m'a prié de porter l'épée à sa place. Je pense que c'est ce que je vais faire.

Son auditoire le regardait à présent fixement, toujours en silence. Sans doute ses amis s'étonnaient-ils de sa détermination et tentaient-ils d'assimiler ces dernières révélations.

— Kendan a dit que Finrad était un Initié, insista l'adolescent, un spécialiste des Aethers. Il pourra certainement nous éclairer sur tout ce qui nous préoccupe. Et surtout…

— Finrad, as-tu dit ? réagit soudain Gaelion, l'air pensif.

— Oui, pourquoi ?

— Je pensais que…

Le Harpiste se passa l'index sur le menton, les yeux dans le vague.

— Non, oublie ça, conclut-il. C'est impossible.

Le garçon leva les yeux au ciel et soupira.

— J'allais dire, reprit-il, que Finrad pourrait peut-être également faire autre chose pour nous.

Son regard et son intonation indiquaient clairement que ce « nous » signifiait « lui et Caessia ».

— Si c'est réellement un Initié, comme disait Kendan, s'il maîtrise suffisamment ces choses pour libérer Sorcelame de sa malédiction… il se pourrait bien qu'il soit capable de *nous* libérer de tout ça.

» Je ne sais pas, rompre le lien qui nous unit à Sorcelame ou à ce fichu fleuve… Annuler cette magie qui nous rend différents… Tu ne crois pas, Caessia ?

Tout en achevant cette tirade, l'orphelin avait baissé les yeux. Il se sentait lâche. Après tout, c'était peut-être à eux de tirer Genesia des griffes de la Dernière Prophétesse. Il n'y avait peut-être pas d'autre solution. *Quand j'y pense...*, frissonna-t-il. Mais il ne s'en sentait tout simplement pas capable. Les problèmes et les responsabilités que cela impliquait étaient trop lourds pour lui.

Et même si la perspective de percer les mystères du fleuve Invisible lui paraissait alléchante depuis ses récentes expériences dracomanciennes, même si l'empathie qui l'unissait à Sorcelame avait quelque chose de fascinant, il était certain de ne pas vouloir de cette vie-là. Pas au prix de sa liberté. *Aussi longtemps que mon destin sera lié à celui de cette épée,* songeait-il, *il ne m'appartiendra pas vraiment. Je veux que mes décisions soient à moi seul, et qu'elles n'impliquent que moi.*

— Je ne sais pas, avoua Caessia, d'un ton qui fit supposer au garçon qu'elle tenait peut-être le même raisonnement que lui.

C'est après l'Ost-Hedan qu'ils courent tous, réfléchissait-il. *La Fraternité, les armées de Sü'adim... Si j'échappe à l'Ost-Hedan, je leur échappe à tous. Je ne serai plus traqué...*

— Une chose est sûre, continuait la jeune noble, je tiens, moi aussi, à le rencontrer. Ce qu'il aura à dire me concerne autant que toi.

Au même moment, la voix de Sorcelame s'était remise à résonner dans la tête d'Evan :

° Ainsi, tu envisagerais d'abandonner ?

Un soupçon de reproche, peut-être même de déception, était perceptible dans le ton employé.

° Pourtant, tu semblais t'intéresser de très près à la dracomancie. Toutes ces questions... Imagine-toi progressant dans la compréhension du Fleuve. Car, au fond, c'est ton souhait, Evan. C'est ta... nature.

° Qu'est-ce que tu racontes ? souffla-t-il, agacé. J'étais juste un peu curieux. C'est ça, ma nature !

° Tu te mens à toi-même, répondit posément l'épée. Je sais ce que c'est, petit frère. Une fois qu'on y a goûté, la magie devient...

° Laisse-moi tranquille ! la coupa l'orphelin d'un ton autoritaire. Tout ce que je désire, c'est être libre d'aller où je veux, quand je veux, sans traîner derrière moi une cohorte de poursuivants et de complications. Maintenant, Aether ou pas, fous-moi la paix ou je te laisse ici...

Evan, fulminant, remarqua alors quelque chose qui ne fit rien pour arranger son humeur. Face à lui, Aiswyn le regardait étrangement. Enfin, un étranger aurait jugé qu'elle le regardait étrangement. Pour Evan, le message était on ne peut plus clair. Ce cou bien droit, ces yeux un peu plus grands que d'ordinaire, tout signifiait qu'elle était blessée et vexée. Le garçon se douta qu'elle lui en voulait de ne pas lui avoir parlé plus tôt de la dernière volonté de Kendan et de ses propres projets. Sans doute s'imaginait-elle qu'il ne faisait pas grand cas de son avis. Pas assez, en tout cas, pour le quérir avant de prendre une décision aussi lourde que le fait d'accepter – même provisoirement – la responsabilité de Sorcelame. *Pourtant, je ne me moque pas de son opinion, mais je n'ai simplement pas le choix... Tant pis,* soupira-t-il intérieurement. *Ce n'est pas le moment, devant les autres, pour lui expliquer qu'elle se trompe.*

Ce fut finalement Gaelion qui reprit la parole :

— Je comprends ce que tu ressens, Evan, et je ne veux pas gâcher tes espoirs...

Alors tais-toi, imbécile ! s'emporta silencieusement le garnement, qui attendait le « mais » fatal.

— ... mais j'ai bien peur, dans le cas où tu serais réellement l'Ost-Hedan, que même ce Finrad ne puisse y changer grand-chose. Inutile de te bercer d'illusions, mon garçon.

L'adolescent ne put s'empêcher de gratifier son aîné d'une grimace maussade. Puis, plantant son regard dans les yeux nuageux du musicien, il dit :

— Ça, mon pote, je veux l'entendre de sa bouche.

Sentant que le ton montait et connaissant bien la propension de son ami à exploser, Aiswyn oublia un instant sa rancœur pour poser une main apaisante sur son bras. Ce fut en se tournant vers elle pour l'en remercier du regard qu'Evan aperçut l'ombre dans le vitrail.

Se levant par réflexe, il effraya le paisible corbeau, qui s'envola pour aller se poser un peu plus loin. Mais, se voyant découverte, la forme aussi avait tressailli, de l'autre côté de la fenêtre entrouverte.

— On nous espionne ! s'exclama l'adolescent.

Alors, la croisée s'ouvrit violemment, révélant un visage monstrueux.

Chapitre 4

— Je suis attendue par Sa Sainteté, chuchota Frieda en s'inclinant respectueusement.

Face à elle, ce n'était que le premier des nombreux dignitaires devant lesquels elle devrait courber l'échine pour arriver jusqu'à l'Exégète. Une plaisanterie appréciée dans les casernes du Saint-Empire affirmait que si ce dernier avait un jour la malchance de se couper au doigt, il serait mort de la gangrène avant que son médecin ne puisse parvenir jusqu'à lui.

Mais Frieda, elle, respectait beaucoup trop le chef religieux pour rire de telles sottises. Les malheureux qui avaient eu le mauvais goût de colporter ce genre de trait d'esprit en sa présence usaient à présent leurs chaînes au bagne. Bien qu'épuisée par le Vol de l'Ange – sortilège qu'elle avait utilisé pour parcourir au plus vite la distance qui la séparait du Saint-Siège –, l'Examinatrice se pliait avec patience et gravité à ce cérémoniel imposé.

Autour d'elle, s'étendait un immense hall circulaire. Son carrelage clair et ses murs intégralement recouverts d'or fin reflétaient une luminosité telle qu'elle blessait les yeux des nouveaux venus. Plus haut, surmontant le balcon intérieur, un gigantesque dôme de verre faisait de toute la salle un puits inondé de lumière. Comme chaque fois qu'elle montait au sommet de la basilique, Frieda ressentit une sérénité extatique l'envahir.

Se résignant toutefois à poursuivre son chemin, elle s'engagea dans le large couloir qui conduisait aux appartements de l'Exégète. De chaque côté, une interminable rangée de gardes, qui levèrent leur glaive sur son passage. Impossible de s'y tromper : avec leur pectoral doré et leur heaume à cimier, leur jupe droite et leurs sandales impeccables, les Sentinelles Sacrées avaient un aspect soigné inégalable. Et comme chacun le savait, le talent martial de cette garde prétorienne s'avérait presque aussi inimitable, si besoin était.

À l'extrémité de la galerie, se dressait une haute et large porte de pierre blanche. Et devant cette porte, comme lors de chaque visite reçue par l'Exégète, se tenait une femme sertie dans une armure colossale. Silhouette silencieuse et parfaitement immobile, la pointe de son énorme épée posée sur le sol dans la posture des chevaliers de légende, elle gardait l'entrée avec une assurance propre à faire fuir une armée entière.

L'Examinatrice connaissait le protocole, et n'avait pas besoin de poser les yeux sur l'armure blanche ou les cheveux d'or de la soldate pour pouvoir l'identifier. Il s'agissait de la mère supérieure des Vestales, ces guerrières d'élite dont on disait qu'elles étaient aux Sentinelles Sacrées ce que ces derniers étaient aux combattants des unités régulières. Les quartiers de Sa Sainteté n'ayant plus été attaqués depuis des décennies, nul n'avait eu le loisir de vérifier cette louangeuse réputation.

La Soror posa un genou à terre et déclara avec révérence :

— Sa Sainteté attend mon rapport, Gardienne de la Lumière.

Sans un mot, la Vestale hocha gravement la tête et se décala d'un pas sur la droite. Un bruit sourd se fit alors entendre, et la lourde porte de pierre s'ouvrit comme par magie. En vérité, Frieda savait qu'il s'agissait de magie, la mère supérieure usant de ses puissants pouvoirs de télékinésie. Celle-ci lui fit signe d'avancer dans la dernière portion du couloir, puis lui emboîta le pas en silence.

Une étrange émotion saisissait inéluctablement la jeune Examinatrice lorsqu'elle traversait ce corridor, cette fois gardé par les Vestales elles-mêmes. Elle observait respectueusement ces officières si pâles, si graves, si belles. Isolées dans leur vœu de silence comme dans leurs amures à larges épaulettes typiques de la Fraternité, elles symbolisaient aux yeux de Frieda la pureté d'un mysticisme et d'une dévotion absolus. Combien de fois avait-elle rêvé de se trouver un jour à leur place ?

Mais cela resterait un fantasme, elle le savait. Elle n'était pas assez bien née pour qu'on lui ait offert la possibilité d'étudier dans leur couvent, et à présent il était trop tard. Issue de famille modeste, son statut d'Examinatrice était probablement le plus élevé auquel elle pourrait prétendre. Beaucoup pensaient que c'était déjà un immense honneur pour elle d'avoir atteint ce grade si jeune.

Frieda tâchait d'accepter tout cela de bon gré. Parfois son ambition de plus hautes fonctions, son désir de servir mieux et davantage reprenaient cependant le dessus. Ces appétits coupables la tourmentaient, insinuant en elle de mauvaises pensées, si bien qu'elle se sentait obligée de se confesser à sa hiérarchie, puis de se flageller longuement dans la chapelle de sa caserne. La jeune femme se punissait alors sans complaisance, jusqu'à retrouver des sentiments plus humbles. Et lorsqu'elle en avait terminé, elle observait dans un miroir les fraîches cicatrices qui marqueraient son dos, lui rappelant à jamais l'importance de la modestie.

Le couloir débouchait sur une nouvelle salle ronde, imposante bien que de dimensions légèrement plus raisonnables que le grand hall. Le long de ses murs étaient disposés sept trônes d'or et d'albâtre. En son centre, une antichambre cylindrique, hermétiquement close, présentait sa paroi lisse à l'exception d'une frise hiéroglyphique. Il s'agissait du saint des saints de la basilique, entouré comme il se devait par une dizaine de gardiennes vestales.

Le Cœur de Lumière..., souffla intérieurement la Soror. Ce reliquaire géant, qui formait comme un large pilier au milieu de la pièce, était l'objet de toutes les précautions, aussi bien protégé sinon mieux que Sa Sainteté elle-même. C'est là qu'était conservé le Très-Pur, également nommé « Flamme de Genesia ». Cette merveille, que l'on décrivait comme une source intarissable de lumière, était le privilège du seul Exégète, unique personne autorisée à pénétrer dans la crypte sacrée.

Le pontife, prétendait-on, pouvait lire en cette lumière comme dans un livre. C'était grâce à ce savoir mystique qu'il acquérait sa légitimité de chef religieux. Grâce au Très-Pur, il acquérait la sagesse nécessaire pour éclairer le Saint-Empire et tracer les grandes orientations de sa destinée en conseillant l'Imperator. Ainsi avait-il mené, depuis des siècles, les empereurs de Daedor sur la Voie de la Lumière.

Comme l'exigeait le cérémonial, Frieda alla s'agenouiller un instant devant chacun des sept trônes. Tous étaient vides, hormis un seul, qu'avait gagné la mère supérieure. Devant le siège le plus imposant, réservé à Sa Sainteté, la jeune Soror marqua un temps plus long. Les cinq autres, tous de hauteur identique, appartenaient aux plus éminents maîtres de l'ordre. On dénombrait celui du Curiate, administrateur des populations séculières et civiles – tâche qu'il partageait non sans quelques tensions avec la noblesse daedorienne. Ceux des trois Popes, qui ordonnaient aux cardinaux et aux évêques. Celui, enfin, du Grand Archiviste. Ce dernier, supérieur direct de l'Examinatrice, avait pour principale mission de procéder à l'autodafé systématique. Même s'il avait peu à peu fait siennes toutes les prérogatives visant à traquer l'hérésie, cette activité restait son cheval de bataille favori. Le but avoué en était de remplacer tous les ouvrages jugés impies – et en particulier les parchemins des Voies rivales – par le seul qu'autorisait la Fraternité. Le très saint *Livre des Psaumes*, rédigé par l'Exégète lui-même au début de son sacerdoce, près de mille ans avant l'époque actuelle.

La Soror inspira profondément. Maintenant, elle allait être conduite au pontife. L'heure était venue.

Dans un léger crissement métallique, une nouvelle porte

monumentale s'ouvrit au fond de la pièce ronde. De l'autre côté, l'attendait son destin.

Tandis qu'elle baissait humblement la tête en franchissant l'arche, Frieda songeait qu'elle accomplissait peut-être ce trajet pour la dernière fois. Ayant catastrophiquement échoué, la jeune femme avait de bonnes raisons de supposer qu'elle ne survivrait pas à cette entrevue.

Avant de passer la porte, elle toucha brièvement le pendentif d'or entre ses seins. L'œil larmoyant, symbole de sa caste, lui redonna un peu de courage. Ses émotions étaient contradictoires. Elle se voyait déjà emmenée dans les profondeurs de la basilique, où elle serait livrée au juste châtiment de ses pairs. Elle, qui avait pratiqué de si nombreuses mises à mort dans ces chambres de torture, n'éprouvait pourtant aujourd'hui aucune réelle peur. Elle envisageait son sort avec une froideur détachée. Et lorsque les sentiments prenaient malgré tout le dessus, la rage et la honte dominaient, ne laissant aucune place à l'appréhension. Si elle devait périr sous le feu et les pincettes en paiement de son incompétence, elle savait qu'elle accueillerait cette sentence avec la ferveur glaciale qui la caractérisait. Car il ne pouvait y avoir d'injustice, sortant de la bouche de l'Exégète.

— Dans le vide naîtra la lumière ! scanda une voix de basse pour saluer son arrivée.

Il était là, en face d'elle, dressé au milieu de son atrium de prière. Sa Sainteté l'Exégète, sage parmi les sages, également connu comme la Voix de l'Imperator.

Les tuyaux de cuivre qui rampaient le long de son armure – spécialement étudiée afin de conserver son corps en vie, canalisant dans ce but sa propre énergie psychique – donnaient à sa silhouette cyclopéenne une apparence plus impressionnante encore. Mesurant largement plus de deux mètres, le colosse était entièrement recouvert de métal, à l'exception d'un petit ovale laissant apparaître son visage blafard et sévère. Sa respiration, rendue exagérément lente par l'attirail dont il était harnaché, produisait un bruit inquiétant, comme si elle provenait de quelque soufflet actionné par des mécanismes complexes.

— Tu as pris des risques inconsidérés, mon enfant, entama-t-il sans laisser à la Soror le temps de lui présenter ses hommages. Péché d'orgueil... Tu aurais dû te contenter de suivre les ordres !

Sa voix ne témoignait d'aucune colère, demeurant parfaitement impassible. Nul n'avait jamais vu l'Exégète perdre son calme, et cette terrifiante sérénité servait bien davantage son autorité que n'importe quelle manifestation d'agressivité.

— Je suis impardonnable, Saint parmi les Saints, déclara Frieda en conservant son regard rivé au sol.

Sans ciller, le pontife continua :

— Je t'avais prévenue que la fille était trop dangereuse. Elle est de sang royal, éduquée pour se montrer rusée et sournoise. C'est le petit berger que je veux. Il suffira amplement à nos desseins, et nous le modèlerons bien plus facilement.

Dans le silence absolu de la pièce, seules résonnaient leurs voix et la respiration sifflante du géant. La Soror déglutit péniblement. Elle répugnait à contredire son auguste interlocuteur, mais ce dernier exigerait sans doute d'être informé du moindre détail.

— C'est que, Votre Sainteté..., c'est précisément ce garçon qui a posé problème, et non l'infante de Tireldi. Je ne suis pas persuadée qu'il se montre tellement plus malléable qu'elle... D'ailleurs, nous ignorons toujours lequel d'entre eux est réellement l'Ost-Hedan.

— Je sais tout cela, ma fille, répliqua la voix de basse. Peu importe l'Ost-Hedan. J'ai constaté que le Fleuve était pareillement fort chez chacun d'entre eux. C'est tout ce qui nous intéresse.

Le regard du pontife perdit un instant sa dureté, comme plongé dans ses pensées, puis il reprit :

— Sache que j'ai pris le temps de tourner longuement mon esprit vers cet Evan, depuis que toi et tes hommes avez enfin localisé son village. C'est bien l'enfant dont nous avions perdu la trace, l'un de ceux choisis par le fleuve Invisible. Il conviendra tout à fait. J'ai senti... fortement la présence du pouvoir couler dans ses veines. Et je le veux, tu m'entends ? J'ai frôlé son âme, j'ai caressé... (Le pontife s'interrompit, affichant un air rêveur que la Soror ne lui avait jamais connu.)... c'est lui que je veux. Il est parfait.

Pas totalement convaincue, Frieda s'abstint cependant de tout commentaire. L'Exégète avait parlé, et il ne lui appartenait pas de contester sa décision. De plus, une perspective nouvelle et inattendue commençait à lui apparaître, celle d'échapper peut-être à la punition qui aurait dû la frapper. Confirmant ses espoirs, le colosse ordonna :

— Ta mission demeure donc inchangée. Mais, cette fois, tu n'échoueras pas, mon enfant.

La jeune femme réprima un tremblement. Il n'y avait pas la moindre intonation de menace dans la voix de son supérieur, pas la moindre connotation. Et pourtant, le message était si clair... Plus que le châtiment qu'on pourrait lui infliger, c'était l'idée même de l'échec qui terrorisait l'Examinatrice. Elle ne supporterait pas de décevoir une seconde fois la Voix de l'Imperator.

L'Exégète poursuivit :

— J'ai des raisons de penser que les deux enfants et leurs compagnons vont chercher à gagner Farnesa. À présent, je crains que tu ne puisses plus les intercepter avant, même en utilisant un Vol de l'Ange. Dans ces nouvelles circonstances, il te faudra agir avec davantage de discrétion. Tu ne peux pénétrer dans la cité à la tête d'une armée...

La Soror hocha la tête. *Du moins, pas encore...*, songeait-elle, n'ignorant pas que les plans de conquête de Daedor ne tarderaient plus à se concrétiser dans le Sud.

— Je te donne donc toute latitude pour organiser la chasse sur place, à condition que tu n'attires pas l'attention des Grands de la cité. Cela pourrait contrarier fâcheusement nos autres plans...

» Tu te contenteras de réunir un Poing, parmi tes meilleurs hommes. En revanche, une fois parvenue à destination, tu pourras faire appel aux Manteaux Noirs de Farnesa pour vous épauler. Je t'octroierai l'or nécessaire pour t'assurer leurs services.

— Les Manteaux Noirs ? s'insurgea l'Examinatrice malgré son

respect pour le pontife. Mais, Votre Sainteté,... ce sont de vulgaires hors-la-loi !

— Silence, décréta imperturbablement le géant. Farnesa est vaste et labyrinthique. De plus, il va y avoir une foule immense, en cette période de carnaval. Tu auras besoin des Manteaux Noirs pour rabattre le gibier. Ce sont de vils pécheurs, soit. Mais ils sont chez eux dans cette cité d'infidèles et en connaissent chaque recoin, justement parce qu'ils lui ressemblent. (Il la regarda plus intensément, le poids de sa scrutation devenant presque insoutenable.) Tes réserves t'honorent, ma fille, mais il faut parfois savoir combattre le feu par le feu.

L'Examinatrice s'inclina.

— À vos ordres, Saint parmi les Saints.

— Hâte-toi, à présent, et n'oublie pas ta mission, cette fois. Je veux que tu me ramènes le jeune Evan, et l'Aether qu'il détient déjà, par la même occasion. L'infante Caessia, quant à elle, ne doit pas survivre. Elle représenterait un danger.

— Il en sera ainsi, promit la Soror.

Je ne dois pas faillir..., se promit-elle. *Pas cette fois.*

Tout en quittant l'atrium, elle sentit le regard de l'Exégète l'accompagner. Le désagréable bruit de soufflet de sa respiration paraissait la poursuivre. Elle veilla à ne pas presser le pas, en dépit de son empressement à lui échapper.

Par quel caprice du destin lui avait-on épargné le châtiment auquel elle s'était crue promise, elle l'ignorait. Mais, finalement, force était de constater que l'entretien avait tourné en sa faveur. Si elle menait sa mission à bien, elle serait plus estimée que jamais par le chef religieux. Peut-être pourrait-elle enfin prétendre à de plus hautes attributions ? commença-t-elle à penser. Mais elle se reprit aussitôt, saisie de honte. *Petite sotte rongée d'ambition,* se fustigea-t-elle. *Tu ferais mieux de te concentrer sur ta tâche si tu ne veux pas encore échouer lamentablement.* Elle songea, enfin, qu'elle devrait trouver un moment pour passer dans sa chapelle, avant son départ. Quelques heures, le temps de retrouver de plus humbles pensées.

Chapitre 5

Caessia avait quitté son fauteuil d'un bond, chaque muscle de son corps immédiatement prêt à l'action. Dans l'embrasure de la fenêtre saillait un visage verdâtre, aux crocs proéminents.

La princesse, qui s'était instinctivement préparée au combat, sentit soudain sa tension nerveuse se relâcher. D'une main sûre, elle saisit alors le poignet d'Evan, avant qu'il ne dégaine Sorcelame.

— Attends ! l'interrompit-elle. Regarde !

Le berger parut un instant désorienté, puis finit par pousser à son tour un long soupir de soulagement. Il continua cependant à fixer l'intrus pendant quelques secondes, incrédule. Puis, parvenant à s'arracher à son hébétude, il se tourna vers Caessia en l'interrogeant du regard.

— C'est… c'est ton Troll ? bégaya-t-il, encore sous le choc.

Gaelion et Aiswyn s'étaient reculés précipitamment, le ménestrel attrapant sa pupille par le coude pour l'entraîner à l'abri. Comprenant qu'il n'y avait pas de danger, ils approchèrent à nouveau. Mais un second frisson parcourut bientôt l'assistance, lorsque Aljir déclara d'un ton naturel :

— Et oui, ce n'est que moi…

Stupéfait d'entendre ces paroles sortir de la bouche d'une

créature qu'il considérait comme un animal, le petit paysan faillit se remettre en garde, totalement décontenancé.

— Holà ! Du calme, jeune homme, fit le Troll. Je ne vous veux aucun mal.

Caessia vint vite à son secours.

— Il dit la vérité, assura-t-elle. Il s'appelle Aljir et… il est doué de parole, comme vous pouvez le constater. Il n'a rien d'un simple animal, je vous le garantis.

Curieuse de leur réaction, elle jeta un regard circulaire à ses compagnons. Si Evan et Aiswyn paraissaient toujours estomaqués, elle remarqua que Gaelion ne semblait pas particulièrement surpris.

— Je te crois, acquiesça le musicien. J'avais déjà entendu parler d'un tel prodige, même si je n'avais pas encore eu l'honneur de rencontrer personnellement un Troll doué d'intelligence.

Levant les yeux vers Aljir, il lui adressa un petit salut du menton.

— Et puisque nous avons déjà combattu du même côté, enchaîna-t-il, je suppose que nous pouvons nous accorder une relative confiance.

Les deux apprentis du troubadour croisèrent alors son regard, et parurent s'apaiser un peu.

— Ça alors…, marmonna néanmoins le garçon. (Il secoua la tête, ajoutant pour lui-même :) Ce bon vieux Tehan ne croirait pas un traître mot de tout ce qui m'est arrivé depuis une semaine, si je pouvais le lui raconter…

— Je ne vous espionnais pas, reprit le Troll en chuchotant. Simplement, j'aurais souhaité pouvoir tenir conseil avec vous, n'étant pas moins concerné par la tournure des événements.

Caessia vit le Harpiste acquiescer :

— Cela paraît juste, en effet.

— De plus, poursuivit Aljir avec un sourire qui fit luire ses crocs, la compagnie des chevaux m'a quelque peu ouvert l'appétit. Je me suis retenu de les dévorer, mais… si je pouvais faire un tour dans le cellier…

Là encore, Gaelion approuva du chef.

— Oui, bien entendu. Mais fais vite et ne te fais pas voir.

— Nous n'allons pas pouvoir continuer à nous entretenir ici, intervint l'infante, tandis que son allié républicain se dirigeait vers la cuisine au petit trot. Quelqu'un pourrait revenir, et si on nous surprenait attablés avec un Troll parlant... adieu la discrétion.

— Ce n'est pas faux, admit le Harpiste. Nous n'avons pas besoin d'une émeute en sus de tous nos problèmes. (Il fronça les sourcils un instant.) Voilà ce que je propose : l'aubergiste a dû nous préparer des bacs d'eau chaude dans la salle de toilette. Allons nous y enfermer, cela n'étonnera personne et nous n'y serons pas dérangés.

— Bonne idée, approuva Caessia.

Toute stratégie mise à part, la jeune fille n'était pas contre l'idée de se délasser dans un bon bain chaud. Après une journée entière passée à cheval sur les chemins poussiéreux, que rêver de mieux ? Ce troubadour savait décidément parler aux dames et avait de charmantes initiatives.

Subitement, l'étrange impression qui l'avait saisie lors de leur première rencontre se rappela à elle. Jetant un bref regard vers le musicien aux yeux gris, il lui sembla à nouveau discerner en lui quelque chose de familier. Cette mâchoire carrée et ce visage noble éveillaient bel et bien une vague réminiscence en elle... Le ménestrel s'était-il autrefois produit à la Nef ? trembla-t-elle. Si c'était le cas, il risquait fort de la reconnaître également... Or, pour d'évidentes raisons, la princesse préférait pour le moment conserver secret son encombrant lignage. *C'est sûrement autre chose,* se sermonna la jeune fille. *Pourquoi n'aurait-il rien dit, s'il m'avait identifiée comme l'infante de Tireldi ?* Mais pourquoi alors lui semblait-il l'avoir déjà rencontré ? *Peut-être une ressemblance, tout simplement,* conclut-elle sans grande certitude.

Reste que cette idée de bain est excellente, ajouta-t-elle mentalement, en retrouvant le sourire. Même si elle s'était plutôt bien acclimatée à sa vie de voyageuse, Caessia devait avouer que le confort de la Nef lui manquait bien souvent. Et les derniers jours avaient été particulièrement éprouvants.

Quelques minutes plus tard, tous les cinq se trouvaient donc dans la grande salle des bains, à la cave. Ils avaient tiré le verrou derrière eux, s'assurant ainsi une tranquillité d'une ou deux heures, à l'abri des oreilles et des regards indiscrets.

Aljir, un pilon de volaille à la main, n'attendit pas que les Humains tendent le drap qui servait à partager la pièce en deux pour se débarrasser de son pagne. Ignorant la pudeur choquée des deux demoiselles, il plongea dans son baquet avec un soupir d'aise.

— Je suis un peu à l'étroit, confessa-t-il, mais quel délice... Hâtez-vous, mes amis, l'eau est encore tiède.

Une fois la salle divisée en deux moitiés afin de préserver l'intimité de chaque sexe, Caessia se dévêtit à son tour. Tout en ôtant son pantalon bouffant et sa tunique, elle n'ignorait pas que la lueur des nombreuses chandelles ferait apparaître sa silhouette nue en ombre chinoise sur le drap séparateur. Avec un sourire en coin, elle tenta d'imaginer la tête des garçons de l'autre côté. Gaelion ne donnait jamais l'impression de la regarder, mais son apprenti n'avait cessé de la dévorer des yeux depuis le premier jour. Et s'il était des moments où elle jugeait cette habitude agaçante, elle pouvait bien s'en amuser en cet instant.

La petite saltimbanque, quant à elle, semblait beaucoup plus mal à l'aise. Tâchant maladroitement de masquer sa nudité, elle maintint ses habits contre elle jusqu'au dernier moment. Puis, les lâchant d'un coup, elle se hâta de disparaître sous l'eau savonneuse de son bac.

Poussant son petit jeu jusqu'au bout, Caessia prit le temps de s'étirer lentement avant de se glisser à son tour dans son propre bain. Elle n'avait pu observer la réaction des hommes, mais elle avait surpris un regard appuyé d'Aiswyn, qui en disait long. La princesse prit son air le plus hautain, jubilant toutefois intérieurement. Elle était fière de son corps souple et bien proportionné, forgé par les exercices du monastère de Jade. Et l'admiration lue dans les yeux de la jeune

Ouestienne lui procurait un vif plaisir. Non qu'elle se soit sentie en concurrence avec cette petite bergère déguisée en troubadour, mais tout de même...

Aiswyn tendit alors le bras pour attraper une bouilloire qui chauffait à proximité, et partagea son contenu entre leurs bains attenants, afin d'en réchauffer l'eau. Une vapeur blanche et brûlante s'éleva, parsemant leurs visages de gouttelettes de condensation.

Quand le nuage légèrement parfumé se fut dissipé, Caessia entreprit de se frictionner avec l'éponge marine prévue à cet effet. C'était une sensation exquise de chasser cette couche de poussière grasse, accumulée durant les longues heures passées à chevaucher. La saleté semblait s'être insinuée partout, aussi bien dans ses cheveux qu'autour de ses yeux et entre ses doigts. Faisant un abondant usage des sels et des crèmes aux senteurs forestières qu'on avait disposées autour des bains, la jeune fille tâcha de se redonner apparence humaine. Peu à peu, elle s'était habituée à devoir se frotter elle-même, en l'absence des caméristes autrefois chargées de faire sa toilette.

Comme elle surprenait à nouveau le regard de la petite roturière rêveusement fixé sur elle, elle dut froncer les sourcils sans s'en apercevoir, car l'apprentie saltimbanque baissa les yeux en rougissant.

— Tu es vraiment belle, murmura-t-elle, comme pour s'excuser.

Puis, semblant s'enhardir en dépit d'un sourire un peu gêné :

— Je ne sais pas ce que je donnerais pour avoir la ligne de tes hanches...

La princesse, prise par surprise, se sentit conquise malgré elle. Elle sentait qu'Aiswyn n'essayait pas de la flatter. Sa vie au palais lui avait appris à faire la différence entre flagornerie et sincérité. Tendant à la plébéienne un vase d'huile aux essences de fougère et de pin, elle tâcha de lui sourire aussi gentiment que possible.

— Tiens, utilise ça pour tes cheveux. Je dois avouer, ajouta-t-elle sur le ton de la confession, que de nombreuses filles doivent également t'envier ta silhouette.

À ces paroles, la jeune Ouestienne rougit de plus belle. Elle avait l'expression de quelqu'un touché par l'intention d'un compliment, mais qui n'en croirait pas un traître mot. C'était pourtant vrai, songea Caessia, englobant d'un regard la poitrine pleine et les longues jambes de sa partenaire d'ablutions.

Elle réalisa que, depuis trois jours, elle s'était souvent montrée dure, au moins en pensées, avec la saltimbanque. Pourtant, il était criant que la pauvre fille n'avait quitté son village natal que très récemment, et faisait de son mieux pour s'acclimater à cette nouvelle vie pleine de périls. *Je suis vraiment un monstre impitoyable*, ironisa intérieurement l'infante, avec tout de même un petit frisson de lucidité. Elle se rendait compte qu'elle n'avait fait preuve d'aucune indulgence envers sa compagne de voyage, la jugeant trop fragile et trop peu dégourdie. Mais il fallait bien admettre que rien n'avait vraisemblablement pu préparer cette enfant aux péripéties qu'ils avaient dû affronter. Tout bien réfléchi, sans doute ne s'en sortait-elle pas si mal. Elle se débrouillait autant que possible pour ne pas être un fardeau, et la princesse ne se souvenait pas de l'avoir entendue se plaindre. Enfin, *elle* au moins paraissait avoir un peu de plomb dans la tête, à la différence de son fâcheux condisciple Evan...

Oui, décida la princesse, *probablement l'ai-je condamnée trop vite.* À présent qu'elle se prenait d'affection pour l'Ouestienne, envisageant même de s'en faire une alliée dans cette compagnie à tendance masculine, elle regrettait de ne pas lui avoir laissé la moindre chance auparavant.

Elle posa à nouveau ses yeux sur elle, tâchant de ne plus voir uniquement la petite paysanne mal dégrossie. Sitôt délaissés ces préjugés, elle la considéra sous un autre jour. Aiswyn était belle, en effet. Très belle, même... d'une beauté fraîche, douce et élégante. C'était un véritable prodige, songea l'aristocrate, qu'Evan ne s'en soit pas encore rendu compte... Elle ignorait dans quelle mesure le garnement était conscient ou pas des sentiments qu'Aiswyn lui portait sans l'ombre d'un doute, mais elle gageait qu'il ferait mieux de prendre garde. S'il continuait à la considérer comme acquise, la jeune fille finirait par lui échapper. Tous les garçons ne se montreraient pas aussi aveugles que lui, et ce ne seraient pas les jouvenceaux qui allaient manquer pour tenter de lui ravir le cœur de son amie. Tant pis pour lui, méditait Caessia, s'il se réveillait trop tard...

Alors que les premières minutes s'étaient écoulées dans un relatif silence, chacun savourant le plaisir d'éliminer la fatigue et la crasse du voyage, Aljir reprit soudain la parole. Son feulement résonna à travers le drap tendu :

— J'ai pris le temps d'inspecter les environs avant de vous rejoindre. Aucune trace visible de Fraters ou de Chaosiens... du moins pour le moment.

Durement ramenée à la réalité par ces derniers mots peu encourageants, la princesse soupira et s'allongea entièrement dans la longue bassine de fonte – comme si elle voulait disparaître à jamais sous l'eau chaude.

— Où en étiez-vous, poursuivait le Troll, lorsque mon arrivée vous a interrompus ?

Ce fut une voix au timbre grave et mélodieux qui lui répondit. Celle de Gaelion.

— Nous nous disions plus ou moins que nous allions toujours à Farnesa, bien qu'aucune décision définitive n'ait encore été prise. Mais en ce qui me concerne, je vote également pour. En tant que Harpiste, je serais très curieux de rencontrer ce Finrad, même indépendamment de l'aide qu'il pourrait nous apporter.

Se souvenant sans doute que le Troll n'avait pas assisté au début de leur conversation, le ménestrel prit une minute pour exposer à Aljir qui était Finrad, puis enchaîna :

— D'ailleurs, j'avais moi aussi à faire à Farnesa, rappela-t-il. Et en dépit de la gravité des récents événements, ma mission initiale n'a pas perdu de son importance. Au contraire, sans doute, n'en devient-elle même que plus essentielle.

Caessia fronça les sourcils. Jamais auparavant elle n'avait entendu le musicien évoquer une quelconque « mission ».

Avec un bruit de poing frappant la surface de l'eau, ce fut alors la voix un peu nasillarde d'Evan qui s'éleva.

— Vérole ! grommela-t-il. Vous ne croyez pas qu'il serait temps d'arrêter de s'exprimer par énigmes ? Après tout ce que nous avons traversé côte à côte… Assez de secrets, bon sang ! Nous ne nous en sortirons pas si nous n'acceptons pas de nous faire confiance et de jouer cartes sur table !

Un moment de silence, empreint d'une certaine gravité, suivit cette déclaration. *Il n'a peut-être pas tort,* songea Caessia. *Ces derniers jours ont été tellement riches en événements inconcevables ! Plus rien ne semble plus s'augurer comme avant, ni pouvoir suivre les règles d'autrefois…*

— Eh bien, je suis assez d'accord, admit le Harpiste après un long silence méditatif. Quelque chose me dit que ce n'est probablement pas pour rien que le destin nous a tous rassemblés ainsi… Oui, l'époque qui s'annonce s'avérera bien étrange, je le pressens. C'est pourquoi Evan a raison : nous devrions oublier nos réserves et opposer un front solidaire à nos ennemis.

À la fin de cette phrase, tout le monde dans la salle des bains sembla partager le même acquiescement muet.

— Je serai donc le premier à me dévoiler, murmura Gaelion. (Il n'hésita qu'une seconde avant de poursuivre :) Jusqu'à présent, je vous ai caché que les Harpistes ne sont pas de simples troubadours, ni même de simples magiciens. Apparentés à des… mercenaires du renseignement, dirai-je, nous œuvrons fréquemment pour le compte des princes et sommes de fait fortement impliqués dans la politique du continent. Ainsi, pour ma part, je suis actuellement en mission secrète sous les ordres du roi Lemneach.

Il poursuivit, après une courte pause oratoire :

— Dans quelques jours, je dois rencontrer les Grands de Farnesa, ces généraux mercenaires qui sont les vrais maîtres de la cité. Mon roi m'a commandé de louer leurs services, car il a appris que des troubles importants allaient bientôt secouer Tireldi et veut y prendre part.

— Des troubles ? lâcha Caessia s'en pouvoir s'en empêcher, toujours instinctivement concernée par le sort de son peuple.

— Oui, affirma le musicien, et ils s'annoncent graves, cette fois. Il ne s'agira pas des habituelles querelles entre seigneurs voisins. En vérité, il semblerait que la République organisera très bientôt un assaut de grande envergure, dans tout le royaume. Le but en serait de frapper et de faire tomber définitivement le pouvoir de Bassianus.

Un instant de stupeur marqua l'assistance, seulement ponctué par un long sifflement probablement attribuable à Evan.

Caessia tressaillit intérieurement. À l'attitude des lieutenants républicains, elle s'était bien doutée que leur fameux « grand soir » approchait, mais elle n'aurait tout de même pas imaginé qu'il viendrait aussi vite. Encore moins que le pacifique souverain d'Orlande prévoie de s'en mêler…

— Notre bon roi ? s'étonna Aiswyn, qui semblait partager sa consternation.

Elle esquissa une moue de réflexion, puis poursuivit, semblant penser à haute voix.

— Bien sûr, déclara-t-elle d'un air peiné et résigné. Je suppose qu'il ne peut pas faire autrement que respecter les antiques alliances entre l'Ouest et le Sud… Lemneach se doit de soutenir le monarque voisin contre un soulèvement de rebelles, devina-t-elle, et c'est dans ce but qu'il recrute les compagnies Mercenaires. Mais savez-vous, Gaelion, s'il compte se limiter à cela, ou si notre royaume risque d'entrer en guerre ?

Cette fois, la pause du Harpiste fut légèrement plus longue.

— Non, n'aie pas d'inquiétude, la rassura-t-il. Il ne s'agit que de tractations secrètes, et officiellement l'Orlande n'interviendra aucunement dans ce conflit. C'est en cela que réside l'intérêt d'utiliser les Compagnies plutôt que sa propre armée. En revanche… tu commets une petite erreur en présumant que Lemneach souhaite venir au secours de Bassianus. Au contraire, révéla le musicien en baissant inconsciemment d'un ton, il engage ces mercenaires afin qu'ils aident la République à s'emparer du royaume. Sinon, selon son analyse, les insurgés ne disposeraient pas de troupes entraînées en nombre suffisant, et courraient au désastre.

— Comment ? s'exclama la jeune Ouestienne. Mais cela n'a aucun sens ! Ne craint-il donc pas que la rébellion ne se répande ensuite sur nos terres ?

On entendit Gaelion se racler la gorge.

— Par les temps qui courent, fit-il en donnant à sa voix une nuance presque menaçante, il est des dangers autrement plus à craindre. Bien avant que nous en soyons directement témoins dans ce village martyr, mon roi prenait au sérieux les rumeurs prétendant que la Mère Stérile était de retour sur Genesia et qu'elle se préparait à une nouvelle guerre de conquête. Mais, encore plus grave, il avait récemment acquis des raisons de croire que Bassianus avait trahi les Peuples Cadets, passant... du côté de l'Ombre.

La stupéfaction et l'horreur générales dépassèrent tous les émois provoqués par les diverses révélations précédentes. *Un roi, allié à la Mère Stérile ?* devaient trembler les jeunes Ouestiens. *Mais qu'avait-il donc à y gagner ?*

Caessia, bien que ne pouvant guère répondre mieux qu'eux à cette dernière question, n'était pas aussi surprise. Et elle gageait qu'Aljir Mangeur-de-Loups ne l'était pas davantage. Cette alliance abjecte était depuis le départ un postulat des républicains, et elle-même avait peu à peu nourri de nombreuses craintes à ce sujet. Si son cœur peinait encore à y croire tout à fait, sa raison, elle, lui commandait de prêter foi aux nombreux indices qui émaillaient la politique ambiguë menée par son père depuis quelques années.

Aiswyn, le choc passé, reprit d'une petite voix :

— C'était donc ça... Lorsque vous tentiez de nous dissuader de vous accompagner, expliqua-t-elle. Vous disiez craindre de nous faire partager quelque péril... c'était à cela que vous faisiez allusion, n'est-ce pas ?

— Exact, confessa le troubadour. Personne n'était censé être au courant de ma mission, mais, dans mon métier, rien ne garantit jamais qu'un secret n'est pas éventé. Et si cela avait été le cas, tu imagines que le roi de Tireldi ou même la Dernière Prophétesse elle-même se seraient empressés d'envoyer des agents à mes trousses. Je ne souhaitais pas vous mêler à ça.

— Par chance, railla Evan, nous n'avons eu à affronter qu'une armée de Chaosiens et de Fraters...

Bien entendu, personne ne prit la peine de rire, ni même de sourire.

— Tout de même, bredouillait Aiswyn avec un reste d'incrédulité, je ne comprends pas comment notre roi a pu en arriver à prendre une telle décision. Trahir Bassianus... Qu'en est-il de la solidarité sacrée entre les héritiers des Anciens Rois ? Que va devenir le monde si leur union se délite encore plus ?

L'écoutant, Caessia ne put s'empêcher de voir la jeune saltimbanque sous un jour encore différent. Elle n'avait pas vraiment de connaissances politiques, mais elle faisait preuve de bon sens. On sentait de plus dans ses propos une loyauté naïve mais solide envers son roi, un patriotisme presque fervent. La Sudienne songea avec amertume que les Orlandais avaient naturellement pour leur monarchie un amour que sa propre lignée n'aurait jamais pu espérer. Mais elle devait avouer que la faute en incombait certainement à la maison de Tireldi, et à personne d'autre.

Gaelion haussa légèrement le ton, le courroux pointant sous la maîtrise parfaite de sa voix :

— Ne mélangeons pas tout, jeune fille. Il n'y a qu'un seul traître dans cette affaire, et c'est Bassianus, pas Lemneach !

Il poursuivit, inhabituellement ému :

— Je ne peux dire si toutes sont fondées, mais les rumeurs qui circulent sont épouvantables. On dit que les prisonniers conduits dans le Nord par les soldats tireldiens ne seraient pas, en vérité, destinés à travailler dans des mines. On raconte qu'ils gagneraient Sü'adim pour y être atrocement suppliciés... La Mère des Douleurs aurait la faculté de s'abreuver de cette souffrance ainsi offerte en pâture, afin d'accélérer le processus de sa régénération. Et par ces milliers de lentes et douloureuses mises à mort, elle retrouverait peu à peu ses pouvoirs encore affaiblis.

Caessia grinça des dents. Elle avait déjà entendu cette histoire de la bouche d'Ettore, le jeune et charismatique capitaine révolutionnaire. Pouvait-ce être la vérité ? se torturait-elle intérieurement. Son père avait-il donc définitivement perdu la raison, au point de sacrifier ses propres sujets ?

La voix timide d'Aiswyn s'éleva une fois de plus, attestant que la jeune roturière savait se faire entendre lorsqu'elle en ressentait le besoin :

— Mais… ne doit-on pas craindre que la Dernière Prophétesse ne soit déjà pleinement revenue à la vie ? À moins que je fasse erreur, c'était bien elle, telle qu'on la décrit, qui a failli émerger de ce portail magique la nuit dernière…

— Pas exactement, la rassura Gaelion. À mon avis, s'il s'était réellement agi d'elle, aucun mortel n'aurait pu lui tenir tête ainsi que nous l'avons fait. Sa simple vue aurait suffi à foudroyer les habitants du village et n'importe lequel d'entre nous.

— Ah bon ? Et c'était quoi, alors ? demanda Evan, apparemment sceptique.

Dans le battement de cœur qui suivit, Caessia imagina l'expression maintenant bien connue du ménestrel lorsqu'il ne possédait pas la réponse exacte à une question – lèvres et yeux sévèrement plissés.

— Je n'ai aucune certitude, avoua effectivement ce dernier. Peut-être une sorte d'incarnation temporaire, un avatar uniquement destiné à transporter Sorcelame jusqu'à elle. Souvenons-nous que hormis Caessia et Evan, nul n'est censé pouvoir toucher l'Aether à mains nues, sans la protection de son étui de plomb… D'ailleurs, continua le Dracomancien, il est fort possible que cette tentative ait grandement épuisé la maîtresse de l'Ombre. Avec un peu de chance, nous avons quelque temps devant nous avant qu'elle puisse réitérer un tel rituel.

Enfin un peu d'optimisme, pensa la princesse. À cela, il fallait ajouter que la Mère Stérile était toujours privée de Sorcelame, ce qui devait ralentir sa régénération, même dans le cas où les rumeurs de sacrifices seraient fondées. Si elle n'avait pas eu réellement besoin de l'épée magique, l'entité n'aurait pas déployé autant d'énergie pour la récupérer. Tout n'était donc peut-être pas encore si désespéré...

Caessia prit une profonde inspiration, appréciant le clapotis de l'eau sous sa nuque. Face à la gravité des sujets traités, elle ne pouvait s'empêcher d'éprouver un léger sentiment d'irréalité. *Quelle impression bizarre, tout de même, que ces secrets d'État livrés ainsi devant nous, ces sombres prophéties dévoilées comme on analyserait de simples rapports militaires...* Elle était habituée à aborder des problèmes importants, pourtant, mais pas dans ces conditions. Elle en débattait dans les salles d'état-major de la Nef, entourée de ministres et de spécialistes. Pas en partageant son bain avec de parfaits étrangers, dont une paire de gamins tout juste arrachés à leur campagne. C'était cela, la folie de leur situation. Pouvait-on imaginer plus insolite compagnie pour s'inquiéter ainsi, avec le plus grand sérieux, du destin de Genesia ? Et malgré tout, après le contrecoup de l'horreur de la veille, la démence de ce village massacré jusqu'au dernier nourrisson, rien ne paraissait plus vraiment étrange.

C'est pourquoi, lorsqu'elle entendit Aljir ronronner afin de s'éclaircir la voix, elle sut qu'elle allait approuver son choix. Il était temps pour les deux républicains de jouer franc jeu à leur tour.

Comme elle l'avait deviné, le Troll déclara :

— Bien. Pour être honnête, Caessia et moi ne sommes pas non plus de simples voyageurs.

Ayant par ces mots obtenu l'écoute attentive de l'assistance, il enchaîna :

— En vérité, nous œuvrons secrètement pour une cause dont il a déjà été question ce soir. Nous servons tous deux les buts de la République. (La créature claqua machinalement des crocs.) Je sais que les rebelles n'ont pas bonne réputation, poursuivit-il sur un ton volontairement apaisant. D'aucuns prétendent, hélas pas toujours à tort, que leurs rangs sont infestés de vulgaires bandits. Mais, à la lueur des dernières révélations concernant la volte-face de Bassianus, vous comprendrez que nous n'ayons finalement pas à rougir de notre engagement.

Le Troll soupira profondément, évoquant quelque grognement primitif.

— Bien sûr, ajouta-t-il, il suffirait que vous nous dénonciez à n'importe quel bailli des environs pour que nous allions rejoindre les malheureux déportés à Sü'adim… Mais tu as parlé de solidarité, Gaelion, et je t'ai entendu. Alors oubliez vos préjugés, je vous en prie, et mesurez-nous en fonction de nos actes. Par-dessus tout, n'oublions pas que nous devons faire cause commune.

— Bien parlé, finit par répondre le Harpiste, rompant enfin le silence gêné qui s'était installé. Comme je vous le disais, je sers moi-même actuellement les intérêts de la République, bien qu'indirectement. Nous devrions pouvoir concilier nos objectifs. Du moins, tant que nous n'aurons pas résolu les mystères qui entourent – et unissent – Evan et Caessia.

— Je l'espère, reprit le Troll. Comme tu le sais donc, le grand soir approche. Je veux dire par-là que le moment où nous prendrons les armes est pour très bientôt, précisa-t-il, sans doute en réponse à une interrogation muette d'un des deux Ouestiens.

Caessia acquiesça mentalement. Elle comprenait mieux certains détails, à présent. Par exemple pourquoi, avant son départ, Ettore avait tenu à s'entretenir une dernière fois avec elle, se montrant tellement avide des secrets diplomatiques et militaires qu'elle détenait. Pourquoi il avait absolument voulu qu'elle lui dresse un plan détaillé de la Nef et de ses différents passages dérobés, soi-disant pour apporter la preuve de sa bonne foi. Il ne préparait pas quelque stratégie lointaine… mais prévoyait vraiment d'attaquer le palais !

Bien sûr, la princesse avait su qu'on en viendrait là, lorsqu'elle avait choisi le camp de la République. Mais les choses semblaient soudain prendre un tour si abominablement concret… Réprimant un tremblement, Caessia sentit comme un goût de bile dans sa gorge. Elle se doutait que ses camarades républicains ne feraient pas de quartier, lorsqu'ils donneraient l'assaut, et elle ne pouvait s'empêcher de songer à Sargon, à Nimrod, à l'innocente Roloña… À son *père*.

Mais Aljir, reprenant la parole, devait la détromper bien vite sur ce dernier point.

— Je pense, déclara-t-il lentement, que je peux révéler à présent la nature de notre mission à Farnesa. Même Caessia l'ignore encore, mais l'appel aux armes doit s'associer à un acte stratégique et symbolique de la plus haute importance. Un acte que nous sommes chargés d'accomplir.

— De quoi s'agit-il ? demanda vivement la voix d'Evan, dont Caessia comprenait pour une fois l'impatience.

— Si nous nous rendons au carnaval de Farnesa, reprit le Troll, c'est parce que le roi Bassianus y sera présent cette année. Et nous allons en profiter pour l'assassiner.

Chapitre 6

— L'assassiner ? s'étrangla Aiswyn, apparemment bouleversée à l'idée d'un régicide.

Caessia avait eu le même réflexe en pensée, devant se mordre la langue afin de ne pas se trahir.

Allons, c'est un félon ! s'exhorta-t-elle. *Je ne vais tout de même pas le plaindre ou me soucier pour lui !* Pourtant, une partie d'elle-même continuait d'espérer que tous se trompaient. Qu'il serait un jour possible de pardonner à son père, de trouver une explication. Ou bien qu'il pourrait changer et redevenir un homme juste, peut-être même… un homme qui aimerait sa fille.

Elle ne cherchait pas consciemment à lui trouver d'excuses, mais elle se demandait avec amertume quel était le rôle exact de sa Première conseillère dans cette supposée trahison. Son géniteur n'était-il pas devenu un souverain sous influence, comme cela lui avait souvent semblé être le cas ? *Peut-être,* se dit-elle, *mais jusqu'à quel point ?…*

Quand je pense, poursuivait enfin la princesse dans ce soudain tourbillon intérieur, *que les trois Ouestiens ne sont même pas au courant de notre lien de parenté… Comment réagiraient-ils en apprenant que je suis la fille de ce tyran ?*

Toutefois, avant que ses pensées ne puissent l'entraîner plus loin dans ces douloureux dilemmes, un bruit sec et précipité les fit tous sursauter.

On venait de frapper à la porte de la pièce.

Sans leur laisser le temps de répondre, le visiteur réitéra son geste, plus fort. L'espace d'un instant, les cinq compagnons parurent tous paralysés par la tension et l'attente. Leurs nerfs avaient été mis à rude épreuve depuis quelques dizaines d'heures... Toutefois, Aljir les rassura bientôt.

— Ce n'est que l'aubergiste, souffla-t-il, Caessia pouvant imaginer les narines soudain froncées et palpitantes de son camarade tandis qu'il analysait l'odeur de l'intrus.

— Nous sommes occupés pour le moment ! réagit-elle avec pertinence, sortant du même coup ses compagnons de leur torpeur.

Néanmoins, le propriétaire de l'établissement ne se laissa pas décourager pour si peu.

— Désolé, mademoiselle, s'éleva sa voix aimable quoique pressante, mais... il y a un problème.

La princesse et Aiswyn échangèrent un regard inquiet.

Comprenant qu'ils n'avaient pas le choix, Caessia siffla à l'intention des autres :

— Bon, les garçons, allez ouvrir... Aljir, dicta-t-elle en hâte, viens te cacher de notre côté.

Quelques secondes plus tard, le Troll était accroupi dans un coin de la salle, silencieux comme une pierre et dissimulé au regard de l'aubergiste par le drap séparateur. Ce dernier, que Gaelion venait de faire entrer, s'expliqua tout en tâchant de reprendre son souffle :

— Je m'en veux de vous déranger, voyageurs... mais il s'est produit un incident.

— Allons, racontez-nous, fit la voix posée du Harpiste, Caessia tendant l'oreille pour ne rien perdre de la conversation.

— Une drôle d'affaire, en vérité, haleta le maître des lieux. Je m'apprêtais à me coucher lorsque mon fils et moi avons entendu les chevaux se mettre à hennir subitement. Comme ils avaient l'air affolés, j'ai remis mes bottes le temps d'aller jeter un œil à l'écurie… J'étais un peu inquiet, vous comprenez, il y a des rôdeurs en ce moment. Avec tout ce passage et la foule qui se rend à Farnesa… (Il émit un bruit de bouche semblable à un gloussement de dindon.) Je disais donc : j'enfile mes bottes, je sors, et que ne vois-je pas traîner autour de mon auberge ? Encore un de ces fouineurs à l'affût de quelque chose à voler ! (Il marqua un nouveau temps, soufflant cette fois comme une forge.) Si ça continue, je vais acheter un chien, je me dis. Depuis le temps que ma bonne femme me le conseille !

— Je vois, l'interrompit un peu sèchement Gaelion. Dites-moi, vous avez vu à quoi ressemblait cet individu ?

— Ah ça, répondit l'aubergiste, je ne pourrais pas vous le décrire avec précision. Il essayait de se cacher, et il n'y a pas beaucoup de lune, ce soir. Un grand type bizarre, avec une sorte de chapeau. Oui, c'est ça… étrange. Il se tenait d'une drôle de manière, comme s'il reniflait quelque chose, et il m'a semblé entendre des bruits bien singuliers. Comme des ricanements, mais très aigus. Enfin… tout à fait le genre de drôle qu'on n'aime pas trop rencontrer au beau milieu de la nuit, si vous voulez mon avis. Le voir comme ça, en train d'épier les environs, ça m'a fait une impression, comment dire… lugubre, vous voyez ?

Caessia qui voyait parfaitement, se mordait la lèvre sans s'en rendre compte. Inutile de se voiler la face, il y avait de fortes chances pour que cet intrus soit là à cause d'eux. *Parfait !* se dit-elle amèrement. *Nous ne nous sommes même pas encore remis de nos émotions d'hier, et nos poursuivants semblent déjà avoir retrouvé notre trace…* Qui était-ce, cette fois ? Un agent de Daedor ou bien de la Mère Stérile ? Un serviteur de la Lumière ou de l'Ombre ? Réalisant avec abattement combien toutes les forces de l'univers paraissaient liguées contre eux, la princesse ne put s'empêcher d'exhaler un long soupir écœuré.

— Mais ce n'est pas tout, hélas, poursuivait le tavernier. Après avoir été chercher mon fils pour m'épauler – vous comprenez, on ne sait jamais… – je m'approche à nouveau de l'endroit où se tenait l'étranger. J'étais bien décidé à lui dire ma façon de penser, à ce drôle d'oiseau de malheur, venu rôder autour de chez moi ! Seulement... quand nous sommes arrivés, plus personne. Je suppose qu'il m'avait vu sortir la première fois et qu'il a pris la fuite.

Caessia fronça les sourcils encore davantage. Quel Dracomancien ou quel Chaosien prendrait peur à la vue d'un aubergiste bedonnant ?

— C'est une bien étrange histoire, en effet, déclara alors Gaelion, mais en quoi cela nous concerne-t-il ?

— Eh bien, j'y arrive, justement, répondit le brave homme d'un ton embarrassé. Après m'être assuré que l'intrus avait bel et bien déguerpi, je rentre dans l'écurie pour m'assurer que tout est en ordre, et là...

— Oui ? fit le Harpiste, encourageant l'aubergiste, qui hésitait à poursuivre.

— Je vous présente mes plus plates excuses, voyageurs, mais il semblerait que votre Troll se soit échappé. Mon fils m'assure pourtant qu'il l'avait soigneusement entravé, et que jamais la bête n'aurait pu se libérer toute seule... C'est pourquoi j'ai bien peur que ce soit ce sinistre individu qui vous l'ait dérobé.

Un instant, les compagnons demeurèrent cois. Caessia, qui s'était attendue à bien pire nouvelle, ressentit un léger soulagement, et croisa le regard d'Aljir qui la gratifia d'un sourire denté.

— Voilà tout, s'excusa encore le maître des lieux. Croyez bien que je suis confus et désolé. Le moins que je puisse faire, bien entendu, c'est de remplacer votre animal de bât...

— Ce ne sera pas nécessaire, le rassura gentiment Gaelion. Ce sont des choses qui arrivent, hélas. Ce n'est pas votre faute.

Mais le brave homme ne l'entendait pas de cette oreille. Il émit un nouveau gloussement d'humeur, rétorquant aussitôt :

— Ah si, monsieur, j'y tiens ! Je suis responsable de ce qui se passe dans mon établissement, et je ne vous laisserai pas repartir plus mal lotis que vous n'êtes arrivés, si vous voyez ce que je veux dire. C'est une question de principe.

Caessia sourit à son tour. Quelque part, elle se sentait terriblement gênée par l'attitude du pauvre aubergiste, mais la cocasserie de la situation prenait néanmoins le dessus.

— Hélas, continuait le tavernier avec moult soupirs, je ne possède pas de Troll, et je crains que vous n'y perdiez malgré tout au change. La seule compensation que je pourrai vous fournir est un modeste poney. Mais ça sera mieux que rien, n'est-ce pas ? Et puis, vous verrez, il est endurant et costaud...

La princesse se demanda comment Gaelion faisait pour conserver son sérieux. *Par les Anciens Rois,* s'inquiéta-t-elle subitement, *pourvu qu'Evan ne fasse pas tout déraper en se gaussant comme un imbécile...*

— Eh bien, je vous remercie, déclara respectueusement le Harpiste, Caessia le voyant en pensée s'incliner poliment comme il savait le faire, de sa manière qui vous faisait vous sentir important sans qu'il ait pourtant jamais, lui-même, l'air obséquieux.

» Vous en faites plus que vous ne le devriez, maître aubergiste, mais si vous y tenez... Soyez en tout cas assuré de notre reconnaissance. À présent, si vous le permettez, mes amis et moi allons terminer nos ablutions et gagner enfin nos chambres. Il est déjà fort tard...

— Bien sûr, répondit le tavernier avec empressement, vous devez être épuisés. Je vous laisse. Je vous salue, mesdemoiselles, lança-t-il d'une voix plus forte, et vous souhaite la bonne nuit. Messieurs...

Puis, après le bruit de la porte qu'on refermait, ce fut la voix de Gaelion qui s'éleva à nouveau.

— Épuisés, c'est encore un faible mot, souffla-t-il. (Il soupira.) Enfin, pour nous résumer, je crois que nous sommes tombés d'accord sur l'idée de nous rendre ensemble à Farnesa. Je préconise de ne plus faire halte dans les auberges d'ici là, afin d'éviter d'autres désagréments.

Nul ne répondit à ce sous-entendu. Chacun avait bien compris que *quelqu'un* s'était fort approché de leur piste, ce soir, et qu'ils ne devaient peut-être qu'à la chance de ne pas avoir connu de plus graves problèmes.

— Pour le reste, reprit le ménestrel d'un ton qui indiquait son désir d'en finir au plus vite, j'avoue que je n'aurais jamais projeté de participer à un meurtre, et encore moins à celui d'un roi. Pourtant, étant donné la situation… oui, peut-être nous faudra-t-il envisager de vous prêter main-forte. Nous en débattrons et mettrons les détails au point demain, sur la route. Pour l'heure, je ne vois plus qu'un seul mot d'ordre : allons nous coucher…

Le silence absolu qui lui répondit avait valeur d'acquiescement, ses quatre compagnons – à présent éveillés depuis plus de deux jours – ratifiant ce programme sans la moindre réserve.

Chapitre 7

Les courtisans du comte Drekvo l'entouraient dans un silence craintif. Comme chaque soir, le géant au visage d'aigle, vêtu de fourrure noire, avait passé l'essentiel du dîner à récriminer contre ses sujets de fiel favoris : son fils aîné et son roi.

Bassianus, en effet, avait beaucoup déçu le seigneur de guerre. Après avoir promis d'unir sa fille à la lignée Drekvo, il s'était montré incapable de faire respecter cet engagement à la jeune princesse. Un camouflet que le comte n'était pas près d'oublier…

Toutefois, nul être ne concentrait autant sa haine et son dégoût que son propre héritier, qui avait trahi les siens pour rejoindre la République. Lui, un Drekvo, enfant de générations de chefs impitoyables et retors… Des hommes ayant honoré leur nom tant par l'habileté raffinée de leur épée que par l'âpreté brutale de leur politique… Comment avait-il pu en arriver à embrasser des idéaux aussi naïfs ?

— Je finirai par le retrouver, promit une fois de plus le comte, sans s'adresser à personne en particulier. Tôt ou tard…

Ses yeux se voilèrent d'une lueur implacable, comme il ajoutait :

— Et alors je n'aurai pas de châtiment assez cruel pour lui faire payer cet affront.

Parmi l'assistance muette, un vieillard encapuchonné se tenait légèrement à l'écart. On le prenait sans doute pour l'un de ces hommes venus de l'étranger, mystérieux messagers qui ne faisaient leurs rapports qu'au comte lui-même, et n'adressaient jamais la parole à personne d'autre. On lui avait servi son repas dans un coin de la pièce, parmi les ombres, là où était sa place.

Mais le voyageur n'avait pas touché à son dîner. Toute son attention était concentrée sur le comte et sa suite. Plus particulièrement, il surveillait un homme assis juste à la gauche du noble. Vêtu d'une longue robe de bure noire, ce conseiller semblait l'une des seules personnes présentes à ne pas trembler sous les vagues de courroux froid du seigneur.

Ses lèvres formant une mince ligne derrière son écharpe sombre, le vieux Finrad gardait les yeux rivés sur cet homme en robe. Lorsque ce dernier se leva et demanda congé, il lui emboîta discrètement le pas.

L'Ancien Roi suivit secrètement le conseiller jusqu'à ses appartements.

Tandis qu'il gravissait ainsi l'escalier de la plus haute tour du château, le vieillard laissa dériver ses pensées. Ses souvenirs, plus précisément. Ainsi, tandis que ses pas l'emportaient, marche après marche, vers de nouvelles réponses à ses questions, il songea au passé. Tout ce chemin parcouru, tous ces voyages… Ces années d'errance et de quête depuis leur réveil à tous les cinq… Et l'urgence, toujours l'urgence.

Parmi ces vieilles pierres, les vieilles pierres d'une vieille demeure, dressées depuis des siècles au beau milieu d'un pays aride, Finrad se souvenait de la mer. Il pensait au Nord, à sa patrie abandonnée. Les froides côtes du royaume d'Ysgard, ses falaises de glace, les tempêtes de neige qui rendaient floue la limite entre terre et mer, naufrageant les embarcations au petit matin. Les vagues démontées et les embruns gelés. Les icebergs et la pureté. Tout ce calme…

Il soupira. La paix et la violence, si parfaitement, si singulièrement mariées dans les éléments. L'essence d'un peuple magnifique, *son* peuple, ses enfants à la peau de neige et aux yeux de jais. Comme il lui tardait de rentrer chez lui… Mais son exil n'était pas encore terminé.

Trop de questions subsistaient. Depuis leur retour dans le monde, combien d'heures avait-il passées en spéculations stériles, se tourmentant pour étayer une explication à l'assassinat de son ami Brenghenann ?

Quels que fussent ses efforts, Finrad ne s'en remettait pas. Le Lion Rouge, leur inspirateur et guide bien-aimé. Le meilleur d'entre eux tous. Comment avait-il seulement pu mourir ?

Et puisque cela était, quelle odieuse main se cachait derrière sa disparition ? Tout en marchant, le vieil homme secoua la tête avec lassitude. *Je reproduis toujours la même erreur,* médita-t-il. *Depuis le départ, j'ai été aveuglé par mon refus d'imaginer que l'un de nous fût capable de tuer Brenghenann.*

J'étais trop obsédé par les suspects, songeait-il encore. *Alors que ce que j'aurais dû considérer avant tout, c'est le mobile. Mais maintenant… je crois que je suis à l'aube de comprendre. Les motifs de la tapisserie ont peu à peu trouvé leur place, les fils se sont tissés. Brenghenann, mon ami… Je dois en avoir le cœur net.*

Parvenu sur le seuil de la porte des appartements, il ne chercha plus à dissimuler sa présence. Campé dans l'entrée de la pièce, il attendit que le conseiller en robe de bure se retourne pour lui faire face, alerté par le bruit de sa respiration.

L'homme marqua un temps de surprise, mais fut assez rapide à se reprendre, et se contenta de demander, d'un ton plein de sang-froid :

— Qui êtes-vous ?

En guise de réponse, Finrad passa devant son hôte pour gagner l'antichambre suivante, où trônait une table rituelle, surmontée d'un crâne noir et cornu. Il ne s'était donc pas trompé…

— Je répète ma question, fit le conseiller sans se démonter. Qui êtes-vous ? Cette tour est interdite à quiconque hormis le comte ou moi-même.

— Je sais, souffla l'Ancien Roi.

En un battement de cœur, il tira une courte épée argentée de son ample cape. Menaçant l'homme à la robe de bure, il lui fit signe d'approcher.

Tout d'abord, ce dernier ne cilla pas. Il paraissait intrigué et étonné, mais pas apeuré. Cela n'étonnait pas Finrad. Un homme habitué à traiter avec les âmes des morts et des non-morts ne se laissait pas si facilement intimider. Car c'était bien ce qu'était le conseiller du comte : un rusé adepte du commerce avec les limbes, un nécromancien, comme en entretenait traditionnellement la lignée des Drekvo.

L'Ancien Roi confirma sa menace en pointant sa lame vers la gorge du sorcier.

— Installez-vous à votre table divinatoire, ordonna-t-il calmement. Je vais avoir besoin de vos services.

Le conseiller Drekvo afficha cette fois un certain trouble devant tant d'assurance. Dans le même temps, ses mains osseuses esquissaient pourtant des manipulations qui n'échappèrent pas à Finrad. Sans lui laisser l'occasion de conjurer le sort dont il avait entamé la réalisation, le vieillard lança sa volonté de Dracomancien contre son *construct* naissant.

Il le bloqua avec tant de force, en vérité, que le nécromancien fut soufflé et projeté en arrière. Ce dernier manqua s'écrouler, et ne se retint que de justesse à la table de pierre.

Sentant la situation lui échapper, il tenta cependant une dernière fois de durcir son regard.

— J'ignore ce que vous espérez, déclara-t-il en fixant le vieil intrus, mais vous faites erreur si vous croyez pouvoir pénétrer ici et me soumettre. Je vous préviens, je n'ai qu'à appeler et…

Finrad eut un rire sans joie, interrompant net la bravade du sorcier.

— Cette tour est vide, soupira-t-il, vous l'avez avoué à l'instant. Il n'y a que vous et moi… aussi je vous conseille fermement de m'obéir.

À ce moment-là, face à la détermination implacable de son mystérieux visiteur, le conseiller s'affaissa. Subitement, comme frappé par une force qui le dépassait, il abandonna tout effort pour dissimuler sa peur. Lorsqu'il parvint à articuler un mot, ce fut pour bégayer :

— Que… que voulez-vous ?

— Je vous l'ai dit. Faire appel à vos connaissances.

La perplexité le disputait à présent à la terreur sur le visage du sorcier.

— Je ne comprends guère…, avoua-t-il. Vous venez du Nord, je l'entends à votre accent. Alors… pourquoi avoir accompli tout ce chemin ? Pourquoi prendre le risque de menacer un proche du comte Drekvo ? Je ne suis pourtant pas le seul adepte des arts nécromanciens à la surface de Genesia…

Dans les pupilles du vieil homme, la lueur résolue sembla redoubler d'intensité.

— Non, en effet, souffla-t-il. Mais vous êtes le seul qui ait le savoir que je recherche. Le seul qui ait eu accès aux archives des sorciers Drekvo, et donc qui soit à même de communiquer avec le Faucheur.

À ces mots, la bouche du conseiller se tordit de stupeur et d'angoisse, tandis qu'il s'exclamait :

— Comment osez-vous… ? Qui êtes-vous pour souhaiter déranger le… le Maître d'En-Bas ? Il n'y a rien d'assez terrible dont vous puissiez me menacer pour me forcer à exécuter pareil sacrilège !

La sincérité perçait clairement dans ces paroles choquées, pourtant l'expression du vieillard ne changea guère, si ce n'est pour se durcir davantage.

— Il ne faut jurer de rien, affirma-t-il seulement, la voix toujours terriblement calme. Je pourrais faire de vous un animal terrifié, docile et suppliant. Ça ne me plairait pas, mais je le pourrais.

À présent, le nécromancien faisait visiblement des efforts pour lutter contre des larmes de détresse. Ce n'était pas la lame argentée qui le tenait dans cet état de malaise et de soumission. Ce n'était même pas la prodigieuse puissance magique qu'il avait sentie se déployer un peu plus tôt contre sa tentative de lancement de sortilège.

Il y avait autre chose. Quelque mystère chez ce vieillard qui dépassait de beaucoup la silhouette maigre enveloppée dans sa cape sombre. Une puissance bien plus ancienne et impérieuse qu'il n'y paraissait. Contre laquelle on ne pouvait pas lutter.

Résigné, bien que sans vraiment comprendre pourquoi, le sorcier baissa la tête et bredouilla :

— Même si je le voulais, ce serait impossible. (Sa voix se fit encore moins assurée.) Pas ici, en tout cas. Si je dois appeler l'esprit du Maître, il nous faudra descendre dans les abîmes de ce château, là où demeure la dépouille de son corps mortel…

Pour la première fois depuis le début de cet entretien, Finrad sembla légèrement ébranlé. L'idée de traverser tout le manoir Drekvo pour en gagner la crypte la plus profonde risquait de poser quelques problèmes…

Mais il n'avait pas le choix.

Un torrent de pensées se déversa en un instant dans l'esprit du vieillard. Comme le vent du nord, chargé de neige et de glace, son sens du devoir et sa conscience de l'urgence le cinglèrent.

J'ai besoin de réponses…, songeait-il. À des questions vieilles de mille ans, qui exigeaient aujourd'hui leur conclusion. *Un besoin vital.* Même si cela signifiait entrer en contact avec l'âme du Faucheur, l'un des Six Apôtres malfaisants de la Mère Stérile. Un des plus redoutables ennemis qu'il ait jamais eu à vaincre.

Cette seule évocation le ramena au souvenir de la bataille qu'ils avaient dû mener, lui et les autres Hauts Rois, dans les sombres dédales de Sü'adim. Et suffit à faire vaciller sa détermination.

Mais rien qu'un instant. Le devoir et l'urgence… Finrad ne pouvait transiger avec cela. Or, le Faucheur était son seul espoir d'apprendre ce qui lui manquait. Nulle autre créature qu'on puisse atteindre n'aurait su le renseigner sur la question qui l'obsédait entre toutes, celle vers laquelle l'avaient conduit toutes ses intuitions : que s'était-il exactement passé pour Brenghenann lors de la bataille de Sü'adim ?

Qu'était-il vraiment advenu du Lion Rouge, son fidèle allié, durant les quelques heures où ils avaient été séparés par les affres du combat ? Quand ils avaient perdu sa trace, au cœur de la tourmente, le laissant affronter seul les Apôtres...

S'il pouvait répondre à cette question, Finrad le savait, tout s'en trouverait éclairé. Il pourrait enfin élucider l'assassinat de son ami et saisir les plans de la Dernière Prophétesse. Car tout était lié, il en avait la certitude.

Non, je n'ai pas le choix..., s'encouragea-t-il silencieusement. *Je dois savoir !* Fixant son prisonnier, il déclara donc dans un murmure :

— Soit. Nous descendons.

Encore plus doucement, il ajouta :

— Inutile d'essayer d'avertir les gardes, vous et eux seriez morts avant qu'ils aient pu comprendre quoi que ce soit.

Mise en garde inutile, à l'évidence. Dans le regard du nécromancien, on pouvait lire qu'il ne tenterait rien. Il ignorait consciemment qui était Finrad, mais chaque parcelle de ce qui lui restait d'humanité s'en souvenait. L'aura de l'Ancien Roi, révélée à un mortel pour la première fois depuis bien longtemps, avait définitivement paralysé sa volonté.

Tout en lui emboîtant le pas hors de l'antichambre, le vieillard lâcha un soupir inaudible. Il allait enfin en avoir le cœur net... et il ne savait pas s'il devait redouter ou espérer cette révélation. *Si j'ai raison... si mon intuition se trouve vérifiée... je n'ose imaginer ce qui nous attend tous.*

Ses pensées, comme chahutées par une violente tempête, se posèrent alors sur le jeune Evan et ses compagnons de route. Il les avait souvent eus à l'esprit, ces dernières semaines, à défaut de pouvoir les accompagner physiquement. *Et eux, les malheureux...*

Eux qui ignorent tout. Ils n'ont pas conscience du réel danger. Malgré toute son expérience et toute sa dureté, l'Ancien Roi sentit son cœur s'étreindre. *Evan, pauvre enfant… Il ne sait pas ce qu'il y a réellement en jeu.*

Sa vie, croit-il… son âme peut-être.

Mais il y a plus à perdre, bien plus. Si j'ai raison, alors Evan et les siens portent un poids qu'ils ne sauraient imaginer. Ils risquent plus que leurs vies. Ils risquent… plus que le sort du monde.

Chapitre 8

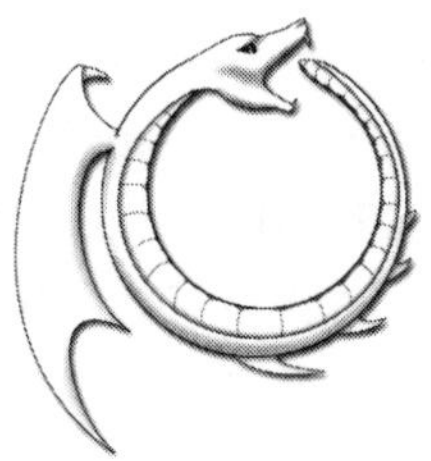

Le lendemain, dans la cour de l'auberge, les trois adolescents et Gaelion durent assister avec embarras à des adieux larmoyants entre le palefrenier et le poney de bât offert par son aubergiste de père. Apparemment, l'animal était dans leur famille depuis longtemps, et le jeune homme s'y était beaucoup attaché.

— Il s'appelle Châtaigne – à cause de la couleur de sa robe, informa-t-il Evan tout en finissant de harnacher l'intéressé. Dans les prochains jours, faites attention à ne pas trop serrer sa sangle, il souffre d'une grosse piqûre de taon. Là, vous voyez ?

L'apprenti saltimbanque acquiesça.

— Vous verrez, enchaîna le garçon d'écurie avec une émotion retenue, il est un peu tête de mule, mais c'est une bonne bête, qui ne renâcle pas à la charge.

Fourrageant une dernière fois tendrement dans la crinière de l'animal, il en tendit la bride à Evan, qui se sentait un peu gêné.

— Laisse donc ces gens en paix, grand dadais ! l'apostropha alors son père. Ils ont certainement une longue route qui les attend…

Légèrement honteux et attristés, les quatre compagnons échangèrent un regard impuissant. Ils ne pouvaient pas vraiment refuser le poney sans risquer d'attirer les soupçons. Un Troll était un animal rare et cher, dont personne n'aurait accepté la perte avec insouciance.

Résolu à prendre bien soin du pauvre Châtaigne, Evan se mit donc en route à la suite du Harpiste, et tous quatre quittèrent le relais en adressant un dernier salut amical aux maîtres des lieux. Gaelion et Caessia montaient les chevaux volés aux Daedoriens, mais Evan avait choisi de cheminer à pied afin de ne pas abuser de leurs forces. Les destriers auraient peut-être besoin de déployer toute la célérité dont ils étaient capables, si les voyageurs devaient à nouveau prendre la fuite face à quelque menace. Ayant fait grimper Aiswyn à califourchon sur le dos du poney, il tenait donc ce dernier par la bride, et avançait aux côtés de la jeune fille.

Sitôt hors de vue de l'auberge, ils furent rejoints par Aljir, qui avait pris soin de s'esquiver pour aller dormir dans les bois. Depuis qu'il l'avait entendu parler, Evan ne parvenait plus à le considérer comme un animal. Des détails auxquels il n'avait pas prêté attention précédemment le frappaient maintenant : ses yeux où luisait une intelligence à la fois bestiale et raffinée, les diverses expressions de son visage… Même physiquement, remarquait à présent le garçon, leur compagnon était finalement très proche d'un Humain.

Lorsqu'ils croisaient sur la route l'un des nombreux groupes de voyageurs qui cheminaient vers Farnesa, le Troll reprenait aussitôt une posture humble et voûtée. Il donnait alors parfaitement le change, en tout point semblable à l'idée qu'Evan se faisait d'un Troll de bât domestique. Mais le reste du temps, c'était une vigilance sereine et presque majestueuse qui se dégageait de lui, un charisme primitif qui forçait instinctivement le respect.

Cela servait de leçon au garçon. Il se souvenait d'avoir été troublé à plusieurs reprises par l'attitude du Troll, par la manière dont il s'était battu contre les Chaosiens pour défendre Caessia… Les tresses dans sa crinière, le fait qu'il utilise cette arme étrange constituée d'une chaîne et de boules à pointes… Autant de petits riens qui lui avaient mis la puce à l'oreille, mais que son esprit avait refusé d'approfondir, se contentant de ses certitudes passées. *On ne voit que ce que l'on veut voir,* méditait Evan. *À l'avenir, je tâcherai de prêter davantage attention aux détails qui éveillent ma curiosité...*

Levant un dernier regard évaluateur sur Aljir, l'adolescent croisa par hasard celui de Caessia, qui chevauchait au même niveau. Il fut surpris de constater que l'aristocrate ne détournait pas la tête comme n'importe qui l'aurait fait naturellement. Pas plus que lui, d'ailleurs.

Ils continuèrent à se fixer ainsi quelques instants, sans éprouver la gêne habituelle de deux personnes qui échangeraient un trop long regard. Il ne s'agissait même pas de soutenir celui de l'autre avec défi ou agressivité... c'était simplement comme si leurs yeux s'étaient soudain soudés ensemble, maintenus par quelque cordon invisible. Une sensation paisible mais extraordinairement déroutante. Et cela n'avait, semblait-il, rien à voir avec le domaine des émotions. Lorsque la jeune fille parvint enfin à se soustraire au phénomène, Evan ressentit une séparation presque physique, comme une chaîne qui se romprait subitement.

Une seconde plus tard, quand elle tourna à nouveau la tête vers lui – cette fois brièvement – il vit qu'elle paraissait à présent troublée. Il venait de se produire entre eux quelque chose d'une étrangeté indéfinissable, et la jeune noble devait en avoir pris conscience. Tout comme lui...

Ils n'en parlèrent pas, chacun s'interrogeant en silence de son côté. Evan se dit qu'il y voyait peut-être plus clair que sa compagne. Depuis sa rencontre spirituelle avec le fleuve Invisible, il avait en effet acquis une sensibilité nouvelle, des perceptions plus vives. Et dans le cas qui les préoccupait, il pressentait une cause de nature mystique. Ce singulier sentiment d'intimité ne pouvait être entièrement naturel.

À ses yeux, le lien inédit qu'ils ressentaient tous deux datait du moment où leurs esprits avaient dû s'unir pour dompter celui de Sorcelame devenue folle. Cela ne paraissait pas si étonnant, à la réflexion. Qui aurait pu dire quelles traces une telle expérience laisserait derrière elle ? Peut-être chacun d'entre eux avait-il involontairement abandonné une petite partie de lui-même en l'autre ? C'était du moins de cette manière que le garçon était tenté de voir les choses, suivant son intuition plutôt qu'un quelconque raisonnement lié aux concepts de la magie – à propos de laquelle il avouait lui-même sans honte son ignorance presque totale.

Il était troublé, bien entendu, mais il ne parvenait pas à déterminer si cette nouvelle surprise le gênait ou lui plaisait. D'abord tenté d'en parler mentalement à Sorcelame, il s'abstint au dernier moment. Il préférait ne pas prendre l'habitude d'ouvrir ses pensées à l'épée, puisqu'il avait pris la décision de s'en séparer dès que possible. En espérant, songea-t-il, que Finrad saurait le débarrasser de ce qui faisait pour le moment de lui son porteur désigné…

Relevant les yeux vers la Sudienne, il vit que celle-ci observait maintenant l'horizon, l'air perturbée. Sans doute était-elle parvenue à des conclusions similaires aux siennes… ou peut-être se posait-elle encore des questions. Quoi qu'il en soit, Evan admira une fois de plus le profil patricien de la jeune fille. *Quelle pure beauté…,* se dit-il. Elle avait cependant des cernes très marqués sous les yeux. Le garçon, qui avait déjà aperçu ce détail les jours précédents, avait pensé qu'une bonne nuit de sommeil les effacerait. Mais il s'était trompé. Il en allait de même pour sa lividité, trait pourtant rare chez les Sudiens.

Une pâleur, songeait d'ailleurs Evan, que les récentes privations ne suffisaient peut-être pas à expliquer. Malgré lui, le garçon se prit secrètement à espérer que la jeune noble ne fût pas malade. Il se rendait compte qu'il se ferait beaucoup de souci pour elle, si c'était le cas. *Étrange, tout de même,* se réprimanda-t-il intérieurement, *cet intérêt pour une snobinarde que je connais à peine. Il y a trois jours, je ne savais même pas qu'elle existait…*

Il lui glissa un nouveau regard discret. *Je me fais des idées,* conclut-il, *il n'y a aucune preuve qu'elle ne soit pas en pleine forme.* Évidemment, dans les Lacs, le petit montagnard avait eu l'habitude de ne fréquenter que des gens aux joues roses, une population robuste, ayant grandi à l'air libre. Ces personnes au teint frais, pleines de vie et de santé, n'étaient peut-être pas la norme dans le reste du monde. Il supposait que les étrangetés décelées chez Caessia devaient tout simplement être habituelles chez les citadins comme elle... *Et puis,* jugea-t-il en définitif, *ce n'est pas vraiment laid. Non, loin de là...*

Pendant une partie de la matinée, ils avancèrent plus ou moins en silence, ne se parlant que pour aborder les questions pratiques liées au voyage. Telle piste de cerfs permettait de couper à travers bois pour rejoindre la route plus loin, s'évitant ainsi un long détour... tel cheval boitait, et il fallait ôter le caillou coincé sous son sabot... tels nuages annonçaient une giboulée dont il allait falloir s'abriter... C'était généralement Gaelion qui conseillait la petite troupe sur tous ces sujets. Mais le reste du groupe savait qu'il leur faudrait tôt ou tard aborder à nouveau des questions plus graves. Comme participer ou pas à un régicide, faire pencher la balance du côté de la République ou bien rester neutre dans le conflit à venir.

Tout en méditant sur cela, Evan observait le paysage alentour, de plus en plus typique du sud avec ses nombreux oliviers et ses maisonnettes au toit de tuiles rouges. Les paysans partant puiser de l'eau aux sources avec leurs ânes adressaient parfois un signe aimable aux voyageurs sur la route de Farnesa. D'autres se contentaient de grommeler entre leurs dents, jaloux de ces oisifs qui auraient le loisir de participer aux festivités du Dernier Jour pendant qu'eux continueraient à s'épuiser pour irriguer cette terre exigeante.

Les couleurs devenaient moins vertes, moins douces. Les bruns et les rouges rocailleux dominaient ce nouveau décor. En dépit des ultimes averses de la saison, la sécheresse commençait à se faire sentir, et le ciel lui-même n'avait plus rien à voir avec les gris-blanc moutonneux d'Orlande. Au-dessus de sa tête, Evan ne voyait plus qu'un bleu d'encre, éclatant et implacable. Les rares nuages effilochés de l'aube s'étaient évaporés, bannis par l'astre brûlant qui assommait déjà les voyageurs. À son arrivée en Tireldi, le garçon avait jugé amusante l'habitude qu'avaient les autochtones de se coiffer avec de grands chapeaux de paille. À présent, il avait lui-même ressorti le large couvre-chef à plumes de paon offert par Gaelion, et il n'aurait plus daigné faire un seul pas sans cette protection élémentaire. *D'ailleurs,* prévoyait-il en cheminant sous ce soleil de plomb, *la chaleur ne va faire qu'empirer. Plus le temps passe, et plus nous nous enfonçons loin dans le Sud... C'est comme si nous nous hâtions d'aller à la rencontre de l'été, qui chevauche déjà vers nous.* Il ricana intérieurement. *Putain...,* se moqua-t-il, *je deviens poète... On dirait que Gaelion et Aiswyn déteignent sur moi.*

Il était toujours fasciné par la rapidité avec laquelle son amie d'enfance assimilait le savoir bardique enseigné par le Harpiste. C'était comme si la jeune fille avait toujours été destinée à réciter ces lais interminables et à répéter des heures durant de fastidieux exercices de diction ou de chant. Le plus incroyable, aux yeux de l'orphelin, c'était qu'elle semblait y prendre plaisir.

Aujourd'hui, néanmoins, leurs préoccupations à tous demeuraient bien loin de l'initiation au métier de saltimbanque. Gaelion n'avait toujours pas abordé à nouveau le sujet de l'assassinat de Bassianus. Sans doute pesait-il encore le pour et le contre, tout en chevauchant.

Evan, lui aussi, avait longuement réfléchi depuis leur conversation de la veille. *Décidément,* s'amusa-t-il non sans autodérision, *je réfléchis vraiment beaucoup, ces temps-ci...* En toute honnêteté, il aurait aimé ne pas se sentir concerné. Faire comme si tous les problèmes allaient être réglés par autrui, sans qu'il ait à s'en soucier. Il était si fort à ce petit jeu, autrefois... Mais alors, les enjeux étaient moins importants, évidemment. Evan réalisait maintenant combien il était bien plus facile de se montrer aveugle lorsque le sort du monde n'était pas dans la balance. *Je pouvais me permettre d'être ce rebelle tire-au-flanc,* comprenait-il avec sa maturité toute neuve, *parce que je savais, au fond, que cela n'aurait aucune conséquence grave... Et, vérole, que j'aimais cette époque ! Hélas, tout ça n'était qu'illusion. Dès que les choses deviennent sérieuses, je suis comme tout le monde, bien obligé de prendre mes responsabilités.* Le garçon fit alors la grimace, comprenant que tout avait changé, cette fameuse nuit où il avait décidé de brandir Sorcelame pour défendre le village frontalier. Sans s'en rendre compte, il lâcha un soupir assez audible pour qu'Aiswyn lui glisse un regard interrogateur.

L'ayant rassurée d'un sourire et d'un haussement d'épaules, il se demanda une fois de plus quelle serait sa propre réaction s'il était réellement l'Ost-Hedan. À présent, il avait *vu* la Mère Stérile, ou tout au moins l'une de ses représentations. Il avait senti son pouvoir, et en restait encore terrifié. Tôt ou tard, *quelqu'un* devrait bien se dresser sur sa route.

Malgré tout, il répugnait à croire que le destin aurait choisi pour cette tâche un garçon comme lui. Même s'il se sentait moins irresponsable qu'auparavant, il savait bien qu'il aurait toujours cette tendance à faire ce qui lui passait par la tête, sans se poser trop de questions. À ses yeux, l'Ost-Hedan ne pouvait pas se comporter comme ça. Il devrait assumer son rôle avec beaucoup plus de sagesse et d'intelligence... Il fallait quelqu'un d'éduqué, conscient de soi, maître de ses propres réactions. Quelqu'un... comme Caessia.

Gaelion annonça alors la pause du déjeuner, et leur fit quitter la route pour gagner l'ombre d'un sous-bois situé non loin de là. Arrivé à destination, Evan se chargea d'ôter la bride de Châtaigne, afin que ce dernier soit plus à l'aise pour pâturer. Tandis que les autres s'installaient, l'orphelin décida également de desseller les chevaux, espérant ainsi les soulager un peu de la chaleur.

— Ça en vaut vraiment la peine pour si peu de temps ? le questionna Aiswyn.

— Bah, fit-il, ce sera toujours mieux que rien...

La jeune fille acquiesça alors d'un sourire doux, avant de venir lui prêter main-forte.

— Tu vas bien ? lui chuchota-t-elle en s'escrimant de tout son poids sur une sangle ventrale qui refusait de se défaire. Tu avais l'air soucieux...

Evan passa derrière elle en l'entourant de ses bras pour défaire le cran récalcitrant d'un coup sec.

— Ne t'inquiète pas, la tranquillisa-t-il. C'est juste tout ce qui nous arrive… un peu beaucoup d'un seul coup, tu ne trouves pas ? Mais ça doit être la même chose pour toi, et tu n'en fais pas toute une histoire.

— Je ne suis peut-être pas aussi concernée, lâcha la bergère du bout des lèvres.

L'orphelin acquiesça en fronçant les sourcils.

— Vous venez ? les appela alors le Harpiste, déjà assis avec les autres tandis qu'Aljir leur distribuait les rations de nourriture achetées au relais. Il faut que nous prenions une décision, et je veux avoir votre avis à tous.

Evan se retint de soupirer une fois encore. Il imaginait sans peine à quelle décision le ménestrel faisait référence, et n'était pas pressé d'avoir à soumettre son opinion. Il se dirigea néanmoins vers le reste du groupe, entraînant son amie par la main.

— Nos intérêts se rejoignent, décréta Gaelion de but en blanc, comme s'il libérait enfin le fruit d'une longue réflexion. Après ce que nous venons de vivre, je sais que nous voulons tous la même chose : freiner le retour de la Mère Stérile. Et cela, aujourd'hui, passe par le soutien à la République. Je crois que mon roi avait vu juste sur ce point…

Les deux arrivants, s'asseyant en tailleur au sein du cercle, ne purent qu'acquiescer comme les autres.

— Ce qu'il reste à définir, poursuivit le musicien en rompant une portion de pain, c'est le degré d'implication de chacun. Pour ma part, je m'acquitterai de la mission que Lemneach m'a confiée dans ce sens… cela est déjà établi. Mais devons-nous aller plus loin ? (Il s'adressait maintenant clairement à Evan et Aiswyn.) Pouvons-nous approuver un régicide et, si oui, devrions-nous proposer notre aide ?

Il ajouta, se tournant cette fois vers les deux républicains :

— En auriez-vous seulement besoin, d'ailleurs ? J'imagine que l'organisation d'un tel complot n'a rien d'aisé, mais j'ignore encore tout de vos plans concrets…

Le Troll grogna et baissa les yeux en mâchonnant.

— Par mes Ancêtres, dit-il enfin, vous ne pouvez pas savoir à quel point toute aide serait la bienvenue… (Il cisailla un nouveau morceau de viande entre ses crocs, l'avala tout rond, puis poursuivit :) Pour l'heure, nos chances de réussite me semblent bien hasardeuses. Comme pour tout ce qui va bientôt être entrepris par la République, j'en ai peur.

Visiblement étonné par cet aveu, le Harpiste interrogea son interlocuteur du regard.

— Inutile de vous le cacher, fit le Troll. Le trait commun à toutes les actions que nous allons mener me paraît être le suivant : le manque de préparation. Bien sûr, il ne faudrait pas que cela vienne aux oreilles de nos camarades… Le moral des troupes n'a pas besoin d'être affaibli en prime.

— Mais dans ce cas, demanda Gaelion, pourquoi se hâter ?

Aljir eut un geste vague.

— La fragilité même de notre organisation nous pousse à agir avant que tout ne s'effondre… Et puis, les événements qui nous pressent, les occasions… Bref, il est apparu que ce moment était le bon. C'est vrai, nous ne sommes pas prêts, mais l'aurions-nous un jour été davantage, sans une victoire décisive pour souder nos rangs ? (Le Troll soupira.) Ça a été une décision difficile à prendre, j'en conviens, mais, à présent, impossible de faire marche arrière.

Il leva vers le Harpiste ses yeux où dansait une flamme jaune et sauvage.

— Et si rien n'est gagné, beaucoup parmi nous sont néanmoins prêts à donner leur vie pour mettre tous les atouts de notre côté.

Evan s'abstint de tout commentaire. Même lui n'aurait jamais imaginé qu'on puisse se lancer dans quelque opération d'envergure en souffrant de telles conditions de précarité. Il s'étonna aussi de constater que la jeune noble ne prenait pas la parole, semblant écouter le Troll avec autant d'intérêt qu'eux. Contre toute attente, c'était donc ce demi-animal, la tête de leur duo ? L'orphelin se souvint alors : le Troll avait prétendu que Caessia ignorait encore les détails de leur plan. *Sans doute n'a-t-elle rejoint les rangs de la République que récemment,* comprit le garçon.

— L'élimination de Bassianus représente un élément clé de notre réussite, reprit Aljir. Pourtant, comme vous le voyez, la République n'a pu dépêcher que moi-même et une nouvelle recrue… (Il désigna la Sudienne, confirmant les suppositions d'Evan.) afin d'accomplir cette mission.

» Alors, Gaelion,… la réponse est oui, sans détour. Puisque les événements nous ont déjà contraints à nous faire confiance, le moindre soutien de votre part s'avérerait en effet appréciable.

À ce moment, la jeune aristocrate prit enfin la parole.

— Lors de l'attaque du village par les Shërlims, commença-t-elle tandis que chacun frissonnait à ce souvenir, vous avez montré que vous êtes plus qu'un simple saltimbanque.

Elle désigna le costume violet à liseré or du ménestrel.

— J'avais entendu des rumeurs concernant votre ordre, bien entendu, mais je n'en avais jamais eu confirmation, ajouta-t-elle. Tous les Harpistes sont des Dracomanciens, n'est-ce pas ?

Gaelion opina.

— C'est exact. Nous constituons l'une des Six Voies. Nous n'en faisons pas vraiment mystère, mais nous préférons cultiver la discrétion dans ce domaine. Nous avons la chance de manipuler une magie peu ostentatoire, qui se mêle à notre musique…

— Je comprends, déclara Caessia. Toutefois, je pense qu'en tant que mage, votre aide pourrait se révéler précieuse. (Elle se tourna vers Aljir.) À ce sujet, ne serait-il pas temps de nous en dire plus sur la manière dont tu comptes t'y prendre pour exécuter… (Elle hésita, se mettant à bafouiller.) notre tâche ?

Le Troll acquiesça.

— Bien sûr. Tu te souviens de ce banquier que nous avons rencontré à la frontière ? Le sac de gemmes qu'il m'a remis doit nous servir à acheter de la poudre naine. Notre plan est aussi simple que redoutable : nous allons faire sauter la tribune royale, lors de l'inauguration du festival.

Evan ne put retenir un petit hoquet de stupeur.

— Les grands moyens..., siffla-t-il. Mais le roi ne sera pas seul, sur cette tribune ?

— Précisément, avoua Aljir. De cette manière, non seulement nous éliminerons Bassianus, mais également une grande partie des autorités tireldiennes. En effet, on peut supposer que le monarque sera entouré de certains membres influents de sa cour... Mais, ce soir-là, sa suite sera aussi constituée de hauts personnages farnèsiens.

— Très judicieux, approuva Caessia dans un murmure. Ce sont toutes les instances du système actuel qui seront décapitées. Pouvoir économique, avec les pontes de la guilde du Commerce... Pouvoir militaire, avec les Grands acquis à la monarchie... Pouvoir politique, avec certainement un grand nombre de sénateurs farnèsiens, sans compter plusieurs chambellans de la Nef – comme par exemple la Première conseillère du roi..., conclut-elle avec dans la voix une note de froide jubilation qu'Evan ne parvint pas à s'expliquer.

Pour sa part, il allait de surprise en surprise, et non sans répugnance. Il commençait à regretter d'être mêlé à cette entreprise. Assassiner un homme, cela lui paraissait déjà douteux, mais faire sauter toute une tribune... Qu'est-ce qui leur assurait que des serviteurs innocents, par exemple, ne feraient pas les frais de cette méthode radicale ?

— Tu as compris, disait Aljir à sa camarade. Si nous réussissons notre coup, le pays tout entier sera suffisamment désorganisé pour que les troupes d'Ettore et des autres capitaines aient toutes leurs chances.

Le Troll planta alors à nouveau son regard dans celui de Gaelion. Il n'avait plus besoin de poser la question à voix haute.

— Je vois, finit par dire le Harpiste. Mais... je ne voyage pas seul. Je m'exprimerai donc lorsque j'aurai entendu l'avis de mes apprentis.

Evan grinça des dents et échangea un regard embarrassé avec son amie d'enfance. Pas de doute : celle-ci le priait silencieusement de prendre la parole en leur nom.

— Je ne me sens pas l'âme d'un meurtrier, se résigna donc à lâcher l'adolescent, après une longue hésitation. Je regrette que vive un homme, un *roi*, qui a décidé de servir la Dernière Prophétesse. Je comprends le danger que cela représente pour Genesia. Mais de là à le tuer, à tuer tous ces gens...

En réaction à ces paroles, la jeune Sudienne s'empourpra.

— Crois-tu peut-être que ce soit facile pour moi ? s'exclama-t-elle avec une fougue qui, une fois encore, prit l'orphelin par surprise.

L'aristocrate avait presque des traces de sanglots dans la voix lorsqu'elle poursuivit :

— Ce n'est pas l'homme qu'on juge, mais le péril qu'il représente. Nous devons absolument nous montrer pragmatiques. Nous le devons à notre... à nos concitoyens !

Étonné par une telle virulence, le garçon s'apprêta à répliquer quelque explication, mais la jeune fille ne lui en laissa pas le loisir :

— Si la Mère des Douleurs, cette *chose* que nous avons vue l'autre nuit, s'emparait de nos nations... Te rends-tu compte que ce serait inévitablement la fin de toute civilisation ? Du moins, sous la forme que nous connaissons. Et je ne crois pas que nous serions nombreux à apprécier le changement... (Elle reprit son souffle, tâchant apparemment de retrouver son calme.) Il faut réaliser que Bassianus n'est pas pour elle un allié parmi d'autres... Il s'agit d'un roi, présidant à la destinée de tout un peuple. On ne peut pas permettre une telle alliance !

Evan soupira, échangeant un nouveau regard avec Aiswyn. *Je te fais confiance,* semblait-elle dire. *Tu sais ce que je pense.*

Il le savait, en effet. Et si lui-même sentait que son interlocutrice avait peut-être bien raison, il ne pouvait se résoudre à entraîner Aiswyn dans un acte aussi vil qu'un assassinat.

— Nous n'avons pas à nous prononcer sur ce sujet, finit-il donc par répondre. De toute façon, nous ne serions pas en mesure de vous aider efficacement, Aiswyn et moi. Vous le savez bien… Et surtout, il s'agit d'une affaire qui ne nous concerne pas directement. Si Gaelion souhaite vous prêter main-forte, qu'il le fasse, nous ne le jugerons pas. Mais, pour nous deux, pas question de participer à ça. C'est pour rencontrer Finrad, et uniquement pour cette raison, que nous vous accompagnons à Farnesa.

Le garçon, qui avait pris son air le plus déterminé, ne baissa pas les yeux, bien que soucieux de la réaction de Caessia. Celle-ci s'avéra toutefois plus mesurée qu'il ne l'avait craint.

— Bien… tant pis, regretta-t-elle sèchement. Vous ne tenterez pas non plus de nous mettre des bâtons dans les roues ? s'inquiéta-t-elle néanmoins.

Les deux Ouestiens hochèrent négativement la tête. Ils savaient que les républicains œuvraient, d'une certaine manière, pour la bonne cause.

— Alors nous devons respecter votre décision, conclut Caessia. Quant à vous, Harpiste ?

Ce dernier, le visage impassible, dit alors simplement :

— Je vous aiderai, dans la mesure de mes moyens.

Tandis qu'il sentait la main d'Aiswyn prendre discrètement la sienne et la serrer avec reconnaissance, Evan ne se déroba pas au regard que lui adressait Gaelion. Tous deux se fixèrent ainsi quelques instants.

L'adolescent aurait voulu que son ami sache qu'il ne lui reprochait pas sa décision et espérait qu'il concevait ce que sa propre position avait d'ambigu. L'intelligence et la compréhension perçues dans le regard nuageux du musicien le rassurèrent un peu. De part et d'autre de la frontière dessinée par cette grave décision, ils partageaient probablement les mêmes doutes.

Chapitre 9

Durant les journées qui suivirent, la vie sembla reprendre son cours naturel. Il semblait à Evan être revenu quelques jours plus tôt, lorsque lui et Aiswyn cheminaient comme de simples baladins aux côtés de leur maître. Seule différence notable, ils ne donnaient plus de représentations, évitant les villages conformément aux précautions formulées par le Harpiste. Mais leur apprentissage se poursuivait… Sans doute davantage, devinait l'orphelin, pour détourner leurs pensées des dangers et des angoisses que par réelle nécessité. Il portait toutefois ses fruits, notamment dans le cas d'Aiswyn. Délaissant momentanément ses pantins, la jeune fille devenait de plus en plus habile à réciter les longs poèmes relatant l'histoire de Genesia. Le ton juste qu'elle y mettait et l'assurance de sa posture la rendait parfois presque étrangère à Evan. Dans aucun de ses souvenirs il n'avait vu la bergère aussi épanouie et radieuse.

Le garçon gageait qu'elle serait bientôt suffisamment compétente pour prétendre au grade de Vagabonde, si elle le souhaitait. Lui, en revanche, ne fournissait pas d'efforts particulier. Trop de pensées occupaient son esprit pour qu'il parvienne à retenir efficacement quoi que ce fût. Gaelion, d'ailleurs, semblait l'avoir bien compris et ne pas lui en tenir rigueur. Ignorant les légendes des temps anciens, la diction et le maintien, il axait donc son enseignement sur la jonglerie et les acrobaties. Mettant à profit le corps jeune et souple de l'adolescent, il l'avait formé à quelques bonds, chutes et contorsions distrayants. Cette forme d'apprentissage délassait Evan au contraire de mobiliser les ressources d'un esprit déjà accaparé, et il était reconnaissant au Harpiste pour cela.

Ce dernier avait également offert une petite flûte à l'orphelin, et tâchait de lui en apprendre quelques rudiments. Enfin, le maître saltimbanque développait – avec beaucoup de sérieux – le talent de son pupille en matière de pitreries, art mineur pour lequel Evan avait toujours fait montre de dispositions certaines. Une fois ou deux, le garnement était même parvenu à arracher un rire gracieux à la jeune Caessia. Et si nul n'était dupe, aucun ne pouvant oublier les menaces qui pesaient sur eux, tout cela avait au moins le mérite de détendre quelque peu l'atmosphère.

D'ailleurs, l'ambiance sur les routes n'était certes pas à la morosité. Même en se tenant éloignés des bourgs et des relais, les voyageurs ne pouvaient totalement échapper à la foule colorée qui se mêlait en direction de la cité lacustre. Des centaines de gens, parfois déjà costumés, venaient admirer le dragon du Dernier Jour. Evan, qui n'avait entendu que quelques allusions à ce propos, aurait bien aimé savoir de quoi ils voulaient parler. Mais toutes ses questions à Gaelion avaient connu une réponse identique.

— Tu verras le moment venu, répétait le Harpiste avec un sourire énigmatique. Le Dernier Jour n'est pas une expérience qui doit se dévoiler à l'avance.

Dépité mais contraint de se contenter de cette réplique laconique, le garçon avait fini par se lasser, et prenait maintenant son mal en patience. Reportant son attention sur Aiswyn, ce fut elle qu'il entreprit alors de harceler. En chemin, témoin de l'enthousiasme avec lequel son amie d'enfance suivait les enseignements de leur mentor, il avait compris qu'ils étaient devenus pour elle bien plus qu'un simple passe-temps.

— Quel cœur tu y mets ! s'étonnait le garnement, mi-admiratif, mi-moqueur. Tu as réellement l'intention de devenir une Harpiste ?

— Ne dis donc pas n'importe quoi, soupirait alors la jeune fille. Je m'occupe l'esprit, c'est tout. Et tu devrais en faire autant.

— Tu parles, rétorquait Evan. Mais je te préviens, pas question de continuer avec Gaelion après Farnesa. Moi aussi, je l'aime bien, mais c'est un Harpiste, toujours impliqué dans des ennuis trop gros pour nous...

» Pour l'instant, nous avons besoin les uns des autres. Mais qu'on soit bien d'accord : lorsque j'aurais vu Finrad et qu'il aura rompu le lien magique entre moi et Sorcelame, ce sera terminé. Ils devront se choisir un autre Ost-Hedan... (Systématiquement, l'orphelin lançait alors un long regard appuyé vers Caessia.) Car ces choses-là seront bel et bien finies pour moi. Nous dirons au revoir à nos amis, nous les laisserons se débrouiller avec leurs intrigues, et vive la liberté !

— Je croyais que tu rêvais d'aventure ? le taquinait la jeune bergère.

— Et je croyais que tu voulais revenir à Bronghan ! répliquait l'autre.

Puis, conscient de sa cruauté :

— Je sais que ce serait difficile, à présent. Désolé..., s'excusait-il. Mais pour l'aventure, comme tu dis, rien ne nous en empêche... Nous pourrons voyager seuls, parcourir les routes. Nous connaissons le monde à présent. Libres, Aiswyn ! Sans poursuivants à nos trousses, sans destinée implacable...

Alors seulement, il semblait réaliser combien ses espoirs paraissaient puérils. Il admettait silencieusement que, malgré ses efforts pour se convaincre du contraire, l'Initié Finrad n'aurait peut-être pas le pouvoir d'annuler la magie qui existait en lui.

Mais quoi qu'il en fût, sous une forme ou sous une autre, cette conversation rituelle ne leur apportait aucune réponse définitive. Aiswyn, même si elle le niait, entretenait à l'évidence l'espoir de devenir une Vagabonde, tandis qu'Evan ne prétendait qu'à échapper au poids de son supposé destin. Et aucun des deux n'aurait pu dire s'il aurait l'occasion de parvenir à ses fins…

Durant ces jours de voyage, Aljir avait également pris le temps de détailler davantage son plan d'attentat contre la maison de Tireldi. L'explosif nain, dont le commerce était officiellement interdit, serait acheté à un clan de contrebandiers otuzôs. Ces familles mafieuses, issues de la diaspora naine, avaient la réputation de pouvoir dénicher virtuellement n'importe quoi, et rendez-vous était déjà pris avec celle de Farnesa. Par la suite, il faudrait s'arranger pour piéger les feux d'artifices traditionnellement tirés depuis la tribune princière au début des festivités.

Généralement, le reste du groupe se tenait légèrement à l'écart d'Evan et d'Aiswyn lorsque ces sujets étaient abordés. Non parce qu'ils manquaient de confiance à l'égard de leurs compagnons, mais probablement pour ne pas les mettre mal à l'aise. L'orphelin devinait d'ailleurs que la précaution venait de Gaelion, et lui en rendait grâce. Son esprit était bien assez perturbé par l'imminence de sa rencontre avec Finrad et l'inquiétude quant à ce que le vieillard allait lui révéler.

Ils n'étaient plus qu'à quelques heures de Farnesa lorsqu'ils se résolurent à faire leur dernière halte nocturne à la belle étoile. Evan avait proposé de pousser jusqu'à la cité, mais Gaelion préférait y entrer en plein jour, frais et reposés. Les Étoiles savaient quelles nouvelles épreuves les attendraient là-bas…

Ils établirent donc leur bivouac en bord de route, à l'abri d'une petite colline. Le crépuscule faisait peu à peu apparaître de nombreux feux aux alentours. Beaucoup de voyageurs semblaient les avoir imités, souhaitant peut-être tout simplement économiser une nuit d'auberge. C'était en tout cas un véritable rassemblement de campements qui parsemait la vallée de Farnesa.

Comme ils finissaient de s'installer avant de dîner, Evan laissa Aljir s'occuper du feu pour aller panser les montures. Cela ne le dérangeait pas de participer aux tâches du camp. Il aimait surtout s'en occuper immédiatement, au contraire des autres qui appréciaient de se délasser un peu avant de monter le bivouac. Chez Evan, c'était cette activité tranquille qui chassait le mieux la fatigue du voyage. Et il aurait détesté devoir s'agiter à nouveau après avoir goûté au repos.

C'était donc lui, bien souvent, qui accomplissait le plus gros de la tâche avec le Troll, le reste du groupe ne venant les aider qu'après-coup. Ce soir-là, cette habitude le fit sourire. *Moi qu'on a toujours traité de fainéant...*, s'amusa-t-il intérieurement. *Kyle devrait me voir aujourd'hui, il se ferait peut-être une meilleure opinion de son apprenti... qui sait ?* Il suffit de cette pensée malheureuse pour que le sourire de l'orphelin s'envole. Kyle, son ancien maître forgeron de Bronghan, ne risquait pas de le voir... À l'heure actuelle, il croupissait dans un bagne daedorien, si même il était encore en vie. *Et ce sont ces tyrans fanatiques qui osent se nommer « forces du Bien »... ?* se dit Evan, maudissant en pensée les Fraters et leur culte de la Lumière. Il cracha par terre et entreprit de curer le dernier sabot de Châtaigne à l'aide de son couteau. Les genoux fléchis, la jambe du poney reposant sur sa cuisse, il le débarrassa des gravillons et de la terre durcie, en prenant bien soin d'éviter la partie sensible au centre de la corne.

Les soins aux animaux étaient ce qu'il préférait, car ces derniers lui rendaient une sorte d'affection qui réchauffait son cœur, en cette période mouvementée de sa vie. Châtaigne, en particulier, s'était avéré un compagnon très attachant. Même s'il arrivait au poney d'avoir sale caractère, il était malin et joueur, rendant son côté cabochard facile à pardonner. À ce propos, Aiswyn disait souvent quelque chose comme « Ces deux-là sont faits pour s'entendre... », mais Evan refusait de comprendre à quoi elle faisait allusion.

Sa tâche achevée, le garçon flatta machinalement Châtaigne de la main puis se dirigea vers les sacs. Il s'apprêtait à dérouler la bâche qu'ils tendaient au-dessus de leurs affaires pour les protéger en cas d'averse nocturne, mais se ravisa au dernier moment. Il n'avait pas plu depuis trois nuits, songeait-il. Les piquets servant à tendre la bâche toujours en mains, il se tourna vers Gaelion pour l'interpeller et avoir son avis.

C'est alors qu'il s'immobilisa, les bras ballants. Les piquets tombèrent au sol, et sa bouche forma un cri d'alarme sans qu'aucun son ne parvienne à s'en échapper.

En face de lui, juste au-dessus de ses amis, venaient d'apparaître une dizaine de cavaliers. La forme d'une énorme lame de hache se dessinait au milieu de la lune, dont la clarté faisait ressortir ces silhouettes crépusculaires... *Pourpremonde !* jura l'orphelin, paniqué.

Les guerriers, sachant sans doute que leurs ombres se découpaient sur la crête de la colline, ne perdirent pas de temps. Au moment où Evan avait posé les yeux sur eux, ils brandissaient déjà leurs armes en silence, ne laissant aucun doute sur leurs intentions hostiles. L'orphelin les vit alors approcher dans leurs lourdes armures de chevaliers, sur lesquelles la clarté lunaire jetait de pâles scintillements... Il réalisa qu'une des armes levées venait de s'abaisser pour donner le signal de l'assaut.

Cette fois, le hurlement réussit à sortir de sa gorge.

— Prenez garde ! s'écria-t-il en direction de ses compagnons. Là, derrière vous !

Sitôt cet appel clamé, Evan courut vers eux, la main sur la poignée de Sorcelame comme s'il avait été soldat toute sa vie. Le temps de la réflexion viendrait plus tard.

Au même instant, les chevaliers éperonnèrent leurs destriers, lançant réellement la charge. Une hache dans chaque main, les bras tendus à l'horizontale, ils dévalèrent la colline au galop. Leurs puissants chevaux noirs écumaient déjà d'excitation.

Malgré son appel horrifié, le garçon n'avait pas l'impression que les autres réagissaient. La poignée de mètres qu'il devait franchir pour les rejoindre lui parut nécessiter une éternité. Et ses camarades, qui ne semblaient pas encore réaliser ce qu'il avait voulu dire, ne pensaient même pas à regarder au-dessus d'eux ! Jusqu'à Aljir, pourtant toujours aux aguets, qui se comportait comme s'il n'avait pas entendu arriver leurs agresseurs... Cela, d'ailleurs, étonna l'adolescent au point de craindre que les intrus n'aient utilisé un sortilège de silence pour faciliter leur approche.

Des Dracomanciens ? supposa-t-il, un millier de pensées se bousculant dans sa tête tandis qu'il parcourait ces quelques pas. *Bien sûr, les Fraters !* (Puis, se reprenant dans la même seconde :) *Non, impossible ! Les Fraters n'utilisent pas de haches, et ces harnois intégraux ne ressemblent pas à leurs armures cléricales…*

Il soupçonnait donc quelque ennemi d'une autre nature, et ne tarda pas à en avoir confirmation. Pénétrant dans le cercle éclairé par le feu de camp, les assaillants révélèrent enfin leur sinistre identité.

Ils étaient entièrement recouverts de métal noir, du heaume aux jambières. Leurs armes, faites d'un alliage similaire, arboraient la même couleur ténébreuse. Il s'agissait de haches, dont les très larges lames formaient deux demi-lunes symétriques.

Leurs casques, seulement percés d'une fente en T en face des yeux qui descendait jusqu'à la bouche, étaient décorés de trois longues pointes. La première s'élevait verticalement au-dessus de la tête, les deux autres surgissant latéralement, comme sorties des tempes.

Mais surtout, ils portaient en plein milieu de leur plastron la marque de Sü'adim… Une sorte d'étoile à huit branches représentant une araignée stylisée, symbole de la Dernière Prophétesse.

En une seule fraction de seconde, Evan les dévisagea ainsi, des pieds à la tête. Il lui semblait que ses jambes s'étaient enlisées comme dans un mauvais rêve et qu'il ne parviendrait jamais à rejoindre ses amis pour leur porter secours.

Le noir mat des armes et armures ennemies accrochait peu la lumière, ne reflétant la lueur des flammes que par quelques éclats métalliques. Les agresseurs avançaient en toute impunité malgré leur galop, telle une mort sourde et invisible.

Alors, tandis que Gaelion et les deux jeunes filles continuaient d'observer le garçon qui courait vers eux, comme paralysés de stupeur, leur compagnon troll sortit enfin de cette torpeur collective.

Soudain en alerte, il frémit jusqu'au bout de ses deux paires d'oreilles. Mais il paraissait toujours désorienté. Evan devinait ce qui le perturbait autant : son cerveau devait peiner à admettre que des adversaires puissent s'être approchés sans que ses sens aiguisés l'en aient averti. L'adolescent était maintenant convaincu que les chevaliers s'étaient pour cela aidés de moyens magiques. Pourtant, bien que perturbé, Aljir réagit avec une célérité qui étonna tous les protagonistes.

La chaîne lestée de boules à pointes qu'il nommait « xhain » était hors de portée, mais il tira de son pagne l'étrange objet qui en dépassait. Saisissant par le milieu ce morceau de bois courbe dont surgissait une lame à chaque extrémité, le Troll se retourna avec un ample mouvement de balancier. Comme un éclair, son bras partit en avant, prenant les Chaosiens par surprise. La singulière arme de jet décrivit alors un large arc de cercle, percutant deux des cavaliers… avant de revenir d'elle-même dans la main d'Aljir.

Les deux adversaires touchés furent protégés des lames par leur lourd harnois, mais la violence de l'impact suffit à les désarçonner. Leurs destriers, paniqués, s'immobilisèrent aussitôt, brisant l'élan de la charge ennemie.

C'était juste le temps qu'il fallait à Evan pour venir se camper aux côtés du Troll. Ce dernier avait profité de cette seconde de répit pour bondir vers son xhain, qu'il attrapa d'une main avant de se relever dans un roulé-boulé. Gaelion et Caessia, à leur tour, s'étaient retournés, faisant maintenant face à la menace. L'orphelin, lui, n'avait toujours pas dégainé Sorcelame, mais se tenait prêt à le faire.

— Par les Étoiles, s'exclama le Harpiste, incrédule. Des Templiers du Chaos !

Pour la première fois, Evan pouvait déceler une note de terreur dans la voix de son mentor, et cela n'était pas fait pour le rassurer.

Ne se laissant toutefois pas dominer par sa peur, le musicien avait saisi sa Compagne et commençait à en jouer frénétiquement. Dès les premières notes, l'adolescent eut envie de se boucher les oreilles, tant les sonorités qui s'élevaient étaient aiguës et discordantes.

Les sombres chevaliers, qui avaient reformé leurs rangs et repris leur approche, s'immobilisèrent alors à nouveau. Certains chevaux se cabrèrent, projetant leur maître au sol. Les autres Chaosiens lâchèrent tout simplement les rênes pour plaquer leurs mains sur leur heaume, dans le vain réflexe de se couvrir les oreilles.

Evan, qui jugeait déjà cette musique éminemment désagréable, pouvait imaginer la souffrance de ceux vers qui était dirigé le sortilège. Et, en effet, se pliant de douleur sur leurs chevaux ou bien à terre, les victimes de la magie de Gaelion avaient totalement perdu leurs moyens.

— Je ne pourrai pas tenir longtemps contre dix Templiers ! grogna le Dracomancien, déjà rendu livide par l'effort produit.

Evan remarqua la veine gonflée qui palpitait sur la tête de son ami, non loin du tatouage draconique. Il comprit que celui-ci disait vrai.

— Vite ! harangua-t-il donc ses compagnons. Nous ne les vaincrons pas... Il faut fuir !

Aljir, qui s'apprêtait à abattre son xhain sur le premier chevalier tombé à ses pieds, lui adressa un regard interrogateur.

— Ils sont trop nombreux, expliqua le garçon dans un souffle précipité. Gaelion ne parviendra pas à les retenir assez longtemps !

Tout en s'exprimant ainsi, il avait saisi Caessia par le coude, la confondant avec Aiswyn dans la panique.

— Je suis assez grande, siffla la jeune fille d'un ton acerbe, avant de se dégager d'un coup sec.

Puis il la vit ramasser quelques affaires à la hâte, avant d'emboîter le pas au Troll, qui s'éloignait déjà conformément à ses directives. Les chevaux daedoriens avaient pris le large à la suite de toute cette agitation, et leurs nouveaux maîtres comprenaient qu'ils n'auraient pas le temps de les rattraper. Seul Châtaigne était resté imperturbable, affichant un calme débonnaire.

En un bref tour d'horizon, le regard d'Evan tomba enfin sur son amie d'enfance. Cette dernière était en train de fouiller dans un sac, en extirpant promptement ses pantins favoris. *Non, mais je rêve...*, la maudit intérieurement le garçon. *Est-ce qu'on peut être aussi bête et oser me faire la leçon ?*

Sans ménagement, il courut vers elle et la tira en arrière.

— Tu es complètement folle ? l'admonesta-t-il. Nous devons fuir !

Mais la bergère ne paraissait pas l'entendre de cette oreille.

— Soliloque ! s'exclama-t-elle, paniquée. Je ne retrouve pas Soliloque !

Sans l'écouter, Evan l'arracha de force à sa recherche désespérée. Il avait l'impression de devenir fou, et la musique entêtante n'y était probablement pas pour rien. Jamais il n'aurait imaginé que Gaelion puisse tirer de sa Compagne des sons aussi horribles.

Comme il bousculait son amie d'enfance pour la faire avancer, elle lui mit un doigt dans l'œil en se débattant. *Vérole, quelle petite conne !* jura-t-il intérieurement en portant ses mains à son visage. Puis, tandis qu'il se redressait, ils échangèrent tous deux un regard choqué.

Soudain pris de remords, l'orphelin soupira et s'immobilisa. Poussant Aiswyn en avant vers Aljir et Caessia, il fit quelques pas dans la direction opposée afin d'attraper le fameux pantin, dont il voyait un bras dépasser du sac.

Un détail attira alors son attention vers le sommet de la colline. Une dernière ombre s'y découpait encore, arrière-garde silencieuse des chevaliers. Un personnage mystérieux, qui s'était abstenu de participer à la charge… et qui, par-là même, se trouvait hors de portée du sortilège de Gaelion. Comme il ne paraissait pas dangereux pour le moment, Evan ne prit pas le temps de détailler son apparence, mais il eut le loisir de constater qu'il ne s'agissait pas d'un Templier. Pour preuve, la haute silhouette dégingandée qui se découpait sur la clarté lunaire ne semblait pas porter d'armure. En revanche, sa tête était coiffée d'un étrange bonnet à grelots, identique à ceux portés par les fous chargés d'amuser les princes. Trop pressé pour accorder beaucoup d'importance à cette bizarrerie, l'adolescent repartit en courant dans l'autre sens. Serrant précieusement la marionnette contre lui, il rejoignit la bergère pour l'installer en hâte sur le dos de Châtaigne.

— Et Gaelion ? s'inquiéta cette dernière, faisant sans le savoir écho aux pensées du garçon.

— Je suppose qu'il a gardé assez de réserves pour couvrir sa retraite, espéra-t-il à voix haute. Mais… je vais rester en arrière pour vérifier. Toi, fonce ! conclut-il en administrant une claque énergique sur la croupe du poney.

Alors, tandis qu'il l'observait s'éloigner – Caessia courant d'un pas leste à sa hauteur –, il sentit la présence du Troll à ses côtés.

— File, mon garçon, ordonna Aljir. Je vais m'assurer que ton maître nous rattrape, sain et sauf.

Evan adressa au républicain un dernier regard bravache, mais se résolut finalement à obéir. Après tout, il trouvait qu'ils avaient déjà pas mal de chance de s'en sortir aussi facilement…

Chapitre 10

Une poignée de minutes plus tard, tous les cinq détalaient côte à côte, à travers les grandes étendues de maquis qui entouraient Farnesa. Conformément aux espoirs d'Evan, Gaelion avait pu fuir tandis que sa magie faisait encore effet pour quelque temps.

— Hélas, ils ne vont pas tarder à se remettre en selle ! les avertit néanmoins le Harpiste, essoufflé par ses exploits dracomanciens autant que par leur folle course. Je n'arrive pas à croire que nous ayons des Templiers du Chaos à nos trousses…

Il manqua une foulée et faillit s'étouffer, avant de reprendre comme pour lui-même :

— Moi qui raconte toutes ces légendes depuis des années… Étoiles, si j'avais pu imaginer…

Économisant son souffle, le ménestrel ne put en dire davantage, mais Evan se représentait sans mal sa consternation. Toute sa vie, le troubadour avait récité de grands lais décrivant batailles et créatures de l'antiquité… et voilà qu'il se retrouvait nez à nez avec celles-ci, en chair et en os. Les légendes du Glorieux Âge, destinées à divertir autant qu'à se souvenir, semblaient soudain reprendre vie sous leurs propres yeux. Les événements qu'ils étaient en train de vivre ressuscitaient les vieux contes mettant en scène la lutte du Bien contre le Mal… à ceci près que cette fois, il ne s'agissait plus d'histoires.

Comme s'il avait lu dans les pensées de son pupille, le Harpiste acheva alors :

— Oui, tout cela est devenu tristement réel. L'époque que nous traversons paraît si… décisive ! Et elle pourrait bien s'avérer la dernière de toute notre civilisation… La fin de notre Histoire.

Ces paroles mirent Evan mal à l'aise. Il n'avait jamais connu Gaelion aussi grave, ni surtout aussi défaitiste. Cette rencontre avec les Templiers devait l'avoir rudement ébranlé.

Au bout d'un quart d'heure, comme ils couraient toujours, tentant de ne pas perdre Châtaigne et Aiswyn qui caracolaient en tête, l'orphelin demanda :

— Quand ferons-nous une pause ? On ne va pas pouvoir galoper ainsi jusqu'à Farnesa !

— On ne peut pas non plus s'arrêter, s'époumona le Harpiste. Si jamais les Templiers nous rattrapent, je ne serai plus en état de faire quoi que ce soit pour les arrêter.

— Qui dit qu'ils nous poursuivent encore ? objecta l'orphelin. Ils se sont peut-être avoués vaincus pour cette nuit… Et d'ailleurs, comment feraient-ils pour nous retrouver ? Nous avons pris un peu d'avance, n'est-ce pas ?

Aljir, qui avait ralenti afin de se trouver à leur niveau pour les encourager, grommela alors :

— Je ne parierais pas là-dessus. Pour commencer, ils ont des chevaux, alors que nous sommes à pied. Ensuite, ils peuvent se douter que nous nous dirigeons plus ou moins vers l'entrée de la cité… Et enfin, à ton avis, comment ont-ils fait pour nous dénicher une première fois, parmi tous les camps de voyageurs disséminés le long de la route ?

Evan haussa les épaules.

— Je n'en sais rien, confessa-t-il avec un brin de mauvaise humeur. Comment voudrais-tu que je le sache ?

Le Troll claqua machinalement des crocs.

— Moi non plus, je n'en sais rien, déclara-t-il. Mais cela prouve bien qu'ils possèdent un moyen de nous pister. Alors, ne nous montrons pas trop optimistes et partons du principe qu'ils nous traquent encore.

— Je veux bien, admit l'adolescent, mais on ne sera pas plus avancés quand on sera tous tombés d'épuisement.

Le problème n'avait certainement pas échappé à ses compagnons. Pourtant, ceux-ci continuèrent au même rythme, sans lui répondre. Probablement leur esprit travaillait-il à toute vitesse pour trouver une solution. Mais le garçon s'épuisait, et remarquait que Gaelion et Caessia paraissaient au moins aussi fatigués que lui.

° Tu as raison..., se manifesta alors Sorcelame. Il va falloir vous arrêter pour me dissimuler, si nous voulons leur échapper.

Evan, surpris et perplexe, répliqua mentalement :

° Comment ça ? Quel rapport avec toi ?

La voix de l'épée semblait plus fébrile qu'a l'accoutumée lorsqu'elle répondit, après un silence inquiétant.

° Les Templiers peuvent me sentir..., expliqua-t-elle. C'est à cause du Sombre-Venin : il les attire.

L'orphelin se raidit subitement.

° Tu veux dire... c'est de cette manière qu'ils nous ont retrouvés ?

° Sans aucun doute, avoua l'épée. Voilà pourquoi Kendan me transportait dans cet étui spécial.

Evan frissonna. Lors de l'attaque du village par les hordes de Sü'adim, il avait déjà remarqué que Sorcelame captivait les serviteurs de la Prophétesse, comme une sorte d'aimant. Mais il n'avait pas songé qu'elle pouvait étendre cette triste faculté à de longues distances. À présent que l'effrayante vérité lui apparaissait, il réalisait que lui et ses amis ne seraient plus en sécurité nulle part.

L'espace d'un instant, il envisagea d'abandonner l'Aether à l'endroit même où il se trouvait, au cœur du marécage asséché qui entourait la cité lacustre. Mais bien que la tentation fût grande, il savait qu'il n'avait pas le droit d'agir ainsi. S'il laissait Sorcelame ici, les Templiers du Chaos auraient tôt fait de la retrouver, et c'était un cadeau qu'il ne pouvait pas faire à la Mère Stérile.

° Il suffira que vous gagniez l'enceinte de la ville, tenta de le rassurer l'épée. Les Templiers n'oseront pas nous y poursuivre.

° Mais nous n'y arriverons jamais ! s'exclama le garçon. Si ce que tu dis est vrai et s'ils peuvent nous suivre à la trace, ils nous auront rattrapés bien avant que nous n'atteignions les portes de Farnesa !

° Pas sûr, temporisa la voix chaude. Essaie déjà de te calmer. Quant aux Templiers, il est possible de leur faire perdre ma piste pour un moment. Peut-être assez longtemps pour que vous puissiez vous mettre à l'abri... Mais il faudrait trouver un moyen de leur cacher mon aura. Pourquoi diable n'as-tu pas conservé l'étui de plomb dans lequel Kendan me transportait ?

Evan poussa un soupir ulcéré, que ses compagnons de chair et d'os prirent sans doute pour une manifestation de son impatience à faire une pause. En vérité, l'adolescent était simplement agacé par les reproches de Sorcelame, attitude qu'il jugeait pour le moment très inappropriée.

° Inutile de se lamenter ! tança-t-il l'épée. Tâche plutôt de trouver une solution !

° Le plomb..., murmura Sorcelame sans accorder d'importance à la mauvaise humeur de son porteur. Il a la propriété de me rendre moins perceptible aux sens des Chaosiens, développa-t-elle. Si tu pouvais en dénicher et rompre tout contact télépathique avec moi pendant quelque temps, cela suffirait sans doute à désorienter nos poursuivants. Mais... je ne pourrai plus lancer le moindre sortilège pendant ce temps ; je serai comme morte. Mon esprit devra être semblable à une mer d'huile. La moindre activité, la moindre onde qui viendrait en troubler la surface serait comme une sonnerie de cor aux oreilles des Templiers. Évite également de me toucher. Tu crois que tu pourras t'en sortir ?

Evan acquiesça machinalement.

° Je ne dois pas te parler ni te sortir de ton fourreau. Très bien. De toute façon, si les Chaosiens ne nous rattrapent pas, je n'en aurai pas besoin. Mais où vais-je trouver du plomb ?

° Le xhain d'Aljir, souffla l'esprit de l'épée. Si les coutumes trolles n'ont pas trop changé depuis les temps anciens, leurs armes sont toujours faites de l'alliage qui nous intéresse... Essaie d'enrouler la chaîne autour de moi, ça fera peut-être l'affaire.

Evan, un peu soulagé, acquiesça mentalement. Puis il se concentra sur sa course pour revenir au niveau de ses compagnons, qui étaient en train de le distancer.

— Tu es sûr que c'est le moment de rêvasser ? le gronda gentiment Gaelion, une main sur le flanc comme s'il souffrait d'un point de côté.

— Je parlais avec Sorcelame, rétorqua l'adolescent.

Face à l'expression sceptique du Harpiste, il se sentit obligé d'ajouter sèchement :

— Oui, je peux faire ça. L'âme de l'épée à le pouvoir de communiquer avec moi. Par... télépathie.

Le troubadour le regarda avec des yeux ronds mais parut accepter son explication.

— Et que vous disiez-vous, si ce n'est pas indiscret ? demanda-t-il, essoufflé.

— Une minute, implora Evan, lui aussi hors d'haleine. Courons encore jusqu'à la rivière, fit-il en désignant le cours d'eau qui serpentait non loin, et arrêtons-nous un moment là-bas. Nous reprendrons quelques forces et j'en profiterai pour vous expliquer...

Moins de quatre cents mètres plus loin, ils purent s'écrouler enfin sur la berge, à bout de souffle. Même Châtaigne avait les naseaux écumants, ses flancs palpitant comme une baudruche prête à exploser.

— Je... n'aurais pas... pu faire... un pas de plus ! confessa l'orgueilleuse Caessia elle-même.

Evan, quant à lui, ne pouvait que rester muet. Penché en avant, les jambes fléchies et les mains sur les genoux, il aspirait à grandes goulées en imitant le bruit d'un nouveau-né qui prend sa première gorgée d'air. La tête lui tournait tant il était épuisé, et il remarqua à peine la gourde que lui tendait Aiswyn.

Jetant un regard à la bergère, il vit que celle-ci serrait dans l'autre bras les trois marionnettes qu'elle avait pu sauver. Il ne put s'empêcher de sourire, toujours incapable d'appréhender les priorités de son amie.

— Plus… tard…, parvint-il à articuler, en repoussant doucement la gourde d'un revers de main.

Il leur fallut à tous une bonne minute avant d'être en état de se concerter. Dès qu'ils se sentirent un peu mieux, l'orphelin déclara :

— Je sais comment les Chaosiens ont fait pour nous retrouver. C'est à cause de Sorcelame, avoua-t-il. Vous savez qu'elle porte encore la marque de la Mère Stérile… quelque chose qu'elle appelle le « Sombre-Venin ».

Ses camarades hochèrent la tête, le pressant d'en dire plus.

— Eh bien, il semblerait que nos poursuivants peuvent *sentir* cette corruption. C'est comme s'ils se repéraient à… l'odeur de leur maîtresse, je suppose. En tout cas, l'aura de l'épée est pour eux une balise qu'ils suivent à la trace.

— Alors… nous sommes perdus ! trembla Aiswyn, à ses côtés.

Evan lui posa une main sur l'épaule sans quitter des yeux ses autres interlocuteurs.

— Non, les rassura-t-il tous. Heureusement, Sorcelame pense qu'on pourrait contrecarrer ce phénomène, ou au moins l'atténuer.

» Aljir, est-ce que ton arme est bien forgée de plomb ?

Le Troll haussa un sourcil étonné, tout en répondant :

— Certes. Mais comment… ?

— C'est Sorcelame qui me l'a dit, le coupa Evan. Elle affirme que ce métal a la faculté de la rendre plus « inodore » aux perceptions des Templiers. Si nous l'enroulons dans ton xhain, cela devrait nous laisser le temps de gagner la ville.

— Un instant ! le coupa Caessia, qui fronçait les yeux depuis quelques instants. Je ne comprends pas… Sorcelame te l'a dit ?

Ce fut Gaelion qui répondit à la place de son pupille. En très peu de mots, le Harpiste expliqua à la petite assemblée qu'un lien télépathique unissait l'épée et l'adolescent. Un sourire amusé au coin des lèvres, Evan remarqua que le musicien avait développé son cas de manière bien plus limpide qu'il n'aurait su le faire lui-même.

Pendant le bref exposé du Harpiste, Aljir avait remis son arme à Evan. Ce dernier, d'abord surpris par le poids du xhain – qui confirmait la nature de l'alliage –, entreprit immédiatement d'en entourer l'épée de manière aussi serrée que possible. Tandis qu'il observait la lame disparaître comme sous les anneaux d'un serpent constricteur, il demanda, curieux :

— Pourquoi ton peuple s'encombre-t-il d'armes aussi lourdes ? C'est une question de lest, ou d'équilibre ?

Le Troll hocha négativement la tête.

— Non. Ceux de ma race sont… allergiques à l'acier.

Malgré l'urgence de leur situation présente, Aljir parut soudain distrait par quelque mauvais souvenir. Un court instant, Evan vit même une expression de pure haine déformer son visage bestial.

— L'origine de ce mal se situe dans des temps anciens, expliqua-t-il, le regard toujours vague et tremblant. Notre peuple était alors en guerre contre l'hégémonie naine. Les Nains ! cracha-t-il avec dégoût. Ils nous ont empoisonnés par leurs maléfices, alors que mes Ancêtres tentaient seulement d'échapper à leur tyrannie…

Le garçon, un peu embarrassé, se contenta de hocher la tête tout en attachant une couverture autour de son épée à présent prisonnière du xhain. Il pourrait ainsi la porter sur son dos à l'aide d'une sangle, s'ils devaient malgré tout courir.

° À bientôt…, ne put-il s'empêcher de murmurer en pensée.

L'Aether ne répondit rien, mais Evan sentit le contact se rompre, et sa présence s'étioler. Cela lui fit une drôle d'impression, comme si un vêtement dont il n'aurait pas remarqué l'existence jusque-là lui était subitement arraché.

— J'espère que ça va marcher et que nous allons pouvoir respirer un peu…, soupira-t-il.

Caessia, se raidissant brusquement en face de lui, désigna du doigt quelque chose dans son dos.

— Je l'espère aussi, souffla-t-elle d'une voix tendue.

À l'image de la jeune aristocrate, Gaelion et Aljir fixaient un point dans le lointain, leur respiration suspendue. Evan sut ce qu'il allait découvrir avant même de se retourner.

— Vérole…, jura-t-il tout bas tandis qu'un tremblement irrépressible s'emparait de lui. Déjà ?

Un groupe de cavaliers venait d'apparaître sur la route qui longeait la rivière. L'orphelin aurait voulu croire qu'il ne s'agissait pas des Chaosiens, mais leurs heaumes à trois pointes les rendaient identifiables sans peine.

Avec soulagement, Evan nota néanmoins que les chevaliers de la Mère Stérile semblaient ralentir l'allure. La rangée de destriers noirs écumants avait abandonné le galop pour prendre le pas, avant de s'immobiliser presque totalement. Les Templiers, dressés sur leur selle, regardaient dans toutes les directions en tendant le cou comme s'ils reniflaient quelque piste dans l'air.

— Par les six Trônes, ils n'ont pas perdu de temps, déclara Caessia d'une voix grinçante. Une minute de plus, et ils nous auraient rattrapés.

— Mais notre stratagème semble fonctionner, feula Aljir en relâchant enfin son souffle. Regardez : ils se comportent comme s'ils avaient subitement perdu notre piste.

Evan acquiesça fébrilement. La dénivellation du terrain jouant en leur faveur, lui et ses compagnons pouvaient observer les Templiers sans que la réciproque ne soit possible. Mais il savait que cet avantage ne durerait pas. En l'absence de piste précise, les cavaliers allaient s'avancer sur la route et ils seraient bientôt sur eux.

— Il faut se cacher, déclara-t-il à l'intention de ses amis. Nous ne courrons pas plus vite que des chevaux jusqu'à Farnesa…

— Bonne idée, approuva Gaelion. Laissons-les passer et poursuivre des fantômes tandis que nous serons dissimulés. Ensuite nous pourrons gagner la cité en sécurité.

Sans perdre un instant, tous les cinq se mirent à chercher la meilleure cachette alentour. Leur choix s'arrêta bien vite aux buissons d'épineux qui bordaient le cours d'eau boueux. Le paysage sec qui les encerclait ne présentait hélas aucun autre aspect utilisable. Tandis que les autres gagnaient déjà les broussailles pour s'y terrer au ras du sol, Evan resta en arrière avec Châtaigne.

— Une minute, souffla-t-il à ses compagnons. Le poney ne tiendra pas dans cette cachette… Il va nous faire repérer !

Gaelion s'arrêta à son tour, les sourcils froncés.

— Alors, chasse-le, dit-il gravement. Nous n'avons pas le choix.

Evan sentit une boule se former dans sa gorge. Mais sa réticence n'était pas seulement due à l'attachement qui le liait dorénavant à l'animal.

— Attends, Gaelion, s'inquiéta l'orphelin. S'ils trouvent Châtaigne, cela leur indiquera que nous sommes à proximité ! Autant les accueillir avec de grands signes de bienvenue…

— Mieux vaut qu'ils le trouvent seul qu'avec nous, insista le ménestrel. Il est trop tard pour un autre plan !

Même sans se laisser impressionner par le ton définitif de son mentor, Evan sentait qu'il était temps de se ranger à son avis. Les Chaosiens seraient là d'un moment à l'autre.

Avec un bref acquiescement en direction du Harpiste, il se résolut donc à renvoyer Châtaigne d'une énergique claque sur la croupe.

— Allez, file ! ordonna-t-il, un mélange de honte et de chagrin au fond du cœur.

Mais le poney ne l'entendait pas de cette oreille. À peine se fut-il éloigné de quelques pas sous l'effet de la surprise, qu'il revint vers le garçon, la tête penchée dans une comique posture interrogative. Visiblement, il était apeuré, et il s'approcha de son jeune maître pour renifler l'odeur rassurante de ses vêtements.

Quand il vit cela, un sentiment déchirant fit frissonner Evan. Les lèvres blanchies, il repoussa sèchement le museau de Châtaigne.

— Va-t'en ! répéta-t-il aussi sévèrement que possible, mais avec un sanglot naissant dans la voix.

Hélas, l'animal ne bougeait toujours pas. Il se contentait de trembler de tous ses membres, comme s'il sentait qu'il était en train de se passer quelque chose de grave.

— Tu vas filer, sale bête ! rugit l'orphelin en se forçant à prendre un ton de plus en plus hostile.

Constatant qu'il n'obtenait toujours pas de résultat, il jeta un regard circulaire autour de lui. Ses compagnons étaient déjà invisibles, sauf Gaelion qui paraissait l'attendre non loin de leur cachette. Sur la route, à demi dissimulé par une rangée d'arbres, il lui sembla que les Templiers approchaient.

Alors, bien que ce geste lui brisât le cœur, il se pencha pour ramasser quelques pierres qui parsemaient les rives de la rivière. Puis, les yeux presque fermés, il visa le poney. Une fois, puis deux, puis trois.

— Mais tu vas dégager, à la fin ! souffla-t-il rageusement, la vision troublée par les larmes.

Châtaigne, après être resté à l'observer quelques instants d'un air consterné, sembla comprendre. Par quelque caprice inexplicable, son ancien ami désirait le chasser. Ses oreilles s'agitèrent en tous sens, témoignant de sa tristesse et de son incompréhension face à cette haine si subite... mais le poney battit enfin en retraite. Il fit d'abord une première embardée, puis prit le galop, voyant que les jets de pierres le poursuivaient implacablement. Un instant plus tard, il avait disparu dans la nuit.

Se sentant un peu ridicule, Evan essuya rageusement ses larmes d'un revers de manche avant de rejoindre le Harpiste. Cependant, arrivé à sa hauteur, il ne put s'empêcher de murmurer :

— Pauvre bête... Nous l'avons abandonné, alors qu'il s'était toujours montré fidèle...

Gaelion, notant son ton déprimé, lui adressa un regard plus compréhensif que ce à quoi l'orphelin s'était attendu. Puis il l'entraîna par le bras pour rejoindre leurs camarades.

Evan eut tout juste le temps de plonger dans le maquis lorsque les Chaosiens réapparurent sur la route. Le visage griffé par les épines et maculé de boue séchée dans la précipitation, il redressa lentement le cou pour observer leur approche.

Les serviteurs de Sü'adim semblaient toujours désorientés et progressaient en reniflant nerveusement autour d'eux. Du moins, ils en adoptaient la posture, car leurs sinistres heaumes dissimulaient bien sûr les mouvements de leurs visages.

— Étoiles..., ils viennent vers nous ! gémit Aiswyn dans un souffle.

Evan serra les dents, sentant ses propres nerfs tendus à se rompre. Son amie d'enfance disait vrai, hélas.

Même s'ils conservaient une allure circonspecte, les Templiers avaient quitté la route et avançaient en tâtonnant dans leur direction. Celui qui menait la marche semblait bel et bien avoir senti quelque chose, crainte confirmée lorsqu'il mit soudainement pied à terre.

— Pourpremonde..., glapit tout bas l'orphelin. Nous sommes coincés !

— Silence ! murmura Gaelion, le calme froid de sa voix rappelant son pupille à l'ordre.

Le guerrier du Chaos poursuivait sa lente progression, ses compagnons attendant derrière lui. Le cou dressé et la tête oscillant à la recherche d'un effluve, il s'approchait dangereusement de leur cachette. Toujours terrés les uns contre les autres sous les broussailles, Evan et ses amis conservaient maintenant un silence tendu, adressant des prières muettes aux Six Étoiles ou à leurs Ancêtres trolls... Malgré tous leurs efforts de discrétion, le garçon avait l'impression que leurs respirations faisaient autant de bruit que dix soufflets de forge.

Vérole ! songeait-il. C'était fini, il allait les trouver... *Et mon épée qui est inutilisable,* jura-t-il intérieurement. Ses pensées s'emballaient sous l'effet de la terreur. *Rien ! Rien pour me protéger, ni pour protéger Aiswyn. Quel idiot je fais !*

D'une main fébrile, il avait entrepris – presque sans s'en rendre compte – de défaire la couverture enroulée autour de Sorcelame. Pendant ce temps, comme pour répondre aux inquiétudes du garçon, le Chaosien s'était encore approché… Seulement trois pas le séparaient de leur cachette rudimentaire, à présent.

Evan sentit une goutte de sueur glacée couler le long de son nez et goutter sur ses lèvres. À cette distance, les cinq fuyards pouvaient entendre l'infect bruit de reniflement qui résonnait sous l'acier noir du heaume. Leur chasseur était maintenant immobile, mais tordait toujours le cou dans leur direction. En tendant le bras, il aurait probablement pu les toucher.

C'est foutu…, capitula le jeune Orlandais. Jusque-là, il avait pu espérer que le Chaosien finirait par se détourner, mais plus maintenant. C'était trop tard, il en était certain.

Hélas, il savait aussi que son arme, son seul moyen de défense, était immobilisée par la lourde chaîne du xhain d'Aljir. Jamais il ne pourrait la manier efficacement dans ces conditions… *D'ailleurs, jamais je ne pourrai la manier de toute façon,* se corrigea-t-il. *Si ce n'est pas elle qui guide mon bras, je n'ai rien d'une foudre de guerre…* Or, comme Sorcelame l'en avait bien mis en garde, elle serait comme morte tant que le serpent de plomb serait enroulé autour d'elle.

Tandis que ces pensées traversaient son esprit à la vitesse de l'éclair, Evan sentait malgré tout sa main prête à se refermer sur la garde de l'épée.

La sueur continuait de goutter sur son visage.

Soudain, un frémissement parcourut la silhouette du Templier, comme s'il allait se remettre en mouvement.

Par malheur, l'orphelin comprit un quart de seconde trop tard que leur poursuivant s'apprêtait à rebrousser chemin. Se croyant sans doute bredouille, trompé par une fausse piste, le guerrier avait amorcé le geste de se retourner… Il allait s'éloigner, repartir d'où il venait ! Mais Evan, abusé par sa nervosité terrifiée, avait mal interprété l'esquisse de ce déplacement. Sa main, par réflexe, s'était serrée autour du pommeau de Sorcelame.

Immédiatement, le Templier fut parcouru d'un frisson visible, et se retourna vers eux en émettant un sifflement strident. Plusieurs cris rauques et bestiaux lui répondirent, accompagnés de martèlements de sabots. Déjà, ses compagnons le rejoignaient au galop.

— Non ! s'écria Evan, paniqué.

Dans un mouvement unanime, lui et ses camarades s'étaient redressés, faisant s'élever de nouveaux échos triomphants sous les heaumes de leurs poursuivants. Bien que se sentant flageoler, l'orphelin s'apprêtait à s'enfuir à toutes jambes. Quelle autre solution ? Il attendait seulement de voir dans quel sens allaient partir ses amis. Il attendait, dans une moindre mesure, de savoir si l'instant suivant le trouverait toujours en vie, car le Templier à pied levait déjà sa hache au-dessus de lui.

Pétrifié, Evan la regarda s'abattre vers son épaule. Il était incapable de faire un geste. Seule une rude bourrade d'Aljir lui permit d'échapper à son sort, l'envoyant bouler en contrebas, vers le lit de la rivière.

Leur situation semblait désespérée, mais le visage de Gaelion, qui avait suivi ce dernier mouvement des yeux, s'éclaira soudain comme sous le coup d'une illumination.

— La rivière ! s'exclama-t-il. Leurs destriers craignent l'eau vive !

Evan se redressa en chancelant. Le monde entier semblait tournoyer autour de lui, et ses tempes faisaient plus de bruit que le marteau de Kyle sur l'enclume. Quelque part, l'infime portion de son esprit encore en état de raisonner avait entendu la voix de son maître. Sans doute le Harpiste s'était-il subitement souvenu d'une ancienne légende à propos des Templiers et de leurs faiblesses… *La rivière,* se répéta mentalement le garçon, tâchant péniblement de conserver son équilibre.

Il sentit de l'agitation autour de lui, puis deux bras à la poigne de fer qui le soulevaient par les aisselles. Ensuite, le sol et le ciel s'inversèrent à nouveau, tordant son estomac dans une nausée sèche. De manière lointaine, le jeune Ouestien comprit qu'Aljir avait dû remarquer combien il était sonné et l'avait chargé sans cérémonie sur son épaule.

— Aiswyn…, murmura-t-il pitoyablement, ses dents s'entrechoquant tandis qu'il était ainsi bringuebalé sans ménagement.

Du coin de l'œil, il vit avec soulagement un morceau de la robe de son amie flotter non loin. Ses amis couraient autour de lui, slalomant entre les buissons d'épineux pour tenter de ralentir les chevaux qui les pourchassaient. Tandis qu'ils tentaient ainsi de franchir les quelques mètres les séparant de l'eau, il pouvait entendre les mugissements hargneux des Chaosiens, dont les haches sifflaient parfois de manière dangereusement proche à leurs oreilles.

Cette course aussi désordonnée que frénétique leur fit dévaler les berges asséchées jusqu'au bord marécageux de la rivière. Par chance, la difficulté du terrain semblait poser encore plus de problèmes aux chevaux de leurs poursuivants, qui dérapaient et se culbutaient les uns les autres.

Tandis qu'ils pataugeaient dans la vase, les compagnons d'Evan durent lutter pour arracher chacun de leurs pas, avec un écœurant bruit de succion. *L'eau vive ?* songea le garçon avec dégoût. Par malheur, jugeait-il, les flots de cette rivière n'avaient pas grand-chose de vivant…

— Continuons ! harangua pourtant la voix de Gaelion. Il faut atteindre le lit où l'eau est plus profonde !

Ses camarades parurent hésiter une fraction de seconde à l'idée de s'engager dans cette onde noire et boueuse, mais ils n'avaient d'autre issue que de poursuivre leur traversée. Les chevaliers de la Mère Stérile les talonnaient toujours.

À plusieurs reprises, Evan vit des haches à double lame s'abattre à un cheveu d'eux, frappant au hasard dans l'agitation commune. Il lui semblait que les Templiers hurlaient leurs abjects cris de guerre la bouche collée à son oreille.

Néanmoins… ces derniers se laissèrent peu à peu distancer, ralentissant tandis que leurs proies s'enfonçaient dans la rivière. Ils avaient maintenant de l'eau jusqu'à la taille, et les noirs destriers, conformément aux prédictions du Harpiste, refusaient d'entrer dans l'eau.

Gaelion dut aider Aiswyn à avancer, sa jupe pleine de boue manquant de la faire s'enliser. Mais déjà, les cris des Chaosiens paraissaient plus lointains. Avec un début de soulagement, Evan réalisa qu'il ne sentait plus le souffle brûlant de leurs montures sur sa nuque.

Piaffant et renâclant sur la berge, les montures semblaient sourdes aux ordres de leurs cavaliers. La tête levée dans leur direction, l'orphelin aperçut une nouvelle fois ce sinistre bouffon dégingandé qu'il avait déjà repéré sur la colline. *C'est leur chef,* comprit-il en l'entendant exhorter les chevaliers à mettre pied à terre pour traverser à la suite des fuyards.

Les Templiers, même s'ils se virent contraints d'obéir de mauvaise grâce, avaient trop de retard sur leurs proies. Ils perdaient du temps dans la vase tandis que les amis d'Evan se laissaient déjà porter par le courant un peu plus vif du milieu de la rivière.

Le garçon les observa encore un moment, redoutant toujours que les terribles guerriers du Chaos ne les rattrapent. Mais, à peine parvenus à un tiers de largeur du cours d'eau, ces derniers durent abandonner, définitivement embourbés en raison du poids de leurs armures. Leur dernier mouvement visible fut de maudire le petit groupe, haches levées au-dessus de leurs têtes dans un geste de défi revanchard.

Lorsqu'ils furent certains que toute menace était écartée, du moins pour le moment, les compagnons du garçon accostèrent sur l'autre rive, où ils entreprirent de se sécher. Evan réalisa soudain qu'il n'avait aucune idée de ce qu'il avait fait de son épée. Il lui semblait l'avoir lâchée à ses pieds lorsque les Chaosiens les avaient débusqués, et il commençait à paniquer lorsqu'il constata que Gaelion la tenait à la main.

Son soulagement, toutefois, fut de courte durée. L'air fulminant, le Harpiste exhiba l'arme dans sa direction. Il brandissait Sorcelame à travers sa protection partiellement défaite, et son regard gris grondait comme un orage en se posant sur l'orphelin, ne laissant aucun doute sur la colère qui l'habitait.

— C'est toi, n'est-ce pas ? tonna-t-il. Qu'est-ce qui t'as pris ? Tu sais bien qu'elle les attire, pourtant !

— J'ai eu peur, grommela Evan, la tête basse.

Il avait murmuré et n'était pas certain que sa voix ait porté suffisamment. Toutefois, il n'avait aucune envie de répéter cet aveu.

Pire que tous les sermons, Gaelion se contenta d'agiter la tête d'un air écœuré. Ses autres compagnons le regardaient également, à présent, semblant tous retenir un même soupir fataliste et réprobateur.

— Notre salut est dans le grand nombre de campements qui jalonnent cette vallée, reprit le musicien en changeant de sujet. Les Templiers du Chaos doivent s'être vite remis à notre recherche, et je crois maintenant que nous n'atteindrons pas Farnesa cette nuit. Pas de cette façon…

Replaçant méticuleusement la couverture sanglée autour de l'Aether, il poursuivit :

— Je réalise à présent que notre seule chance est de nous mêler à la foule. Nous avons moins à craindre des inconnus que de nos ennemis bien réels. Les Chaosiens n'oseront pas venir nous chercher parmi les nombreux voyageurs de ces campements.

Tandis que les autres acquiesçaient, Evan nota que le Harpiste ne lui rendait pas Sorcelame, préférant visiblement en conserver la garde pour le moment. Sans doute par précaution… Le garçon en conçut une légère vexation, car il n'avait pas agi comme un gamin écervelé, pour une fois. Il avait simplement eu peur, comme chacun d'entre eux. Et il ne pouvait s'empêcher d'en vouloir un peu à ses camarades, face à l'incompréhension cruelle dont ils faisaient preuve. Même Aiswyn détourna ostensiblement le regard lorsqu'il tenta de s'approcher d'elle.

Cependant, alors qu'il commençait à marcher la tête basse, emboîtant le pas au reste du groupe en marmonnant, elle sembla se raviser. Après quelques instants d'hésitation, elle finit par ralentir pour revenir à son niveau. Sans un mot, elle lui adressa alors un petit sourire navré et continua de cheminer à ses côtés jusqu'au camp où ils firent halte.

Gaelion, malgré sa fatigue, négocia habilement avec les festivaliers installés autour de ce feu, si bien que les nouveaux arrivants furent presque accueillis à bras ouverts. Discrètement, afin de ne pas réveiller ceux qui dormaient déjà, le petit groupe fut conduit à un emplacement où il pourrait passer la nuit en sécurité.

— Nous entrerons dans Farnesa au petit matin, déclara Gaelion lorsque tous furent allongés. Au milieu de tous ces gens, nous passerons inaperçus.

Evan soupira doucement. *Espérons-le…*, rumina-t-il. Entre deux toiles de tente colorées, il pouvait discerner la silhouette de la cité au loin. Il la voyait se dresser au-dessus du lagon, masse verdâtre dans la clarté lunaire.

— Farnesa, notre refuge…, murmura-t-il dans sa barbe tandis que le sommeil le prenait peu à peu.

Refuge… ou bien piège, rectifia-t-il mentalement en songeant aux nouvelles épreuves qui l'attendaient peut-être. Mais cela, seul l'avenir le dirait.

Chapitre 11

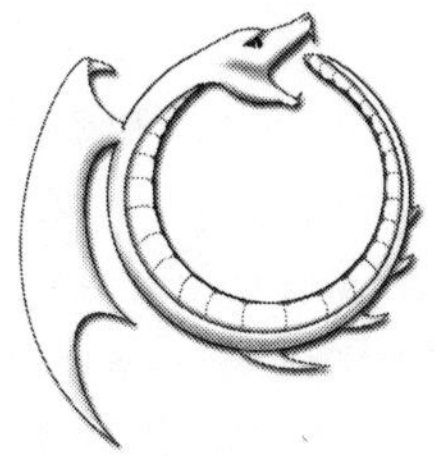

Evan rêva qu'il courait le long d'une rivière. Non… d'un fleuve. Était-il poursuivi ? Était-ce cela qui l'incitait à suivre ainsi la berge, haletant, sans un regard en arrière ? Sentait-il à nouveau le souffle de noirs destriers sur sa nuque ?

Il inspira profondément. Non, ce n'était qu'un mauvais souvenir. *Juste un mauvais souvenir…* Autour de lui, défilait un paysage déjà familier. Une herbe luisante, entre le gris et le blanc, bordait les deux rives du fleuve. Les eaux de ce dernier, à la puissance tranquille, s'enroulaient nonchalamment autour de quelques rochers affleurant.

Réalisant que rien ne pressait, Evan ralentit sa course jusqu'à afficher un pas tranquille. Les dernières traces de nervosité désarmaient peu à peu, face au sentiment rassurant procuré par cet endroit. *Je suis en sécurité, ici.*

De part et d'autre du fleuve, la même plaine monochrome et doucement vallonnée s'étendait à perte de vue. *Quand suis-je déjà venu ici ?* Il se souvenait d'une belle femme aux yeux argentés et aux petites dents pointues. *Sorcelame…*

Le garçon s'arrêta et arrondit de grands yeux. Un homme se trouvait sur son chemin. Il n'avait pas été là un instant plus tôt, mais cette seconde de distraction avait suffi pour le voir apparaître, debout sur la berge comme s'il s'y était toujours tenu. Et en effet, quelque chose dans sa posture flegmatique donna à Evan l'impression que c'était *lui* l'intrus. Hésitant presque à s'excuser, il s'approcha d'une démarche plus circonspecte.

L'inconnu s'appuyait sur une canne noueuse. Voûté aurait été un mot trop faible : le vieillard était littéralement plié en deux. Peut-être était-il bossu, mais sa position était si inhabituelle qu'Evan ne parvint pas à le déterminer aussitôt. *Non,* se décida-t-il finalement, *c'est simplement la courbure de son dos.* Son visage, qui n'arrivait pas plus haut que le ventre du garçon, paraissait affable. Pas vraiment joyeux, mais d'une bienveillance paisible, et surtout d'une patience incommensurable.

Sans trop de surprise, Evan réalisa alors que le personnage qui se dressait sur son chemin n'était pas l'un de ses semblables. À commencer par ses yeux, qui étaient trop grands, bien trop grands pour un visage humain. Des dizaines de couleurs se mêlaient dans les larges iris, rappelant la fragmentation d'un rayon de soleil à travers une goutte de rosée. Ce regard indéfinissable semblait porter en lui aussi bien l'insouciance naïve d'un jeune enfant que la sagesse un peu lasse d'un ancêtre. Ses longues moustaches et sa tignasse ébouriffée – d'une même couleur rose pastel qui aurait stupéfié le garçon en tout autre lieu – arboraient une texture anormale… Il fallut quelques pas de plus à Evan pour comprendre qu'il s'agissait en fait de minuscules plumes, en lieu et place des poils qui poussaient habituellement à ces endroits. Elles avaient une consistance duveteuse, presque vaporeuse, et leur couleur de friandise ajoutait encore à l'aspect inoffensif de leur propriétaire.

Ce dernier paraissait avoir été intégralement badigeonné de peintures vives par quelque enfant imaginatif, et la couleur de sa peau n'y faisait pas exception. Celle-ci tirait sur le vert, mais pas le verdâtre d'un visage troll : c'était un vert vivant, rond, évoquant le feuillage de certains arbres, ou le plumage de quelque oiseau exotique. Sur les mains comme sur la tête, il était parcouru de fines gravures, qu'Evan prit pour des tatouages avant de constater qu'il s'agissait simplement des témoins d'un épiderme écailleux. Des centaines de ces petits losanges à peine visibles parsemaient l'étrange créature, comme de très, très anciennes veines saillant sur de la pierre. Enfin, un appendice insolite se dressait sur son front, un peu semblable à l'antenne tactile qu'Evan avait pu observer sur certains reptiles des collines. *Oiseau ou serpent ?* se demanda le garçon, les yeux toujours rivés sur l'entité qui lui barrait la route.

Son ample robe – également verte, bien que plus pâle – était de facture rudimentaire, retenue par une simple ceinture d'os sculptés. Pourtant, tissée dans une sorte de laine soyeuse, sa douceur donna à l'orphelin l'envie fugace de la toucher. Il se reprit avant que sa main ne se tende par réflexe. Il y avait… quelque chose d'étrange. La bouche d'Evan se referma soudain sur une exclamation muette. Pour finir, il venait de réaliser que l'inconnu tout entier présentait une apparence très légèrement phosphorescente. *C'est un rêve,* songea-t-il. *Ce doit être un rêve.*

Il était trop près, à présent, pour contourner l'inconnu sans paraître impoli. S'il voulait poursuivre son chemin – mais où allait-il, déjà ? –, il était forcé d'échanger quelques mots avec le curieux personnage.

Toutefois, comme il ouvrait la bouche pour s'adresser à lui, ce fut la voix du vieillard qui s'éleva.

— Es-tu celui-là ? demanda-t-il en souriant. Es-tu celui que j'attends ?

La voix était bruissante et profonde, semblable à un envol d'oiseaux à travers des branchages. Evan en ressentit une petite surprise, qui le fit sursauter.

— Approche dans la lumière, reprit la créature sur le même ton.

Le jeune Ouestien se demandait bien ce que cela pouvait signifier, ne voyant ici aucune autre lumière que celle, diffuse et étrange, qui semblait provenir de partout à la fois. Et d'ailleurs, il ne pouvait guère s'approcher beaucoup plus, se trouvant déjà à moins d'une longueur de bras de l'inconnu.

Pourtant, sitôt la phrase de ce dernier prononcée, il lui sembla que la clarté argentée du fleuve se faisait plus intense et projetait sur son propre visage une sorte d'illumination. Apparemment satisfait, le vieillard aux roses moustaches le scruta un moment, ses yeux immenses plissés, avant de baisser la tête d'un air déçu.

— Non, soupira-t-il. J'avais cru…

Il s'interrompit, soudain las, avant de reprendre :

— J'attends quelqu'un, tu comprends… Celui qui est le fils de son propre fils. Je l'attends depuis… (Il parut perdu dans ses pensées.) Depuis *si longtemps*.

Evan dansait d'un pied sur l'autre, mi-inquiet, mi-émerveillé. Sans qu'un mot n'ait encore réussi à franchir ses lèvres, l'être ophidien lui demanda :

— Es-tu mort ?

L'orphelin hocha la tête, avalant sa salive tandis qu'une détestable incertitude s'emparait de lui.

— Non, je ne suis pas mort. Je… je ne crois pas.

Le vieil homme sourit de nouveau.

— Non, admit-il. Bien sûr que non, tu ne l'es pas. Mais tu es fort loin des sentiers habituels, cependant. Pourquoi t'aventurer ici, mon garçon ?

— Je ne… sais pas, avoua Evan en bredouillant.

Le vieillard pencha lentement la tête, faisant osciller son antenne frontale. Une expression perplexe s'était peinte sur son visage. Plus que jamais, il ressemblait à l'un de ces lézards débonnaires que l'orphelin avait si souvent chassés en été, sur les pierres chaudes qui bordaient les rivières.

— Où vas-tu ? insista-t-il gentiment, comme s'il cherchait à percer quelque énigme anecdotique.

Le garçon hocha à nouveau la tête, incapable de fournir une explication à sa présence ici.

— Je vais à Farnesa, finit-il par dire après un moment. Je vais à Farnesa pour trouver Finrad.

L'entité acquiesça avec gravité, ses moustaches – apparemment animées d'une vie propre – frémissant avant d'onduler comme la queue d'un chat.

— Finrad..., répéta-t-il, songeur. Trouver Finrad. Tu fais bien, mon garçon. Le rencontrer ne peut être qu'une bonne chose. Il est l'un des derniers encore de grande sagesse...

» L'un des derniers.

Cette fois, le regard de la créature se perdit dans le lointain, semblant fixer un endroit – ou une époque – devenu tragiquement inaccessible. Avec stupeur, Evan remarqua que les couleurs de la peau et du plumage de son interlocuteur avaient changé. Il s'agissait toujours plus ou moins de rose et de vert... mais ses plumes étaient devenues subtilement plus sombres, tirant sur le fuchsia, tandis que son épiderme écailleux avait pris une teinte presque bleutée. Cela était-il censé refléter ses humeurs ? s'interrogea le garçon. Les couleurs du vieil homme s'adaptaient-elles à ses émotions comme celles d'un caméléon à son environnement physique ?

L'être saurien frissonna, resserrant sur lui les pans de sa robe verte. Evan observa ce visage âgé avec compassion, tenté à nouveau de tendre la main vers lui.

— Il y a une lueur en toi, reprit le vieillard comme s'il ne s'était jamais interrompu. Une petite lueur, mais une lueur quand même.

» Bientôt – oh, plus tôt qu'ils ne le pensent – elles seront toutes cruciales. La moindre petite lumière...

Evan fronça les sourcils.

— Qui ça ? le coupa-t-il. Comment ça ?

Bizarrement, ces dernières paroles lui rendaient son compagnon moins sympathique. Lorsqu'il entendait le mot « lumière », l'orphelin ne pouvait s'empêcher de songer à la Fraternité et à son culte fanatique. La Lumière et ses Saints n'étaient pour lui que des pouvoirs tyranniques, avec lesquelles il ne voulait rien avoir à faire. Ce fut donc un œil devenu soudain plus suspicieux qu'il leva sur son interlocuteur, lorsque celui-ci poursuivit :

— Les Puissances s'éveillent, ne le sens-tu pas ? L'Ombre va grandissant. Elle s'étend à chaque heure…

Evan secoua la tête. Cela devenait totalement incompréhensible. Que faisait-il ici ?

— Ils ne semblent pas s'en soucier, aveugles dans les ténèbres montantes. Ils ignorent ce que le passage du Fleuve a réveillé. L'Ombre à venir, plus forte que jamais…

— Mais qui ça, *ils* ? redemanda Evan, d'un ton cette fois franchement agacé.

Il aurait aimé retourner dans un endroit normal, auprès de ses amis. *Suis-je en train de rêver ?* Le vieillard leva vers lui des mains tremblantes.

— Qui ça ? Les Peuples Cadets, si ce terme signifie encore quelque chose. Bien sûr, ils finiront par s'unir… ils se blottiront les uns contre les autres dans l'obscurité, terrifiés, comme des enfants cachés au fond d'une cave. Tous réunis par la peur… Mais il sera trop tard. Il est *déjà* trop tard, je le crains. L'Ombre soufflera alors leurs petites lueurs comme des chandelles fragiles.

Le garçon broncha à nouveau.

— Quelles lueurs ? Je ne saisis pas…

La créature acquiesça lentement, semblant redevenue pleinement consciente de la présence d'Evan.

— Tout ce qui brille et scintille encore, mon garçon. Je ne te parle pas de la Lumière éclatante, aveuglante, du Dåzhiel. Non, il faut aller plus profond. Les lueurs dont je te parle se situent bien au-delà… (Il soupira gravement, comme s'il doutait fortement d'être compris – une crainte qu'Evan n'aurait pu détromper, il devait l'avouer.) Toujours plus profond. Nous devons plonger tout au fond. Vers ce qui reste de lumière en chacun de nous, qu'elle soit faite de feu, de vent, d'onde ou de sève… la lueur de la pierre et de la chair… et jusqu'à la lueur de l'obscurité elle-même. Toutes ces lumières qui déclinent, et l'espoir avec elle, alors même que les Puissances s'éveillent à nouveau… Toutes celles-là qui s'étiolent, qui tremblent et qui vacillent, ces petites lueurs qu'il nous faut rassembler sans tarder pour maintenir les ténèbres à distance… Mais toi, enfant du Tatrøm, tu ne peux aisément concevoir cela, n'est-ce pas ?

Le vieillard baissa son visage couvert d'écailles, de telle façon que l'orphelin ne put plus voir qu'un rideau de fines plumes, de plus en plus violacées. Ses mains tremblaient toujours autour de son bâton noueux. Quand il releva la tête, Evan put lire une peur sincère dans ses yeux enfantins.

— L'Ombre arrive… Elle vient éteindre toutes les lueurs.

Chapitre 12

Construite au fil des siècles sur un vaste lac marécageux, Farnesa était une de ces cités inextricables et fantasques, comme seul le Sud pouvait en abriter. *Fière et mystérieuse, à l'image de mon peuple,* songeait Caessia en voyant peu à peu ses bâtiments biscornus surgir au-dessus des eaux. Parmi les brumes de ce début de journée, elle semblait encore tout à fait irréelle, rêve à peine émergé du lagon.

Avant d'arriver en vue des portes, Aljir avait pris soin d'effacer ses peintures rituelles et de revêtir un collier à chaîne par lequel la princesse faisait semblant de le conduire. Il avançait courbé, la tête presque au ras du sol, dans la posture habituelle des Trolls de bât. Caessia, elle aussi, avait entrepris de se grimer avant d'entrer en ville. Elle en ressentait d'ailleurs une grande fatigue, car ils s'étaient levés très tôt pour tous ces préparatifs, malgré leurs émotions épuisantes de la nuit. Au petit matin, prétextant d'aller faire un brin de toilette dans un proche ruisseau, elle avait salué ceux qui les avaient hébergés autour de leur feu, puis s'était éloignée à l'abri des regards.

La princesse avait d'abord dû couper ses cheveux, afin qu'on ne la reconnaisse pas trop facilement. Elle savait que parmi cette foule déguisée, elle aurait de bonnes chances de passer inaperçue, au contraire des routes, où elle tremblait chaque fois qu'ils rencontraient un groupe de voyageurs à l'air un peu civilisé... Elle comptait donc mettre toutes les chances de son côté pour ne pas perdre cet avantage.

Le Troll l'avait ensuite aidée à se maquiller pour masquer autant que possible ses traits, redessinant le contour de ses yeux et de ses lèvres.

— Te sens-tu bien, ces temps-ci ? avait-il demandé tout en s'affairant.

Sur un haussement de sourcils de la jeune fille, il avait précisé :

— Je veux dire : supportes-tu bien les privations et la fatigue de notre mode de vie ? Cela doit te changer de ton existence au palais... n'est-ce pas ?

Caessia avait répondu d'un mouvement d'épaules hautain, mais elle n'en avait pas moins reçu le message de son camarade. Celui-ci lui trouvait mauvaise mine et était soucieux, de toute évidence.

Pour être honnête, elle-même devait avouer qu'elle avait beaucoup pâli ces dernières semaines. *Raison de plus pour me maquiller*, avait-elle décrété en pensée, chassant d'un sourire faussement enjôleur les inquiétudes d'Aljir. Celui-ci, à son tour, avait haussé les épaules.

Pourtant, toute la fatigue du monde n'aurait pas suffi à refréner l'excitation qui s'emparait d'elle à présent. Elle s'apprêtait à franchir les portes de Farnesa, la ville du Dernier Jour ! Des années durant, elle avait supplié son père de la laisser assister au carnaval, sans jamais venir à bout de son refus inflexible. La Cité des Grands, surtout à la période du Dernier Jour, n'était pas un endroit pour une jeune princesse, selon lui.

Dès qu'ils eurent pénétré à l'intérieur, leur petit groupe se scinda en deux, comme prévu : la princesse et le Troll partirent d'un côté, et les trois Ouestiens de l'autre. Caessia et Aljir devaient effectuer un repérage préalable à leur rendez-vous avec les Otuzôs, prévu pour le surlendemain. Gaelion et ses apprentis, quant à eux, étaient chargés de réserver des chambres dans une auberge. Ils se retrouveraient tous les cinq au début de l'après-midi, pour aller ensemble choisir leurs costumes de carnaval.

Pour l'infante de Tireldi, cette mission de reconnaissance avait un petit goût de liberté. Même si elle prenait sa tâche très au sérieux, le matin était enfin venu après une nuit terrible, et cette mesure de prudence ne sonnait après tout que comme une formalité. Aljir lui-même, malgré la rage contenue que lui inspirait la comédie servile qu'il se devait de jouer en public, semblait ravi d'avoir quartier libre pour découvrir la ville. Son pas nonchalant indiquait sa résolution à se rendre jusqu'au quartier qui les intéressait en flânant à travers Farnesa, même si cela devait leur prendre plusieurs heures.

Caessia leva le nez vers les hauteurs serpentines de la Cité des Grands. Après la terreur sordide de ces dernières heures, Farnesa n'était d'abord apparue que comme un sanctuaire, un endroit où ils seraient en sécurité. Mais la jeune aristocrate devinait que leur hôtesse allait bien vite prouver qu'elle était davantage qu'un simple refuge. Déjà un peu fascinée par son ambiance étrange, l'infante rendait grâce à l'autonomie que lui apportait l'anonymat. Jamais, autrefois, elle n'aurait eu la liberté de déambuler ainsi au hasard. À l'époque, lors de ses rares voyages diplomatiques en dehors de la Nef, tout ou presque lui était interdit.

La Nef... Elle ne voulait pas y penser pour l'instant. Elle voulait se laisser absorber par les splendeurs de la cité, par sa vie grouillante... mais cela même, hélas, la ramenait à son existence passée. Après des semaines à traverser des régions rurales, ce retour à la vie civilisée lui rappelait tout ce qu'elle avait laissé derrière elle. Sans pouvoir se contrôler, elle sentait venir une énième vague de doutes et de regrets. La Nef, ses sentiments mitigés à l'égard de son père, sa haine pour la Première conseillère et son désir de vengeance... Elle avait fui tout cela, mais pour combien de temps ?

L'évocation de la Première conseillère, surtout, faillit bien gâcher sa bonne humeur. Elle aurait tant aimé savoir le rôle exact que la vipère avait joué dans la trahison de son père... Pouvait-elle suffire à expliquer son passage dans le camp de l'Ombre ? *Non, sans doute pas, mais... Si seulement...*

Fréquemment, Caessia s'interrogeait encore sur l'étrange visiteur de la politicienne, ce jour terrible où toute sa vie avait basculé. L'homme était venu rencontrer la marâtre jusque dans ses appartements privés, chose normalement impensable. La princesse était persuadée qu'il y avait dans cet événement quelque chose d'important. Elle y avait longuement repensé, elle avait revu toute la scène en détail. Le mystérieux guerrier portait l'armure typique des anciens voïvodes, avait-elle déterminé après-coup, mais c'était la seule information utile qu'elle avait pu retirer de ses souvenirs. *Et cela est bien maigre, hélas... Par les Anciens Rois, je donnerais cher pour savoir ce que signifiait la présence de ce curieux allié dans la chambre de la vipère !* Elle sourit, pas dupe d'elle-même. *Soyons honnête : je donnerais cher pour toute connaissance qui pourrait m'aider à me venger d'elle...* Un soupir plus tard, elle se morigénait : *Six Trônes ! Caessia, pour une fois, ne pourrais-tu donc prêter attention à ce qui t'entoure, au lieu de toujours ressasser ce qui te ronge à l'intérieur ?*

Se ressaisissant tant bien que mal, elle comprit cependant avec soulagement qu'elle n'aurait pas à fournir d'efforts intenses pour se laisser distraire. Presque sitôt son monologue intérieur interrompu, la jeune fille tomba comme amoureuse de cette cité à la splendeur défraîchie, qui mariait magnificence et déchéance à l'image d'un destin de courtisane. Le Troll dans son sillage, elle la parcourut bientôt avec une gourmandise tranquille, savourant chaque détail. Ses rues qui apparaissaient toujours comme des trompe-l'œil... Ses dizaines de ponts – gracieux ou de fortune... Ses palais et ses taudis...

Des catins de toutes conditions exhibaient leurs toilettes aux nombreux balcons, d'où leurs dentelles dégoulinaient comme une rosée glacée, pour se perdre dans les sculptures du marbre pâle. Sous certaines fenêtres, on entendait encore les râles et les soupirs de couples ardents, qui refusaient de s'abandonner déjà au sommeil.

Caessia souriait, marchant d'un pas alerte mais serein. Se promener à travers une ville... Elle appréciait cette normalité, après toutes les épreuves qu'elle et ses compagnons avaient traversées. Elle se sentait bien sûr un peu intimidée par l'envoûtante cité, mais cela ne l'empêchait pas de tomber sous son charme.

La profondeur complexe de ses entrelacs de canaux la marqua par-dessus tout. Ruelles et ponts entremêlés semblaient faire de Farnesa un labyrinthe propice à toutes les activités secrètes. *Aussi bien celles des amants illégitimes que celles de la pègre,* pensa la jeune fille. On disait d'ailleurs que la cité lacustre, outre le fait d'abriter de nombreux Otuzôs, était la base principale des Manteaux Noirs. La princesse sourit à nouveau en observant autour d'elle. Elle songeait que la tentaculaire confrérie, qui regroupait notoirement les truands de tout poil, n'aurait décidément pas pu trouver royaume plus approprié... *Une cité de péché, assurément,* se dit-elle avec un plaisir presque grivois.

Elle pressa encore le pas, sans s'en apercevoir. Son hôtesse était toute de loggias et de portes cochères. De porches avides de baisers volés ou bien de coups de poignard. De minuscules places, qui surgissaient brusquement, s'offrant comme autant d'écrins secrets.

La fille de Bassianus mit un point d'honneur à longer le bâtiment du Sénat, où les Grands avaient si souvent bafoué l'autorité de son père. Aussi majestueux qu'imposant, mais symbole de l'humiliation et du pouvoir hémophile du roi, le vieux parlement avait été le siège de toutes les félonies. Même si elle ne partageait plus, à présent, les intérêts de son géniteur, Caessia eut un froncement de nez méprisant face au gâchis que lui inspirait cette institution. Compagnies Mercenaires, guilde du Commerce, ducs fratricides : chaque force politique du royaume entretenait ici des multitudes de bouches pour s'exprimer ou bien mordre en son nom. *Chaque force politique... sauf le peuple,* rectifia la jeune républicaine.

La matinée avançant, les rues se remplirent de marchands et de messagers pressés. C'était une métropole grouillante, à laquelle sa nature lacustre donnait malgré tout quelque chose de sensuel et d'indolent... Un endroit olfactif et tactile, faisant appel aux régions les plus primitives de la conscience.

Oui, songeait l'adolescente, *cette Farnesa qui se targue d'être un joyau de civilisation et de raffinement... En vérité, elle ne peut s'empêcher d'exhaler une atmosphère à demi sauvage...* Une fièvre, une vigueur brutale derrière chaque salut poli des messieurs et chaque œillade hautaine des dames. *Dissimulation, encore...,* méditait-elle. Dissimulation de cette saleté noire, perceptible sous ses ors et ses tentures. Dissimulation de ces passions qu'on devinait déguisées, mais pas refrénées... Au fil des heures, l'héritière se sentait happée par l'ivresse sourde de la ville.

— Quel endroit étrange et ensorcelant, confia-t-elle machinalement à Aljir, qui eut le bon sens de ne pas lui répondre.

Un endroit imaginé pour moi ! avait-elle l'impression, en entendant son cœur battre avec lenteur mais puissance. Au rythme de Farnesa.

En si peu de temps, il lui paraissait en avoir déjà sondé toute la profondeur. De la même manière qu'elle avait parfois eu le sentiment, dans les salons de la Nef, de capter en un seul regard l'âme de certaines personnes – en général de jeunes et beaux pages ayant osé lever les yeux sur elle. Comme si elle l'avait connue depuis toujours...

Chaque pas de la jeune fille était comme le franchissement d'un voile, la descente d'une marche vers les profondeurs, à la rencontre d'elle-même. Elle était seule avec la ville, le compagnon qui lui emboîtait le pas presque oublié. Pour quelques heures, il n'était plus son camarade, mais presque un intrus gênant, qui violait son intimité avec la cité.

Caessia frissonnait, à présent. Farnesa, cité de tous les fantasmes, de toutes les damnations, enfouie parmi ses cortèges de plaisirs frustrés et d'autres désirs si douloureusement exaucés... Farnesa qui transpirait la lascivité et l'intrigue par chacun de ses pavés... « Ceci n'est pas une ville, avait dit un poète, c'est une porte ouverte sur Pourpremonde. » La légende voulait que les Grands de la cité l'aient pris au mot, et que le malheureux ait fini sa vie dans l'enfer de leurs cachots. On ne plaisantait pas avec l'honneur de dame Farnesa, dont il était si facile de tomber amoureux.

Exactement comme cela se produisait à présent pour Caessia, séduite de manière irrésistible par cette ville au parfum de sang, de fiel et de stupre...

Il fallut un incident fâcheux, peu avant l'heure du déjeuner, pour la soustraire un moment à la magie vénéneuse des lieux.

En effet, tandis qu'elle avançait à travers la foule, toujours saisie de la même émotion enchantée et délicieusement inquiète, la jeune fille s'immobilisa brusquement. Cela lui valut de percuter avec fracas quelque riche marchand qui la suivait d'un pas pressé. L'homme parut sur le point de protester bruyamment mais un grognement explicite quoique bestial, en provenance d'Aljir, suffit à le faire s'éloigner.

— Que t'arrive-t-il ? souffla discrètement le Troll à l'oreille de sa compagne.

Sans répondre, celle-ci continua à scruter un point situé en face d'elle, quelque part au sein de la foule.

Dès que les remous provoqués par sa petite bousculade avec le marchand se furent estompés, son champ de vision se dégagea suffisamment pour lui offrir la confirmation de ce qu'elle avait cru apercevoir l'instant précédent. Cette silhouette familière, trop familière, qui l'avait cruellement arrachée à sa rêverie...

Pas de doute : elle connaissait bien ce Nain à l'air déterminé, fendant la cohue droit devant eux ! *Nimrod...,* gémit-elle en pensée. Durant une fraction de seconde, un flot de sentiments paradoxaux se déversa en elle. Le Bakar avait toujours été bon avec elle, depuis sa plus tendre enfance. Lui qui s'était toujours montré si protecteur, bien au-delà même de ses fonctions, il devait être fou d'inquiétude depuis sa disparition... Comme elle aurait voulu aller à sa rencontre et pouvoir enfin le rassurer ! Et lui demander, peut-être, des nouvelles de Sargon ?

Elle savait que cela était impossible, bien entendu. Alors même que son cœur hésitait encore, ses muscles avaient déjà pris la bonne décision, propulsant la jeune fille dans l'ombre. Il y eut encore quelques murmures courroucés parmi la foule, lorsque le Troll la traversa à son tour pour rejoindre Caessia, mais les gens avaient trop à faire en cette période de préparatifs pour le carnaval, et poursuivirent donc leur chemin en maugréant.

— Là ! désigna-t-elle dans un spasme, depuis l'arche de pierre derrière laquelle elle avait bondi par réflexe.

Aljir tourna la tête dans la direction indiquée et dévisagea froidement le Nain qui approchait.

Pas plus grand qu'un garçon de douze ans, mais large d'épaules comme deux hommes, le soldat de la Nef était intégralement recouvert d'acier. Caessia nota que son heaume avait toutefois été griffé à l'endroit où il arborait autrefois l'idéogramme des Bakars. Malgré tout, elle aurait reconnu entre mille son ancien capitaine des gardes, incapable de confondre ces sourcils proéminents, ce large nez cassé et cette épaisse barbe bleu nuit.

— Tu crois qu'il nous a vus ? chuchota-t-elle d'un ton paniqué. Il me reconnaîtrait à coup sûr, cheveux coupés ou pas !

L'adolescente tâcha de calmer sa respiration, le cou tendu pour observer la progression du Nain tout en restant à couvert. À côté d'elle, le Troll s'était lové tant bien que mal dans leur cachette de fortune. Il fixait toujours intensément Nimrod. Le Troll, habituellement spirituel et flegmatique lorsqu'il daignait s'intéresser à ceux qui l'entouraient, paraissait cette fois métamorphosé. Caessia n'avait jamais vu une telle étincelle de haine briller dans ses yeux.

— Qui est-ce ? demanda-t-il, la voix mortellement neutre.

— Mon ancien garde du corps. Il est certainement ici avec l'escorte de mon père… quoique bizarrement, il ne porte plus l'insigne de son unité, ajouta-t-elle en remarquant à nouveau l'idéogramme effacé sur son heaume.

Le soldat nain avançait sans se soucier de la foule, les badauds empressés s'écartant de lui comme les flots d'une rivière contournant un rocher. L'adolescente savait que sa figure patibulaire cachait un cœur bon et fidèle, mais en cet instant elle ne pouvait s'empêcher de partager l'appréhension des passants. *S'il me voyait et tentait de me ramener à mon père ?* songea-t-elle, terrifiée.

Chose qui n'était pas faite pour la rassurer, elle nota que le vétéran bakar scrutait méthodiquement autour de lui, détaillant chaque passant avec de petits reniflements de frustration.

— On dirait qu'il cherche quelqu'un..., confirma Aljir dans un murmure.

Mais qui pourrait-il pourchasser ainsi ? Moi ? Il ne sait même pas que je suis à Farnesa ! Caessia n'y comprenait rien. Ce qui était certain, c'était qu'elle refusait l'idée même d'être reconduite dans les griffes de son père et de la Première conseillère. Elle n'avait pas fait tout ce chemin pour se retrouver impuissante dans le lit d'un Drekvo pendant que se jouerait l'avenir du royaume ! S'il le fallait, elle se sentait capable de se battre contre son ancien protecteur, quelque crève-cœur que cela lui parût.

Au moment où il passa à leur niveau, elle se plaqua au fond de sa cachette, le cœur battant. Recroquevillée avec Aljir entre le pied d'un arc de pierre et la porte verdie d'un palais abandonné, elle pouvait seulement prier pour que le vétéran ne tournât pas la tête dans leur direction.

Par chance, son vœu devait être exaucé : une charrette de foin traversa l'allée au même moment, les dissimulant au regard vigilant du petit guerrier. Un soupir de soulagement plus tard, ils avaient la confirmation que Nimrod les avait dépassés, poursuivant sa route sans le moindre changement d'attitude.

— Inutile de traîner par ici, souffla néanmoins la princesse. Je ne voudrais pas croiser à nouveau son chemin...

Attendant à peine l'acquiescement d'Aljir, elle tourna les talons et s'engouffra dans l'une des venelles providentielles dont regorgeait la cité. Quelques ruelles plus loin, le Troll reprit la tête de la marche, ayant probablement estimé que le moment était venu d'aller examiner les lieux de leur rendez-vous avec les Otuzôs.

Il me faudra prendre garde à ne pas retomber nez à nez avec Nimrod, rumina Caessia le long du trajet. *N'importe quel incident de ce genre pourrait mettre notre mission en péril...* Pourtant, elle ne pouvait le nier, revoir le Nain l'avait emplie d'une douce nostalgie, ramenant à son esprit les souvenirs d'une pudique complicité instaurée au fil des années. *Le pauvre Bakar m'a servie fidèlement pendant si longtemps. Depuis... toujours, en fait. Aussi loin que je m'en souvienne, il était là pour veiller sur moi.*

Mais il est toujours aux ordres du tyran, se tança-t-elle. Par définition, un Bakar s'avérait d'une loyauté incorruptible envers la monarchie... Le contrat que sa caste avait autrefois conclu avec les ancêtres de la maison de Tireldi semblait gravé dans le marbre. À présent que l'adolescente combattait ouvertement le roi, elle savait donc que son amitié avec Nimrod ne pourrait y survivre. Même l'affection sincère qui les avait liés autrefois serait impuissante face à l'infaillible allégeance de sa corporation. Quant au symbole effacé sur le heaume du capitaine des gardes, quoi que cela pût signifier, Caessia gageait qu'il en fallait plus pour attester la désertion éventuelle d'un soldat comme Nimrod. Pour l'heure, cette possibilité lui paraissait tout simplement inconcevable.

Un peu plus tard, après que son guide se fut perdu à plusieurs reprises parmi les canaux et les petites esplanades secrètes dont fourmillait Farnesa – démontrant par-là même l'utilité d'une reconnaissance pour des étrangers à la cité – la princesse découvrit enfin l'endroit où ils devraient rencontrer les contrebandiers otuzôs. Si Aljir avait convenablement suivi les informations fournies par Ettore, il s'agissait d'une place couverte, assombrie par le verre sale de la coupole qui la surplombait. Les républicains notèrent que deux escaliers, remontant vers des rues peu fréquentées, formaient les seules voies d'accès... ou de fuite, si besoin était. Il ne semblait pas y avoir de raison pour que les choses tournent mal, mais Caessia n'était qu'à moitié rassurée à l'idée de se frotter à la redoutable mafia naine, même pour affaire.

Humant l'atmosphère d'un air pensif, le Troll proposa de profiter de cette pause pour manger un morceau. Debout, tous deux se partagèrent les restes de leur dernière ration de voyage, soit un quignon de pain et quelques lamelles de fromage rassis. Par compassion pour le colossal appétit de son compagnon, l'adolescente n'avala presque rien, gageant qu'elle ferait un repas plus convenable le soir, à l'auberge. Non loin d'eux, un couple de corbeaux picorait les miettes qu'ils avaient semées sur leurs pas.

— J'espère que nous n'aurons plus la malchance de croiser Nimrod..., médita la princesse à voix haute.

— C'est donc le nom de ton capitaine des gardes ? fit Aljir en broyant le pain dur sans plus d'effort que s'il mâchonnait la plus tendre des brioches.

Caessia acquiesça.

— C'est ce qu'il était, en tout cas. Je suppose qu'il exerce encore une fonction similaire, malgré mon départ. (Elle soupira.) Ça m'a fait un de ces chocs de le voir surgir face à nous...

— Bah..., grogna le Troll. Il y a une chance sur mille pour que sa route rencontre à nouveau la nôtre. Farnesa est vaste et labyrinthique, sans parler de la foule des festivaliers...

— À moins qu'il ne me cherche, corrigea l'adolescente. Il avait l'air de pister quelque chose... ou quelqu'un, tu n'as pas trouvé ?

Aljir fronça les narines.

— Peut-être, finit-il par dire. Ton père aurait pu lui confier la mission de te ramener. Mais comment saurait-il que tu es ici ? Seuls Ettore et les plus hautes autorités de la République sont au courant de notre mission. (Il hocha la tête, dubitatif.) Non, à mon avis, sa présence en ville n'a rien à voir avec nous.

Caessia se sentit un peu rassurée par la logique de ces paroles, mais son compagnon poursuivait déjà :

— Cependant, mon intuition est que nous devrions de toute

façon rester sur nos gardes. Nous ne pouvons nous permettre d'échouer dans notre mission. Elle est trop importante… pour la cause, pour la victoire, pour les vies de nos camarades en jeu.

La jeune fille déglutit, mal à l'aise.

— J'en suis consciente, chuchota-t-elle un peu sèchement.

— Gardons donc l'œil ouvert, que rien ne puisse venir compromettre notre tâche. À ce propos…

La princesse l'interrogea du regard, puis de la voix :

— Oui, qu'y a-t-il ?

— Je ne voulais pas t'inquiéter, avoua le Troll, mais il est possible que nous ayons été suivis, tout à l'heure.

— Suivis ? Mais par qui ?

Aljir leva une main apaisante.

— Moins fort, par pitié…, souffla-t-il. Nous ne sommes pas si loin de la rue.

Il avala sa dernière bouchée de pain avant de continuer :

— Avant que nous ne croisions ton ancien garde du corps, j'avais repéré à plusieurs reprises des silhouettes costumées dans notre sillage. Je ne les ai plus vues par la suite. Si c'était bien après nous qu'elles en avaient, il faut croire que nous les aurons semées en même temps que le Nain…

— Des gens costumés ? fit Caessia, en haussant un sourcil étonné. Mais il y en avait des dizaines derrière nous !

Le Troll hocha négativement la tête.

— Ceux-là portaient des masques d'animaux. Et ils se comportaient bizarrement parmi la foule, comme s'ils cherchaient à ne pas être vus. En vérité, je ne les ai aperçus que brièvement chaque fois. Alors… je ne jurerais pas qu'ils nous suivaient, mais je n'aime pas trop ce genre de coïncidences.

La jeune aristocrate faisait maintenant la grimace, l'air mi-soucieux, mi-furieux.

— Et tu comptais m'en avertir bientôt, camarade ? demanda-t-elle d'un ton plein de reproche.

— Je viens de le faire, il me semble. Au début, je n'ai pas jugé bon de t'inquiéter. Difficile d'être certain qu'ils nous pistaient, dans toute cette foule. Ce qui est sûr, en revanche, c'est que je n'avais aucune envie de te voir te retourner par réflexe pour les chercher du regard. Tant qu'ils ne savent pas que nous savons, cela nous donne un avantage.

Caessia persista dans sa moue vexée, pas vraiment convaincue. Elle bouda encore quelques instants, les bras croisés sur la poitrine, tandis que son compagnon finissait de fouiller la petite place. Sans doute, devina-t-elle, le Troll craignait-il que les Otuzôs ne décident de leur tendre une embuscade pour s'approprier les gemmes sans avoir à leur remettre la marchandise. Cela l'aurait étonnée, car peu conforme au code d'honneur scrupuleux dont se targuaient ces familles du crime. Mais pour ce qu'elle en savait, cette réputation pouvait très bien être usurpée, aussi acceptait-elle de bonne grâce les précautions de son camarade.

— Je ne vois aucune cachette possible, déclara finalement ce dernier. Mais je me méfie des Nains comme de la peste !

La princesse, qui ne paraissait plus fâchée, se permit de sourire.

— À mon avis, ce n'est pas cette partie de l'opération qui risque de poser problème... Si on en croit la rumeur, les Otuzôs sont bien plus droits en affaires que la plupart des agents de la guilde !

Le Troll feula comme un fauve à l'affût, sans que Caessia parvienne à déterminer s'il s'agissait d'un soupir ou d'un bâillement.

— C'est ridicule, admit-il, mais je me sens toujours mieux en vérifiant à fond ce qui peut l'être. Je te parie qu'il y aura bien assez de surprises d'ici le grand soir...

Le sourire de la jeune fille s'agrandit.

— Quelle confiance, camarade ! Tu devrais haranguer les troupes à la place d'Ettore...

Aljir rit cette fois de bon cœur.

— On ne se refait pas, petite. J'ai payé pour savoir qu'aucun plan ne se révèle jamais parfait. Quant aux nôtres... j'ai bien peur qu'ils ne soient encore plus fragiles que la moyenne. Je ne comprenais même pas comment nos généraux osaient lancer l'offensive, avant d'apprendre par Gaelion que le roi Lemneach allait nous offrir les services de mercenaires. Mais même ainsi… Enfin, cela ne doit pas nous empêcher de faire ce qui est juste.

Caessia opina, pensive. Elle se souvenait de sa rencontre avec le Troll, de sa stupeur lorsqu'elle s'était rendu compte que « l'animal » était doué de parole. Aujourd'hui, elle n'aurait pu l'imaginer autrement que comme un être intelligent. Elle admirait son ironie lasse, sa sagacité flegmatique, la façon pudique mais inflexible dont se manifestaient ses ambitions éthiques. Même ses manières étranges, son mysticisme sauvage et secret ne le rendaient pas plus différent à ses yeux que certains Humains aux coutumes opaques.

Tandis qu'elle repensait ainsi aux moments qui avaient marqué le début de leur relation, une question qu'elle s'était souvent posée lui revint en mémoire. C'était quelque chose qu'elle avait entendu avant même de rejoindre les rangs de la République, alors qu'elle n'était encore qu'une prisonnière parmi ses futurs camarades.

— Le soir où je suis arrivée au campement d'Ettore, commença-t-elle, vous teniez conseil, tu te souviens ?

Le Troll acquiesça, étendant son dos contre un pilier brisé pour le soulager de la posture courbée qu'il avait dû adopter toute la matinée. Malgré sa masse colossale, il avait la grâce nonchalante d'un chat qui s'étire.

— Il y avait des Elfes, poursuivit la jeune fille. L'un entre eux a parlé de Sorcelame, n'est-ce pas ? Je n'avais jamais entendu ce nom à l'époque, mais je m'en suis souvenue dès que Kendan et Gaelion nous en ont parlé. En vérité, ça n'a pas cessé de me perturber depuis l'autre nuit. Que connaît exactement la République à ce sujet ?

Aljir eut une moue incertaine.

— Pas grand-chose, je le crains. Tout ce que nous savons, c'est ce que nos alliés Barbares ont bien voulu nous en dire… Les hommes des Steppes semblent bien informés à ce sujet.

— Les Steppes ? Nos alliés ? l'interrompit l'infante de Tireldi. Tu veux dire que le peuple de Kendan soutient la République ?

Le Troll hocha négativement la tête.

— Pas directement. Comme nous, ils luttent contre l'influence de la Tisseuse – la Mère Stérile, telle que vous autres Humains, la nommez. Ils veillent le long de la Muraille qui ceint les territoires tombés sous le joug de Sü'adim, repoussant les armées chaosiennes qui voudraient la franchir. Mais l'entente qui nous lie ne va pas plus loin : les Barbares se moquent bien de nos visées politiques. Ils doivent se dire qu'ils ont d'autres chats à fouetter, si tu veux mon avis.

— Je comprends, médita la princesse. Mais je t'ai coupé la parole. Qu'allais-tu dire au sujet de Sorcelame ?

— Eh bien, c'est donc grâce à eux que nous avons appris son existence. Les Elfes semblaient également en avoir déjà entendu parler. Sa réapparition, c'était en quelque sorte… un signe, la preuve que l'heure de la lutte finale était arrivée. Apparemment, la légende dit que cette épée trouvera un porteur pour la brandir contre la Tisseuse, lorsque celle-ci sera de retour. D'après les Barbares, elle serait la seule arme susceptible d'en venir à bout. J'imagine que tout cela fait plus ou moins partie de la légende de l'Ost-Hedan, telle que Gaelion nous l'a narrée.

— Mais cet Elfe ne disait-il pas, justement, que Sorcelame avait été brandie, dans les Steppes ?

— Rumeur et exagération, fit Aljir en haussant les épaules. De toute évidence, le vieux Kendan ne faisait que la transporter pour la remettre à quelqu'un d'autre. Je me demande bien à qui, d'ailleurs… Ce fameux Finrad que nous devons rencontrer bientôt ? Mais au bout du compte… à Evan ? À toi ?

Sauf que je ne peux pas toucher une épée, corrigea mentalement la jeune fille, jugeant inutile de le rappeler à voix haute.

— Quoi qu'il en soit, se mit-elle à réfléchir, elle semble être un symbole fort pour pas mal de gens. Peut-être pourrions-nous l'utiliser pour rallier d'autres forces à notre cause, à commencer par les hommes des Steppes…

Caessia, éduquée depuis toujours à un certain pragmatisme politique, n'aurait pu passer à côté de cette idée. Elle connaissait le pouvoir des emblèmes et des mythes sur les peuples. Indépendamment de tout le reste, Sorcelame était peut-être leur chance de rassembler autour d'eux de puissants alliés.

— C'est un sujet à creuser, admit Aljir, après un instant de réflexion. Comme je te l'ai dit, j'ai bien peur que les Barbares n'aient pour l'heure d'autres sujets de préoccupation... Mais tu as raison sur le fond : d'une manière ou d'une autre, nous devrons trouver du soutien auprès des autres nations. Ce sera nécessaire si nous voulons maintenir notre régime face à l'hostilité prévisible des monarchies voisines et opposer un front efficace aux forces de Sü'adim.

» Cependant, nous aurons le temps d'y penser plus tard. Inutile de nous soucier déjà de l'étape suivante, alors que notre victoire sur Tireldi n'est en rien assurée pour le moment.

L'adolescente émit un petit rire moqueur.

— Tu recommences...

— Par mes Ancêtres, tu as raison ! jura le Troll. Je vais finir par nous porter la poisse...

Il se détourna vers le couple de corbeaux qui picorait toujours non loin d'eux, et pesta :

— Ce sont ces oiseaux de malheur qui m'inspirent de sinistres pressentiments, j'en suis sûr ! Des corbeaux, encore et toujours, où que nous mettions les pieds ! Évidemment, avec cette manie que tu as de les nourrir...

— Quoi ? Mais je ne les nourris pas ! s'exclama Caessia, stupéfaite.

Le Troll la toisa d'un œil sincèrement étonné.

— Ah bon ? (Il arbora fugitivement une moue dubitative, comme s'il s'attendait à entendre sa compagne lui avouer qu'elle le faisait marcher.) Étrange, je croyais... Tu n'as pas remarqué comme ils te suivent partout ?

La princesse écarquilla les yeux, muette de perplexité.

— J'avais imaginé que tu t'étais entichée de ces oiseaux de

mauvais augure et que tu leur jetais des graines en douce, s'expliqua Aljir, l'air à présent embarrassé. Je te crois, mais… c'est juste que je n'en avais jamais vu autant que depuis que je voyage avec toi.

La jeune fille avait toujours le visage figé, semblant nager dans l'incompréhension la plus totale.

— C'est un oiseau très répandu, finit-elle par dire.

— Eh bien, pas à ce point, habituellement, déclara Aljir d'une voix un peu lugubre. On dirait qu'ils rôdent autour de toi… (Il renifla avec dédain.) Triste cortège pour une jeune fille, camarade. Tu devrais te méfier d'eux…

— Enfin, Aljir, ce ne sont que des corbeaux !

Le Troll continuait d'observer ces derniers avec une expression suspicieuse.

— Même les chamans de mon peuple, qui entretiennent pourtant des amitiés anciennes avec ces bêtes de malheur, ne leur font pas totalement confiance.

Joignant soudain le geste à la parole, il saisit l'arme de jet à sa ceinture – un xhoal, comme Caessia l'apprendrait plus tard – et la lança dans leur direction. Le boomerang à double lame frôla les volatiles de suffisamment près pour les effrayer, avant de revenir dans la main de son propriétaire. La demoiselle sudienne supposa que son compagnon ne les aurait pas manqués s'il avait vraiment voulu les abattre et se demanda si elle devait vraiment lui rendre grâce pour sa magnanimité. Les corbeaux, après s'être envolés dans un bruissement d'ailes offusqué, se contentèrent de se poser un peu plus loin. Impassibles, ils continuaient d'observer les deux républicains.

La princesse frissonna, tandis qu'ils quittaient la place sous le regard implacable des oiseaux. Les paroles d'Aljir l'avaient ébranlée, davantage qu'elle ne l'avait avoué. *Des corbeaux…*, murmura-t-elle intérieurement. *Les corbeaux et leurs yeux noirs…*

Chapitre 13

Finrad pressa encore le pas, poussant son prisonnier devant lui de la pointe de sa lame. Avec de grandes envolées de capes, tous deux tournoyaient le long d'un interminable escalier en colimaçon. L'Ancien Roi accélérait pour ne pas reculer. Son cœur battait.

À mesure qu'ils descendaient, l'atmosphère s'était chargée de noirceur. Finrad pouvait percevoir cette présence, celle de l'Apôtre des morts. Elle acquérait lentement une réalité pleine de malveillance, tout impuissant que fût pourtant le Faucheur, réduit au néant depuis sa défaite mille ans plus tôt. Aussi loin dans ses profondeurs, plus un bruit ne provenait du château Drekvo, à l'exception de leurs souffles hachés et de leurs pas claquant sur les marches.

Le vieux monarque courait presque, à présent, sentant approcher le moment de vérité. Saurait-il assumer ce qu'il allait découvrir ? Il était plus anxieux qu'il n'aurait aimé l'avouer.

Bien sûr, songeait-il, il aurait été moins pénible de rappeler l'âme de Brenghenann en personne, pour lui poser directement les questions qui le taraudaient. Mais son ami ne lui aurait jamais pardonné une telle chose, si tant est qu'il eût répondu à l'appel. Finrad l'avait assez bien connu pour savoir que jamais un homme comme lui n'aurait accepté de frayer avec la nécromancie. Le Lion Rouge était mort aussi pur, aussi brave et aussi peu pragmatique qu'un jeune chevalier au lendemain de son adoubement. Des années de politique et de dracomancie n'avaient pas réussi à faire de lui un être de compromis.

— Nous y sommes, glapit soudain le sorcier, d'une voix atone.

Plongé dans ses pensées, le vieillard n'avait même pas remarqué que ce dernier s'était arrêté, paralysé, devant une lourde porte de fer forgé. Un visage grimaçant y était moulé, comme une menace.

Le Nordien ne se laissa pas intimider. Poussant les battants, qui émirent un long cri grinçant, ils entrèrent. Les jambes du conseiller Drekvo parurent se dérober sous lui un instant, mais le regard ferme du monarque lui intima l'ordre de tenir bon.

Les murs de la crypte étaient couverts de bas-reliefs aux motifs indéchiffrables sous les siècles de poussière qui s'y étaient déposés. Au centre, trônait un unique sarcophage, parfaitement lisse.

Finrad sentit une bouffée de pouvoir nauséabond l'assaillir.

L'Apôtre était là, ou du moins une partie de lui, une faible réminiscence qui suffisait à porter le vieil homme au bord de la nausée. Mais c'était là, également, que se cachaient les raisons de la mort de Brenghenann.

— Au travail…, lança-t-il un peu trop sèchement.

Puis d'une voix plus maîtrisée, il affermit sa domination sur le nécromancien à la volonté vacillante :

— Allons-y. Hissez-le hors de sa torpeur. Je ferai le reste.

Le conseiller, à demi pâmé de terreur respectueuse, entama néanmoins le rituel voué à ramener l'esprit du Faucheur dans un état de conscience suffisant pour que Finrad puisse s'entretenir avec lui.

À genoux, les mains posées sur le couvercle de pierre, l'homme en robe de bure psalmodia des prières impies en langue Ombrienne. Tout comme la lueur de leur torche, les sonorités froissées et gutturales de son appel semblaient happées par l'obscurité, sitôt ses lèvres franchies.

Durant les longues minutes de cette litanie, pas un instant le monarque ne détacha de son prisonnier son regard inflexible, sachant que sinon le malheureux en profiterait immédiatement pour se dérober. Au moment clé de l'invocation, afin de lui insuffler le courage nécessaire, il tendit même le bras vers lui, agrippant solidement son épaule. Le conseiller vit alors son besoin de fuir – physiquement ou bien en s'évanouissant – plié par la loi antique de l'Ancien Roi. Par bonheur, pour les fils des Humains, il existait encore un pouvoir plus impérieux que celui de l'Ombre.

Malgré cette maigre satisfaction, Finrad devait avouer qu'il redoutait au fond de lui une nouvelle confrontation avec l'Apôtre. Bien entendu, sans même un sacrifice de sang pour lui donner une parcelle de substance, celui-ci serait vide de tout pouvoir. Même pas le fantôme de ce qu'il avait été... un non-être tout juste capable de formuler quelques mots et d'obéir aux souhaits des vivants.

Mais le seigneur du Nord avait autrefois payé cher pour apprendre quels terribles ennemis faisaient les Apôtres. Un mot de leur part, parfois, pouvait suffire à détruire une âme ou une nation. Ils *étaient* le mal, et lui-même aurait été bien fou d'envisager une conversation avec l'un d'eux sans la plus extrême vigilance.

Subitement, bien que n'ayant pas donné l'impression de se conclure, la sombre prière cessa. Sans un mot de plus, le conseiller Drekvo se releva lentement et se retourna. Avisant ses yeux devenus ternes et son teint de cendre, Finrad comprit aussitôt qu'il était mort. Seules ses lèvres et sa gorge demeuraient animées d'une vie factice, comme le prouva le murmure qui s'en éleva.

— Une seule âme ? fit la nouvelle voix, déçue. Une seule âme pour me rappeler d'aussi loin... Au-delà de l'insulte, c'est une absurdité. Je sens déjà les liens infernaux me tirer en arrière. Je serai reparti dans un instant...

Finrad soupira de soulagement. Le temps semblait compté, mais le rituel avait fonctionné. Il aurait le loisir plus tard d'accorder une pensée au sorcier à qui cela avait coûté la vie.

— Tu te souviens de moi, n'est-ce pas ? déclara-t-il sans attendre, craignant que l'Apôtre ne fût rappelé à la mort avant d'avoir pu contenter sa curiosité.

— Certes.

La voix, s'élevant du visage mort, était plus glaciale qu'aucune voix humaine.

— J'ai besoin de réponses, continua Finrad dans un souffle.

Il savait que, sous cette forme oblitérée, le Faucheur n'aurait pas le pouvoir de résister à sa puissance de domination. Sans prendre le temps de marchander ou de menacer, il demanda donc :

— Qu'est-il arrivé au Lion Rouge, à Sü'adim ? Est-ce que cela a un rapport avec sa mort ?

Face au silence humilié et revêche de l'Apôtre, Finrad fit claquer sa voix de toute la puissance de sa magie, ordonnant :

— Réponds !

Impuissantes, les lèvres mortes se murent alors :

— Il... s'est aventuré... dans les Antichambres Interdites.

Le corps du nécromancien s'affaissa légèrement, et l'Ancien Roi comprit que le lien artificiel qui contraignait l'esprit du Faucheur à rester en Genesia pouvait se rompre d'une seconde à l'autre. *Vite, plus vite !* pria-t-il silencieusement.

— Il a... compulsé... les *Chroniques Pourpres.*

C'était donc ça ! Finrad ne put s'empêcher de blêmir. De nom, il connaissait l'existence de ces archives infernales. Les ouvrages les plus impies, les plus malsains et les plus corrupteurs qui se puissent imaginer. Mais jamais il n'aurait pensé que son ami fût parvenu à atteindre des reliques aussi précieuses aux yeux des démons. Il s'était toujours figuré des légions d'entre eux assurant leur garde... Brenghenann avait-il réellement pu mettre toutes ces défenses en déroute ?

D'une manière ou d'une autre, il les a lues, abrégea mentalement le Nordien. *Au moins une partie. Et il a dû y découvrir quelque chose... quelque chose de terrible. Un savoir que la Mère Stérile ne pouvait souffrir entre des mains ennemies...*

Tout prenait place. Comme il en avait depuis longtemps l'intuition, c'était bien la Mère des Douleurs qui avait dû commanditer l'assassinat de son compagnon.

— Qu'y avait-il, dans ces *Chroniques Pourpres* ? interrogea-t-il avec sévérité. Que dissimulaient-elles de si important pour motiver le meurtre du Lion Rouge au cœur même de notre retraite ?

Les lèvres du nécromancien esquissèrent un sourire.

— Je repars... La torpeur me rappelle à elle... Et il n'y a rien... que tu puisses faire... pour l'empêcher.

— Réponds ! cingla Finrad, décidé à extorquer les secrets de l'Apôtre jusqu'au tout dernier instant.

— Le réveil des Puissances..., murmura le Faucheur, devenu à peine audible. Autrefois, vous avez créé... vos maudites Voies... Vous avez joué... avec des forces que vous ne compreniez pas...

— Quel rapport avec Brenghenann ? le pressa le vieillard. Qu'a-t-il découvert exactement ?

Le cadavre du sorcier chancela, puis tomba sèchement sur un genou.

— Les Puissances... sont de retour. Elles sont revenues... avec le passage du Fleuve. Elles sont revenues... pour nourrir la Mère.

Un rire aussi glacial que les paysages qui l'avaient vu naître fouetta alors les oreilles de Finrad. Et sur ce dernier son, le corps sans vie s'effondra tout à fait, déserté du maléfice qui l'animait. Dans le silence millénaire de la crypte, seul resta l'écho moqueur et plein d'assurance, qui sembla mettre une éternité à se dissiper.

Non sans une intense frustration, Finrad observa le mort gisant à ses pieds, déjà rigide comme un cadavre de plusieurs heures. Il aurait aimé avoir plus de temps, poser d'autres questions. Mais il savait l'essentiel. Le reste, il pouvait désormais le comprendre par lui-même.

Éprouvant tout à coup une humiliante sensation de fatigue et de vieillesse, il rangea sa lame argentée pour reprendre précipitamment appui sur son bâton. Son souffle était court, et l'ampleur de ces dernières révélations lui donnait le tournis. Les réponses étaient trop proches de ce qu'il avait redouté.

Les Puissances, ces mystérieuses entités, étaient l'expression de la Manne. La Manne que les Anciens Rois avaient détournée de son cours naturel pour la domestiquer et créer les Voies qui devaient leur servir à triompher de l'Ombre.

« Nourrir la Mère »..., répéta mentalement Finrad. Ainsi, la Mère Stérile avait toujours su que ces puissances fouleraient à nouveau Genesia, qu'elles se relèveraient du sommeil dans lequel les avaient plongées les manipulations magiques des Anciens Rois. Elle avait attendu son heure, fait croire à sa propre défaite. Et à présent elle était prête à débusquer les anciennes Puissances pour s'en repaître...

Le Nordien était horrifié. Depuis le départ, lui et les siens avaient supposé que la seule ambition de leur ennemi était d'asseoir son pouvoir tyrannique sur Genesia... De régner – d'horrible manière peut-être –, mais guère plus que cela...

Comme nous nous sommes fourvoyés... Comme nous avons sous-estimé son monstrueux appétit... Il tremblait légèrement, à présent, impuissant à réprimer cette marque de faiblesse. *Je l'avais craint... je le sentais. Il y a plus en jeu que l'avenir du monde, en effet. Si la Mère des Douleurs parvient à ses fins, c'est l'équilibre de la magie et de la vie elles-mêmes, toutes les forces qui sous-tendent l'univers, qui sera mis en péril. À travers les Puissances, elle aspirera jusqu'à la dernière goutte de la Manne, jusqu'à ce que plus rien ne demeure pour soutenir la texture du cosmos... Jusqu'à ce qu'il ne reste plus rien.*

Finrad chancelait. Même si l'intuition terrible de quelque chose de cette nature l'avait taraudé depuis des nuits, c'était une autre affaire que de s'y trouver confronté. La culpabilité et la frayeur se mêlaient en lui. *Avons-nous eu tort de frayer avec la Manne ? Avons-nous effectivement manipulé des pouvoirs qui nous dépassaient ? La nécessité semblait nous donner tous les droits, à cette époque... Était-ce réellement le cas ? Si nous n'avions pas affaibli les Puissances, nous n'en serions pas là aujourd'hui. Oui, nous avons sauvé les Peuples Cadets, pour un temps. Mais au prix de toute vie dans le cosmos.*

Cependant, l'ancien seigneur du Nord n'était pas homme à se lamenter. Tant que tout ne serait pas terminé, il y aurait encore un espoir. Plus lourdes lui apparaissaient ses erreurs passées, plus impérieux se faisait son sens du devoir. Aussi longtemps qu'il vivrait, il tenterait de réparer ce qui pouvait l'être.

Il savait qu'il devait se hâter. Plus encore qu'il ne l'avait cru, maintenant que ses pires craintes se trouvaient confirmées. La Mère Stérile recouvrait ses forces, mais cela ne signifiait plus seulement la défaite des peuples. Cela pouvait vouloir dire la mort de toute vie, l'extinction de toute magie dans l'Univers. Vivants et morts seraient balayés ensemble, ce serait la fin de tous les souvenirs, de tous les futurs.

Se hâter, encore…, gémit intérieurement le vieillard, sachant combien l'épuisement le guettait. Mais qui d'autre pouvait engager cette course contre la montre avec la Dernière Prophétesse ? Qui aurait pu s'en charger à sa place ?

À cette pensée, l'Ancien Roi sentit combien il était seul. *Vers qui me tournerais-je, en effet ?* songea-t-il. Car une question restait sans réponse : lequel, parmi les Hauts Rois présents dans leur retraite, avait lâchement porté le coup fatal au Lion Rouge ? Ce ne pouvait être que l'un d'entre eux, même si cette idée lui soulevait le cœur.

Le seul allié qui lui restait – peut-être – n'était autre qu'un enfant rétif, dont il n'avait pour le moment aucun moyen d'être sûr qu'il s'agissait bien de l'Ost-Hedan…

Dans les abîmes de la demeure Drekvo, Finrad ferma les yeux. Longtemps, il contempla intérieurement la gravité de la situation. Son esprit restait tourné vers Evan et ses compagnons de route. Inconscients de l'ampleur de leur tâche, de l'urgence dans laquelle ils se trouvaient plongés. Car Evan, s'il était bien l'Ost-Hedan, devait apprendre au plus vite. Il devait faire ses preuves au Conclave et maîtriser ses pouvoirs avant que la Mère Stérile n'ait achevé sa régénération. Avant qu'elle ne se soit mise en chasse des Puissances.

L'Ancien Roi soupira, crispant le visage, comme victime d'une vieille douleur. *Le plan de notre ennemie se déroule comme elle l'avait prévu. Ça a déjà commencé. Et ils ne savent rien...*

Chapitre 14

Evan était tracassé. Il se sentait las des rêves, fatigué de tous les vilains tours que lui jouait son esprit. L'étrange songe de la nuit passée l'avait achevé, en quelque sorte. Il lui était facile de se remémorer tous les récents écarts de sa psyché versatile : les absences mystiques inexplicables, comme celle qui avait gâché sa première représentation de marionnettiste, les éclats de fureur téméraire qui l'embrasaient sans prévenir, ses réactions aussi improbables qu'involontaires face à certaines situations… Et maintenant, même son sommeil ne connaissait plus ni la paix ni la normalité.

Voyons, ce n'était qu'un rêve, après tout…, badina-t-il intérieurement. Mais il savait bien qu'il ne réussirait pas à s'en convaincre. Sa rencontre avec le vieux sage du Fleuve avait été trop singulière, trop *réelle* pour n'avoir été qu'un simple rêve.

Dans l'espoir de chasser le malaise qui l'avait envahi, le garçon tâcha de récapituler les objectifs concrets qui se trouvaient devant lui. Il était venu jusqu'ici pour trouver Finrad, et cela restait sa priorité. Certains de ses compagnons projetaient d'assassiner le roi Bassianus, mais cela ne le concernait pas vraiment. Il devrait donc peut-être se séparer d'eux quelque temps, afin de mener ses propres investigations.

Plus il y pensait, plus la situation lui paraissait insolite. « Rejoins-moi à Farnesa », avait dit le vieil homme. Depuis lors, Evan avait supposé qu'il lui suffirait de faire un pas dans la cité pour retrouver Finrad... mais, évidemment, les choses n'étaient pas aussi simples, une fois sur place. Personne n'était venu l'accueillir, ni n'avait laissé de message pour lui. La ville lacustre, en outre, semblait gigantesque et tortueuse au petit berger des Lacs. *Et il y a une telle foule !* se lamentait l'adolescent. C'était comme si, dans chaque rue, on avait reproduit au centuple la grande foire qui avait lieu à Bronghan tous les printemps... Jamais Evan n'aurait été capable d'imaginer quelque chose de semblable, s'il ne l'avait vu de ses yeux. *Comment retrouver un vieil homme parmi tous ces gens ?* pestait-il avec découragement. *C'est tout simplement impossible !*

Tandis qu'il était ainsi plongé dans ses pensées, les trois Ouestiens longeaient le grand canal qui traversait Farnesa en son milieu. Ils cheminaient en file indienne, sur le mince trottoir qui bordait les grands palais de la rive sud. L'eau du lagon, miroitant sous le soleil matinal, faisait clapoter mille étincelles d'or bleu.

Bien que le carnaval annuel ne commençât officiellement que dans plusieurs jours, les étrangers avaient aperçu de nombreux festivaliers impatients qui, incapables de résister, avaient déjà passé leurs habits de fête. Le résultat était un spectacle multicolore, tout de losanges blancs et dorés, de fraises à la largeur exagérée dans lesquelles disparaissait la tête de leur propriétaire, de frous-frous et de jabots variés. C'était un paysage d'apparence sympathique, mais le garçon ne parvenait pourtant pas à l'apprécier sereinement. En effet, chaque fois qu'il voyait surgir quelque polichinelle de derrière une gargouille, chaque fois qu'un visage maquillé bondissait hors de la foule, il ne pouvait s'empêcher de songer au maître des Templiers du Chaos. L'aspect de ces gens lui rappelait beaucoup trop le costume du lugubre bouffon. Parsemés de grelots, ces pourpoints moulants, ces chapeaux extravagants tintaient et tintaient dans la cacophonie festive, jouant avec ses nerfs, lui donnant le tournis.

Harpe en bandoulière, Gaelion avançait en tête. Bientôt, il choisit de prendre les chemins de traverse, quittant l'artère principale. Evan lui rendit grâce silencieusement, soulagé de laisser derrière lui ce charivari qui le mettait si mal à l'aise. Ainsi, les adolescents s'aventurèrent à la suite de leur mentor dans des venelles discrètes et sombres, à la recherche d'une auberge pas trop exposée. Les voyageurs, en effet, n'avaient aucun intérêt à se faire remarquer : entre le régicide qu'ils complotaient et la mission secrète du Harpiste, la discrétion semblait de mise. Mais surtout, persistait à penser Evan, il y avait les menaces auxquelles leur petit groupe avait déjà été confronté... Pour ce qu'ils en savaient, Chaosiens et Fraters les pourchassaient encore, et la protection des murailles farnèsiennes suffisait à peine à le rassurer.

Le garçon nota vite que, paradoxalement, la ville semblait davantage respirer dans ces espaces confinés, peut-être en raison de leur caractère ombragé. Des maisons de bois y remplaçaient les résidences de marbre. Vermoulues, celles qui donnaient sur les canaux étaient peintes de couleurs délavées. Le rouge pâle alternait avec le vert blanchâtre, en passant par des jaunes sales. *Pittoresque...*, railla-t-il pour lui-même. Mais malgré ce sarcasme de rigueur, Evan ne pouvait enlever à la Cité des Grands sa séduction sauvage et raffinée.

Elle ressemblait à un assemblage hétéroclite de teintes et de matières. Parfois, ses rues montaient et descendaient comme les plus escarpées collines des Lacs. Ensuite, de nouveau, venaient des ponts et des places ensoleillées, sans crier gare. Toujours, les paysages urbains apparaissaient puis changeaient avec cette soudaineté inattendue qui ne cessait de surprendre les deux petits campagnards.

Ils finirent par déposer leurs affaires – à l'exception de la Compagne du musicien, que ce dernier conservait toujours amoureusement près de lui – dans une hostellerie de la ville basse. L'établissement était tenu par un certain Umberto, grand méridional au teint brun et aux larges épaules. Bien que la demeure de trois étages ne payât pas de mine, vue de l'extérieur, les adolescents furent choqués par le spectacle qu'elle offrait une fois dans ses murs. Elle était décorée avec un luxe presque outrancier à leurs yeux, arborant dans toutes les pièces des étoffes rares et de coûteuses tentures rouges qui lui donnaient l'allure d'un palais.

— C'est Farnesa..., expliqua laconiquement Gaelion devant leurs mines stupéfaites. Rien n'indique que ce qui est beau à l'extérieur s'avérera agréable à l'intérieur, et vice-versa. Je connais cet endroit, nous y serons confortablement installés... et tranquilles.

Le troubadour, déjà familier de la cité, accepta toutefois de la visiter avec ses jeunes compagnons. La matinée passa ainsi, laissant les enfants de Bronghan émerveillés par cette métropole qui leur semblait si vaste et tentaculaire. Evan se sentait très excité, mais il songea que personne n'aurait pu le lui reprocher : c'était, après tout, la première fois qu'il pénétrait dans une cité digne de ce nom, et tout s'y avérait pour lui démesuré. Le répit que cet engouement imposait à leurs esprits soucieux, en prime, s'avérait délicieux. Pour la première fois depuis des jours, ils oublièrent un peu le cauchemar qu'ils avaient traversé et les dangers qui pesaient sur eux.

De retour sur une petite esplanade fleurie et lumineuse, le Harpiste fit une pause pour consulter les noms des rues, à peine lisibles sur leurs plaques de bronze verdies. Les rayons vigoureux du soleil traversaient le feuillage des oliviers, plongeant les lieux dans une clarté romantique.

— C'est presque le moment de déjeuner, s'étonna Evan en se tournant vers Aiswyn. Je n'ai pas vu le temps passer...

La bergère leva les yeux au ciel, plissant les paupières en rencontrant la vive lumière.

— Tu n'oublies jamais un repas, n'est-ce pas ? se moqua-t-elle à mi-voix.

Se rapprochant du garçon, elle lui prit discrètement la main.

— Quel joli endroit, dit-elle en souriant.

La place était ronde, s'étendant au pied d'un pont qui enjambait délicatement une portion du lagon. Sur la gauche, Evan remarqua un kiosque, dont les tonnelles de fer-blanc avaient été forgées pour imiter du lierre grimpant. Le belvédère était vide, cependant le garçon devina que des musiciens devaient parfois s'y produire. À dire vrai, il n'en savait fichtre rien, mais cela lui aurait paru si… farnèsien !

Au centre de l'esplanade, trônait une fontaine surmontée de deux angelots de pierre blanche. Malgré les grincements des barques amarrées en contrebas, on pouvait entendre son clapotis chanter doucement. Evan s'approcha d'une balustrade qui donnait sur ces entrelacs de canaux et d'où provenaient les gémissements des vieilles embarcations rongées par l'humidité.

Toutefois, il eut à peine le temps d'y jeter un coup d'œil avant qu'un bruit de sabots n'attire son regard vers le haut, en direction du pont et de l'autre rive. Lâchant les doigts d'Aiswyn, il mit ses deux mains en visière et aperçut avec un frisson d'horreur plusieurs silhouettes de cavaliers, déboulant au trot sur la gracieuse passerelle.

Pendant une insoutenable seconde, il crut que les Templiers les avaient retrouvés. Puis il réalisa combien était ridicule l'idée de ces chevaliers noirs, coiffés de heaumes cornus, chevauchant tranquillement dans les rues d'une grande cité sudienne. Il était notoire que les Libres-Lanciers chargés d'assurer l'ordre public au sein de Farnesa étaient les plus corrompus et les moins diligents de tout Tireldi… mais pas au point de laisser des Chaosiens en armes franchir les portes de leur ville !

Hélas, le soulagement ressenti par Evan ne fut que de courte durée. Les cavaliers, en approchant, ne tardèrent pas à révéler leur véritable identité. Les rayons du soleil firent luire de mille feux leurs armures d'acier à larges épaulettes, et le jeune Ouestien reconnut bientôt leur costume sacerdotal. *Pourpremonde, des Fraters !* gémit-il mentalement. À ses yeux, cela ne valait guère mieux que des serviteurs de la Mère Stérile.

Par chance, les Daedoriens ne semblaient pas encore prêter attention à eux. Evan se permit de respirer et de lancer un coup d'œil en direction de ses compagnons. À en croire leurs visages livides, tous deux avaient également noté l'arrivée des religieux fanatiques.

Evan observa autour de lui, cherchant une échappatoire. Il ne voulait rien faire qui attirât l'attention des Fraters sur lui, mais il ne pouvait pas non plus rester ici à les attendre. Tôt ou tard, les cavaliers seraient assez près pour que leur présence déclenche la Marque Noire, le sortilège dont son ennemie l'Examinatrice avait pris soin de l'affubler. Alors, le garçon serait immédiatement révélé à leurs yeux, aussi visible qu'un feu de joie.

Je le savais ! pesta l'adolescent en son for intérieur. Malgré ses craintes, Farnesa lui était apparue comme un refuge, après le cauchemar qu'avait constitué la terrible poursuite de la nuit passée. Mais à présent elle s'avérait bel et bien un piège. Ils étaient coincés entre les Chaosiens qui devaient certainement les attendre à l'extérieur et les Fraters qui les avaient suivis dans les murs… Une fois de plus, Evan se sentit submergé par l'impression de se trouver face à un choix impossible et de n'être en sécurité nulle part.

Déjà, il pouvait voir des étincelles sombres commencer à s'élever autour de lui. Il fut tenté de faire appel à Sorcelame pour lui demander de l'aide, ou au moins un conseil… Mais il se ravisa aussitôt, une réalité fâcheuse lui arrachant cet ultime espoir. Depuis la veille, les événements s'étaient enchaînés de telle sorte qu'il n'avait pas pensé à récupérer son épée. Cette dernière était donc toujours prisonnière de ses chaînes de plomb, pendue en travers du dos de Gaelion.

Evan jeta un nouveau regard paniqué à Aiswyn et tenta de réprimer le tremblement qui s'emparait de lui. Il n'y parvint pas. *Vérole !* jura-t-il, se morigénant. Il n'était peut-être pas brave comme un chevalier, mais il n'avait jamais été couard non plus. Pourquoi alors se trouvait-il parfois paralysé par la peur, face aux Fraters ? Il n'aurait su répondre à cette question, mais n'en demeurait pas moins terrifié. Ce n'était pas quelque chose de naturel, il l'aurait juré. Lorsque ce phénomène se manifestait, les Fraters lui inspiraient une frayeur animale, implacable, que les dangers encourus ne suffisaient pas à expliquer. Était-ce quelque effet secondaire de la Marque

Noire ? C'était, en tout cas, une anomalie de plus à ajouter à la longue liste des farces cruelles que son esprit lui faisait subir.

Durant cet instant, qui lui parut durer des heures, il se tourna d'un air suppliant vers le Harpiste. Gaelion n'avait-il pas dit un jour qu'il pourrait essayer de contrer le sortilège de la Soror ?

Lorsqu'il le vit commencer à pincer quelques cordes sur sa Compagne, Evan crut que des larmes d'espoir allaient lui monter aux yeux. C'était sa dernière chance…

L'air de rien, le Harpiste entama une mélodie douce et enjouée. Il fit signe à ses apprentis de le suivre comme si de rien n'était, et ils amorcèrent quelques pas afin de s'éloigner discrètement du passage des chevaux. Avec un soulagement indescriptible, l'adolescent remarqua que les étincelles noires disparaissaient peu à peu au lieu de s'amplifier. La petite musique ne comportait que quelques notes, répétées sans cesse sur un rythme agréablement lancinant. Bien que jolie, elle n'avait rien de particulier, rien qui puisse attirer l'oreille. Ainsi, en quelques instants, ils ne furent plus que trois baladins insignifiants, jouant un petit air de musique, fondus dans la grande cité.

Les religieux passèrent à côté d'eux sans même leur jeter un regard, la contre-magie de Gaelion semblant faire parfaitement effet. Evan sentait ses jambes flageoler et priait les Étoiles pour que les cavaliers ne remarquent rien d'anormal dans son attitude.

Il osait à peine jeter un regard dans leur direction, mais parvint à lever les yeux juste assez longtemps pour s'apercevoir que la Soror de sa connaissance ne semblait pas chevaucher parmi eux. Avec un peu de chance, se dit-il, ces Fraters étaient à Farnesa pour leurs propres affaires, et non pour le persécuter.

Lorsqu'il les vit enfin disparaître, la queue de leurs chevaux soignés balayant le sol des ruelles, il se rendit compte qu'il avait retenu sa respiration depuis de longs instants. Prenant une soudaine et grande goulée d'air, il se laissa tomber sur les marches du belvédère de fer forgé.

— Scorbut, on a eu chaud…, bafouilla-t-il, le front couvert d'une sueur glacée.

Gaelion acquiesça gravement, lâchant à son tour un léger soupir de soulagement.

— Des Fraters à Farnesa, siffla-t-il d'un air étonné. C'est bien notre veine…

» Il faudra que tu prennes soin de rester près de moi, autant que possible. Je ne garantis pas pouvoir tromper la Marque Noire chaque fois, mais je pourrai au moins essayer.

— Leur présence ici semble vous surprendre, remarqua Aiswyn tout en s'asseyant à côté d'Evan.

— Surpris est un faible mot, avoua le musicien. Les membres de la Fraternité détestent Farnesa. Non : ils l'ont en horreur. À leurs yeux, elle est le temple du vice, elle représente tout ce qu'ils abhorrent ! Je donnerais cher pour savoir ce qui peut bien les amener ici.

Evan claqua des dents, avant de déclarer amèrement :

— Pour ma part, j'espère ne jamais le savoir. Si, pour changer, ça pouvait n'avoir aucun rapport avec moi, cela me suffirait. (Il souffla comme une forge.) Pourpremonde, cette fois j'ai bien cru que j'allais mouiller mes chausses !

Aiswyn, qui constatait à présent l'ampleur de la frayeur qu'avait ressentie son jeune ami, glissa un bras maternel autour de ses épaules. Après avoir embrassé doucement son front couvert de mèches humides, elle lui adressa un dernier sourire réconfortant puis se tourna à nouveau vers le Harpiste.

— Il y a quelque chose que je ne comprends pas, déclara-t-elle. Pourquoi les Fraters devraient-ils être nos ennemis ?

Evan ne put retenir un gloussement horrifié.

— J'hésite… lâcha-t-il d'une voix atone. Attends, peut-être parce qu'ils ont essayé de vous enlever et de me tuer, l'autre fois ? Tu sais, juste après avoir rasé le village jusqu'au dernier vieillard !

La bergère le réprimanda du regard.

— Je sais tout ça. Mais… pourquoi ? Pourquoi nous vouloir du mal ? Eux aussi luttent contre la Mère Stérile, si j'ai bien compris. Ils semblent même être les seuls, mis à part la République, à considérer réellement la menace qu'elle représente. En tout cas, j'ai toujours entendu de beaux discours, comme quoi ils étaient les forces du Vide et de la Lumière et qu'il était de leur devoir de mettre les pécheurs en garde contre la corruption de Sü'adim…

— C'est exact, admit Gaelion. Même si leur traque des Ombriens soi-disant dissimulés au sein de la population tourne bien souvent à une stérile chasse aux sorcières, si vous voulez mon avis… Mais on ne peut leur enlever cela : ils ont effectivement été les premiers à annoncer le retour de la Mère Stérile et la nécessité de se défendre contre elle.

Aiswyn fronça pensivement les sourcils, avant d'insister :

— Alors, en toute logique, ils devraient plutôt nous aider, n'est-ce pas ? Si, effectivement, l'un d'entre nous est l'Ost-Hedan et possède le pouvoir de vaincre la Dernière Prophétesse à l'aide de cette épée Sorcelame, eh bien, nous œuvrons dans le même camp ! Pourquoi voudraient-ils nous tuer ? Cette attitude est tout simplement absurde !

Le musicien aux yeux gris observa sa jeune pupille, ses lèvres figées dans leur habituelle mimique impassible.

— Je crois que je possède un élément de réponse, finit-il par dire. Mais tout d'abord, soyons précis : les Fraters ne veulent pas *tous* nous tuer. Il semblerait, d'après notre dernière expérience, qu'ils projettent de *se servir* de l'Ost-Hedan, d'une manière qui nous échappe encore.

» Cependant, je pense qu'ils ne nous considéreront jamais comme des alliés potentiels. Au mieux, pour eux, l'Ost-Hedan peut être un outil. Mais certainement pas un héros.

— Pourquoi ça ? le questionna Evan, qui retrouvait lentement quelques couleurs.

— Toutes ces légendes autour de l'Ost-Hedan, cette… prophétie, ce sont des choses qui datent du Glorieux Âge, expliqua le ménestrel. Avant que les Anciens Rois ne quittent le continent. L'Ost-Hedan pourfendant l'Ombre à l'aide des Aethers, c'était *leur* rêve, *leur* dernière volonté. Il est même dit qu'ils doivent revenir fouler le sol de Genesia lorsque ce moment sera venu.

» Étoiles ! s'exclama le ménestrel dans un souffle, frappé par une révélation. Si la légende dit vrai, on pourrait penser qu'ils sont peut-être déjà revenus… qu'ils sont là, quelque part…

— Les Anciens Rois, sourit Evan goguenard. Les Anciens Rois des légendes…

Toutefois, son sourire s'effaça bien vite, comme il se remémorait tout ce qu'il avait vu récemment et qu'il n'aurait jamais cru voir, depuis l'avatar de la Mère Stérile jusqu'aux Templiers du Chaos. Il se renfrogna à nouveau, les yeux rivés sur la pointe de ses bottes.

— Mais quel rapport avec la Fraternité ? s'enquit Aiswyn, désireuse de voir éclairer son interrogation de départ.

Le Harpiste acquiesça et reprit :

— Il se trouve que les Fraters n'accordent aucune confiance à l'héritage des Anciens Rois. Depuis des siècles, ils ont paru leur vouer une haine féroce, au contraire. C'est ainsi qu'ils détournèrent et corrompirent l'essence même de la Voie dracomancienne qui leur avait été confiée par eux.

— Mais… pourquoi ? fit la jeune fille.

— Au sein de mon ordre, certains prétendent que la Fraternité n'aurait jamais accepté le départ des Six, interprétant cela comme un lâche abandon. Je ne sais pas si cela peut suffire à expliquer un tel antagonisme, avoua-t-il, partageant le scepticisme de sa pupille. Mais lorsqu'on se penche sur l'histoire de leur secte, on remarque effectivement que les Fraters ont eu à cœur de prouver qu'ils pouvaient prospérer et se défendre sans l'aide de personne… Tout ce temps-là, ils n'ont eu de cesse de se démarquer des autres Voies.

» Cet orgueil forcené de se suffire à eux-mêmes, de se montrer meilleurs que les autres… Peut-être est-ce également ce qui les pousse à vouloir s'octroyer tout l'honneur qui reviendra au vainqueur de la Mère Stérile. Ils veulent garder pour eux seuls la gloire de sa chute, à mon avis. Pas question de la partager avec l'Ost-Hedan, le champion annoncé de ces Anciens Rois qu'ils détestent… Tu comprends ? Ils l'utiliseront s'ils n'ont pas d'autre choix, mais ils s'arrangeront pour que son rôle reste secret et pour que la victoire rejaillisse uniquement sur leur Fraternité.

Aiswyn ne trouva rien à ajouter. Ce fut la voix d'Evan qui s'éleva en un murmure.

— Si seulement ils pouvaient nous oublier un peu, dit-il entre ses dents. Qu'ils gardent donc tous les honneurs, et tous les ennuis aussi… Je les leur laisse volontiers.

Il faillit ajouter un juron, mais se contenta de soupirer en haussant les épaules.

Sur ce silence, Gaelion tendit la main à Aiswyn pour l'aider à se relever, avant de faire de même avec le garçon.

— Ne faisons pas attendre Caessia et Aljir, décréta le musicien. Il est sûrement temps de les rejoindre dans la rue des costumiers.

Ils se remirent donc en route à travers la ville. Mais la bergère n'en avait pas fini avec le Harpiste. Profitant des ruelles où la foule n'était pas encore trop compacte, elle chuchota tout en marchant à ses côtes :

— Gaelion ?… Je voulais vous dire merci.

Le maître troubadour lui adressa un regard interrogateur.

— Vous nous avez sauvés, une fois de plus, s'expliqua-t-elle timidement. Grâce à votre… Compagne. (Elle rougit, embarrassée.) Votre magie, en vérité. Je regrette de vous avoir traité de Dracomancien…

Le ménestrel laissa fuser un petit rire sourd.

— Mais… c'est ce que je suis, jeune fille ! s'exclama-t-il à mi-voix.

Son ton était ostensiblement amusé, mais une expression craintive n'en passa pas moins sur le visage d'Aiswyn. Elle sembla prendre sur elle pour ajouter :

— Eh bien, dans ce cas, disons que je regrette d'avoir pensé que cela était mal. Vos… talents ne sont pas les pouvoirs démoniaques que j'avais imaginés.

Le Harpiste la remercia d'un élégant signe de tête.

— À ce propos, poursuivit la bergère, décidément bien prolixe, vous avez dit un jour quelque chose qui m'a étonnée…

Evan sourit intérieurement. *Aiswyn, tu ne changeras jamais…*, se dit-il. *Lorsqu'elle devient loquace, rien ne saurait l'arrêter avant qu'elle ait pu faire le tour de tous les commentaires et de toutes les questions qu'elle a retenus depuis des jours…*

— C'était le soir de notre rencontre, à la veillée, enchaînait la jeune fille. Vous en souvenez-vous ? Vous avez joué pour nous, déclarant que…

Elle se tut, hésitante.

— Oui ? l'incita à poursuivre son mentor.

— Vous avez prétendu que c'était votre Compagne qui choisirait le morceau que vous alliez interpréter. Ça m'a fait un peu peur, sur le coup, mais j'avoue que ça n'a pas cessé d'attiser ma curiosité depuis.

Gaelion eut un sourire pensif. Une fois n'étant pas coutume, la curiosité d'Aiswyn ne semblait pas déclencher ce mutisme inflexible qui constituait la réaction habituelle du musicien. D'ailleurs, Evan avait noté que leur maître se montrait toujours plus doux et plus prévenant avec son amie qu'avec lui. Il n'aurait pas été jusqu'à jalouser son amie d'enfance, mais cette gentillesse affectée avait tout de même le don de l'agacer. *A-t-on idée de se montrer aussi galant avec une petite paysanne des Lacs ?* se moquait-il en son for intérieur. *Aiswyn n'est pas faite de cristal fragile, elle ne va pas tomber en poussière si on la rabroue un peu !*

— Notre musique est magique, murmura paisiblement Gaelion, comme s'il se parlait à moitié à lui-même. Pour ceux qui y sont initiés, ce n'est pas seulement un mot, mais une réalité complexe et sensible. Ainsi, il n'y a pas de réponse simple à ta question. Disons que nos harpes – nos Compagnes – font partie de nous.

» Tu comprends, chaque Voie a sa propre philosophie, sa propre approche de la magie. Comme tu l'as certainement remarqué, les pouvoirs de la Voie de la Harpe sont basés sur la beauté, les arts et la musique en particulier.

Il marqua un temps d'arrêt, puis s'interrogea à voix haute :

— Cependant, je ne suis pas persuadé que ce soit le bon moment pour t'instruire sur tout cela… Mieux vaudrait attendre d'être au calme, tu ne crois pas ?

Mais c'était mal connaître Aiswyn. Ainsi qu'Evan l'aurait parié, elle ne se laissa pas éconduire si facilement :

— Ne sommes-nous pas au calme, précisément ? insista-t-elle d'une petite voix. Les rues me semblent moins agitées que ce matin, et nous avons un peu de temps devant nous, chemin faisant. C'est une situation plus paisible que celles auxquelles nous avons été habitués ces derniers jours, n'est-ce pas ? Qui sait quand une prochaine occasion se présentera ?

Gaelion parut se retenir de sourire à nouveau, mais une étincelle d'amusement attendri vint fugitivement éclairer son regard nostalgique.

— Quand vous avez une idée en tête…, souffla-t-il. Est-ce donc une caractéristique commune à tous les gens des Lacs ?

— Je le crains, fit Evan, qui retrouvait peu à peu une meilleure humeur.

Le baladin jeta un regard autour de lui afin de vérifier que personne ne les écoutait, puis se résolut à reprendre son explication :

— Nous autres, Harpistes, sommes versés dans l'art d'influencer les états, dit-il. Les états de conscience, entre autres, et les émotions plus particulièrement. Mais notre musique peut également atteindre les zones les plus profondes des êtres et des choses… elle peut jouer aussi bien avec les âmes et les corps, qu'avec la magie elle-même. Par exemple, nos partitions – je veux dire : nos sortilèges – de contre-magie sont vraisemblablement parmi les plus efficaces de la dracomancie.

Une chance pour moi…, songea Evan, se remémorant la manière dont son maître avait contré les effets de la Marque Noire.

— Pour ma part, poursuivait le Harpiste, je m'en suis plus ou moins tenu à ces sujets d'étude. Mais certains d'entre nous développent d'autres domaines : ils explorent de nombreux sorts touchant au voyage, à l'illusion ou au monde des rêves. Voilà, dans les grandes lignes, ce que sont les attributions de la Harpe... Notre héritage, laissé pour nous par les Anciens Rois.

Il y eut un soudain silence. Intuitivement, Evan fut certain que le ménestrel hésitait à ajouter quelque chose... quelque chose d'important. Mais ce dernier décida de n'en rien faire. Le garçon, qui avait attendu quelque révélation capitale, ne put que soupirer. Il savait d'expérience qu'aucun stratagème ne saurait faire parler le Harpiste d'un secret qu'il avait décidé de ne pas dévoiler.

Aiswyn, qui n'avait cessé de boire les paroles de leur mentor, le prit néanmoins gentiment en défaut :

— Pardonnez-moi, Gaelion, mais je crois que vous avez encore oublié ma question initiale...

Cela suffit à tirer le musicien des pensées énigmatiques qui avaient paru le préoccuper. Agrandissant les yeux, il s'excusa :

— Oui, bien sûr... Où ai-je la tête, ces derniers temps ? Vois-tu, si j'avais commencé à t'expliquer tout cela, c'était justement pour en venir au point qui t'intéresse. Car malgré les différents avantages que je viens d'énumérer, il existe une particularité de notre Voie – intimement liée aux problèmes soulevés par ta question – qui pourrait en revanche être perçue comme une contrainte. (Il sourit.) Mais qu'aucun Harpiste digne de ce nom ne considère comme telle, bien entendu. Je veux parler du lien intime qui nous attache à nos Compagnes et du fait qu'elles nous soient indispensables pour pratiquer notre art. Sans harpe, pas de magie possible.

» Mais cela va beaucoup plus loin, poursuivit-il. Les harpes... s'imprègnent de l'art de celui qui les porte. Et elles lui parlent en retour, à leur manière. Elles lui parlent de son âme, elles lui chuchotent des conseils... Des choses subtiles que lui seul peut entendre, à travers la vibration particulière des notes qu'il tire de son instrument.

Evan remarqua qu'Aiswyn écoutait le Harpiste d'un air émerveillé. Ce dernier en arrivait doucement au but de son exposé :

— Je sais entendre ce que ma Compagne a à me dire. Ce n'est

pas facile à expliquer, s'excusa-t-il. Il s'agit d'une relation extrêmement délicate et intime... et je crois qu'il faut en faire l'expérience pour l'appréhender vraiment. Mais si je devais t'apporter une réponse tranchée, alors je dirais : oui, on peut dire que les Compagnes sont douées de conscience, à leur manière. Voilà pourquoi, certaines fois, elles peuvent décider de la musique qu'elles veulent jouer.

La main du musicien se posa sur l'étui de son instrument, qui trônait contre son flanc depuis que l'encombrante Sorcelame l'avait délogé de son dos. Dans ce simple geste, Evan pouvait lire la tendresse tranquille mais inspirée d'un mari toujours amoureux de son épouse.

— Et dans ces moments, conclut Gaelion, un Harpiste sait bien tout ce qu'il a à gagner à l'écouter. Refuser d'écouter sa Compagne, ce serait comme se trahir soi-même...

Aiswyn acquiesça, visiblement subjuguée.

— Je me disais bien que cela était davantage qu'un vulgaire morceau de bois, plaisanta l'orphelin en désignant la harpe.

Le musicien pouffa tout bas, comme incrédule devant un tel manque de respect.

— Tu ne crois pas si bien dire, mon garçon. Nos instruments nous sont remis par notre ordre, lorsque nous accédons au statut de Dracomancien. Il ne s'agit absolument pas de harpes ordinaires. Sache que toutes, sans exception, furent autrefois fabriquées – et enchantées – par une seule et même personne...

— Qui ça ? fit le garçon, sa curiosité piquée.

Lorsqu'il répondit, la voix du Harpiste était chargée d'au moins autant de respect que lorsqu'il évoquait son seigneur Lemneach d'Orlande.

— Cette personne a eu de nombreux noms, déclara-t-il. Mais nous le connaissons sous celui qu'il prit lorsqu'il décida de fonder notre ordre : le Luthier.

Aiswyn redressa brusquement la tête :

— Fondé votre ordre ? Mais... je croyais que c'était les Anciens Rois qui...

Elle s'interrompit, la bouche ouverte dans une mimique cocasse, avant de reprendre :

— Vous voulez dire que *cette* harpe, que vous portez au côté, a été sculptée par l'un des Six ?

— Si fait, ma jeune amie, admit sereinement le ménestrel. Par sa propre main. Hélas, le secret de leur fabrication a disparu avec le Luthier, il y a un millier d'années. Les Harpistes ont ainsi dû se transmettre leurs Compagnes de génération en génération, rendant leur instrument aux soins de l'ordre lorsqu'ils sentaient la mort approcher. Vous comprenez, à présent, pourquoi elles sont si précieuses à nos yeux…

» Mais cela présente aussi quelques avantages : étant toutes nées de la même magie, nos harpes sont comme reliées entre elles. Ainsi, un Harpiste n'est jamais totalement coupé de ses frères. Par exemple, lorsque nous voulons faire parvenir un message à l'un de nos semblables, il nous suffit de le confier à notre instrument. Alors, même si notre condisciple se trouve à l'autre bout du continent, sa propre Compagne demandera à faire entendre sa voix et lui délivrera les informations voulues à travers les notes d'une mélodie. On appelle ces messages magiques des « Sonates de Cent Lieues ». Compte tenu de nos activités secrètes, elles ont souvent été très utiles à notre ordre.

Cette fois, Aiswyn ne pipait plus mot, figée comme la pierre. Ses yeux brillaient d'une lueur qu'Evan ne leur connaissait pas. Au bout d'un petit moment, il allait s'adresser à elle avec inquiétude, quand elle brisa soudain son silence.

— Je n'aurais jamais cru prononcer ces mots, dans toute ma vie…, commença-t-elle du bout des lèvres. Mais ces choses-là ne sont pas du tout comme je le croyais, vous voyez ? Et je me disais que peut-être… (Elle prit une longue inspiration.) Eh bien, finalement, peut-être aimerais-je un jour tenter de devenir l'une des vôtres…

La bergère avait achevé sa phrase dans un souffle presque inaudible. Sans doute était-elle persuadée du ridicule de sa requête.

Evan, lui-même, n'en revenait pas. Depuis son plus jeune âge, son amie avait craint la magie comme la peste !

Toujours légèrement honteuse, elle ajouta aussitôt :

— Je sens que je vous ai gêné par mes sottises. Il ne faut pas m'en vouloir, Gaelion. Vous comprenez, ce n'est pas tellement la magie et les sortilèges… mais je sens qu'il y a entre vous et vos Compagnes quelque chose de… (Elle bafouillait, cherchant ses mots et rougissant de plus en plus.) Quelque chose de merveilleux, qui ressemble à… fabriquer des pantins. Enfin, je crois. Mais je sais combien tout ça est stupide, poursuivit-elle très vite. J'ignore même si votre ordre accepte des femmes dans ses rangs…

Le Harpiste s'était arrêté au beau milieu de la rue, observant sa jeune pupille d'un regard pénétrant. De sa voix parfaitement calme et mélodieuse, il lui répondit bientôt :

— Bien entendu qu'il les accepte. Il y a autant de Harpistes de chacun des deux sexes…

Sous les yeux d'Evan, son regard nuageux se nuança subtilement, sans quitter Aiswyn. Une étrange satisfaction s'y alluma, mêlée d'émotions plus délicates, quelque part entre l'attente et la fierté, peut-être.

— Plus tard, déclara-t-il, lorsque nos présents soucis seront réglés… nous reparlerons de cela.

Le regard qu'il échangea alors avec la bergère fit comprendre à Evan qu'il y aurait désormais entre eux une complicité empreinte de gravité, un univers profond et secret auquel lui n'aurait pas accès. Quelque chose d'un peu semblable, peut-être, à ce qui le liait à Sorcelame. Après un dernier sourire révélateur à l'adresse de la jeune fille, le musicien se remit en marche, en déclarant :

— Nous sommes presque arrivés ! Allons choisir les atours que nous porterons pour le carnaval…

Chapitre 15

Plus que toutes les autres, les rues marchandes de Farnesa fourmillaient d'activité. Après avoir connu une période légèrement plus paisible à l'heure du déjeuner, l'après-midi les avait retrouvées grouillantes et animées, parfois jusqu'à la bousculade.

En compagnie des trois Ouestiens qui les avaient rejoints, Caessia et Aljir écumèrent les nombreuses échoppes de tailleur, touchés à leur tour par la liesse et l'excitation populaires. Le Harpiste eut beau conseiller au reste du groupe un choix rapide et un preste retour à l'auberge, il dut capituler au bout du compte. Seul le Troll le soutint vaguement, mais les trois autres membres du groupe ne voulurent rien entendre.

La situation n'était pas si périlleuse, répondirent les jeunes gens. Les Fraters – dont la princesse apprit ainsi la présence en ville – ne se compromettraient sûrement pas parmi la folie de ce quartier animé. Les prétendus suiveurs à masque d'animal évoqués par Aljir n'avaient plus montré le bout de leur nez, si bien que le Troll lui-même commençait à douter de leur existence. Quant aux Chaosiens, pouvait-on vraiment croire qu'ils oseraient s'aventurer au cœur d'une cité civilisée ?

Bien entendu, les compagnons étaient conscients que tout danger ne pouvait être écarté, et que les raisons qui les amenaient en ville auraient sans doute requis davantage de discrétion, mais les trois adolescents paraissaient obstinément sourds aux mises en garde de leurs aînés. Caessia, elle-même, ne se reconnaissait pas. La princesse – pourtant d'un naturel réfléchi – devait s'avouer vaincue, face à l'atmosphère suffocante et enivrante qui régnait en ces lieux. C'était comme si, pour quelques heures, l'esprit du carnaval avait eu raison d'eux.

Seule une petite voix inquiète, au fond d'elle, la qualifiait d'irresponsable, de puérile... autant d'attitudes auxquelles elle n'avait guère été accoutumée. Elle savait que, sous un certain éclairage, leur comportement aurait pu passer pour de l'inconscience pure et simple. Mais elle ne parvenait pas à le considérer ainsi. Pas aujourd'hui. La cacophonie et le chahut joyeux, les centaines d'étoffes chatoyantes, les couleurs, les cris... tout cela se mêlait pour atteindre les sommets d'un enfièvrement unanime. Demain, s'était dit la princesse, demain serait le moment de se méfier à nouveau. Pour l'heure, elle se laissait porter par l'enthousiasme général, l'esprit vidé de tous ses problèmes.

De nombreux festivaliers étaient ivres, autour d'eux, tâchant de lier connaissance avec la volubilité bruyante des ivrognes. Ce n'était pas le cas de Caessia ni de ses amis, dont aucun n'avait bu la moindre goutte. L'origine de leur propre ivresse était ailleurs : ils avaient trop souvent échappé à la mort ces derniers temps... trop souvent fui de justesse quelque sort atroce. Cet après-midi leur apparaissait comme la dernière volonté d'un condamné. Quelques ultimes heures de plaisir insouciant, avant que tous trois ne doivent endosser à nouveau leur pesant carcan de responsabilités. Dans une fugace tentative de lucidité, l'infante se demanda néanmoins s'ils n'étaient pas tous un peu en train de perdre pied. *Au lieu d'inventer des arguments rassurants, ne devrions-nous pas être occupés à nous cacher, selon toute rationalité ?* Comme souvent depuis quelque temps, elle avait l'impression de flotter : avaient-ils donc perdu tous leurs repères, leur raison, à cause de ce qu'ils avaient enduré ? *Serions-nous devenus comme ces vétérans à l'esprit dévoré par les horreurs de la guerre ? Non,* frémit-elle comme une prière, *pas encore...* Ce petit moment d'oubli, c'était simplement quelque chose dont ils avaient *besoin*. Un besoin inexplicable, mais urgent, impérieux et en rien négociable.

À une seule occasion, l'aristocrate aborda avec Evan un sujet plus grave que le choix des couleurs de son habit. L'apprenti troubadour s'inquiétait de leur rencontre avec Finrad et espérait que le vieil homme n'avait pas été retenu loin de ses engagements. S'il était réellement en ville, s'interrogeait le garçon, n'aurait-il pas prévu quelque moyen de se faire connaître à eux ?

— Il ne peut croire que je vais le dénicher par magie au milieu de cette foule ! affirmait le petit berger.

Selon lui, le fait que le vieillard ne se soit pas encore manifesté était mauvais signe.

— Attendons un peu, rétorqua la princesse. Nous venons à peine d'arriver. Puisqu'il ne t'a donné aucune indication précise, c'est à lui d'entrer en contact avec toi. Pour cela, il a très certainement un plan à sa disposition. Laisse-lui seulement le temps.

Le garçon acquiesça mollement, mais lui fit néanmoins part de sa décision : il commencerait à fouiller la cité dès le lendemain.

Ce bref échange devait être l'unique intermède sérieux de l'après-midi festif des adolescents. Le reste du temps, ils s'amusèrent comme des fous, caracolant tous trois parmi la foule bigarrée, sans cesse entraînés d'une farandole à l'autre. Durant toute son existence princière, jamais Caessia n'avait eu une telle occasion de se divertir, en laissant de côté les convenances et toute idée de protocole. Bien entendu, elle ne se montrait pas à moitié aussi délurée que la plupart des autres fêtards… mais leur total manque de réserve l'amusait beaucoup, même en spectatrice. Sans les imiter tout à fait, elle parvenait à partager leur sorte de folie et en venait même parfois à regretter sa retenue naturelle. Le temps passant, elle obtint néanmoins sur elle-même une petite victoire, sa raide dignité s'effaçant quelque peu devant l'enthousiasme frivole que lui soufflait son âge tendre.

Par ailleurs, ces instants vinrent en quelque sorte sceller l'amitié toute neuve qui l'unissait à Aiswyn. Saisies par l'ambiance survoltée, les deux jeunes filles se tenaient par la main, riaient comme des enfants, se conseillaient lors de l'essayage de dizaines de costumes... Mais elles faisaient également preuve des mêmes réserves, face à l'hystérie de cette foule qui devenait parfois légèrement inquiétante, manquant les engloutir. Tandis qu'Evan, lui, se laissait arracher sans vergogne d'une ronde à l'autre, définitivement happé par la marée des danses endiablées, toutes deux restaient côte à côte, un peu en retrait. La timidité craintive de la petite marionnettiste répondait à la froide circonspection de Caessia, et cette dernière appréciait grandement cette forme de soutien moral, lorsque certains regards aussi avinés que libidineux se posaient sur elles.

Par chance, elles n'attiraient jamais ces œillades très longtemps. Le désir versatile des hommes se détournait bien vite, emporté par le mouvement de la foule et les nombreuses autres sources de divertissement. D'ailleurs, leurs manières à toutes les deux étaient sans doute trop pudiques pour cette journée de fièvre, quand certaines dames alentour dévoilaient bien davantage leurs charmes.

Partout, la chair se découvrait. Dans les boutiques, les costumiers avaient disposé de petites cabines devant lesquelles ils avaient tendu des rideaux. Mais celles-ci étaient toujours bondées, et beaucoup de festivaliers semblaient s'en moquer. Les costumes s'essayaient parmi les allées des échoppes, ou même dans la rue, exposant à tous les regards les délices de peaux satinées ou bien la truculence de rondeurs crues. Autant de motifs de fascination que ces chevilles et ces genoux qui apparaissaient à travers un rideau entrouvert, comme de fugitifs éclats pâles ou dorés. Les nuques gracieuses se mêlaient aux gorges offertes et aux muscles saillants, chacun – homme ou femme – semblant participer à ce jeu de cache-cache géant. Oscillant ainsi entre exhibition et voyeurisme, la multitude farnèsienne était décidée à faire honneur à sa sulfureuse hôtesse.

Parfois, Caessia entrevoyait le torse nu d'un homme, ou bien ses fesses. Quelquefois, l'homme en question était jeune et plaisant à regarder, d'autres fois il s'agissait d'un noceur adipeux et velu. La jeune princesse était troublée de réaliser combien elle était sensible à tout cela. Elle et Aiswyn échangeaient fréquemment de petits rires nerveux pour exorciser ce curieux malaise, mais cela ne suffisait pas. Il y avait dans ce spectacle quelque chose de dégoûtant et savoureux à la fois.

Mais ce qui perturbait l'adolescente par-dessus tout, c'était de sentir se manifester peu à peu des endroits encore inexplorés de sa conscience. Des territoires vierges, dont elle n'avait jamais soupçonné l'existence, semblaient s'éveiller au creux d'elle à un rythme galopant. La jeune fille s'était plus ou moins attendue à être émoustillée par la vision de beaux corps masculins, cela lui était déjà arrivé bien souvent. Mais elle n'aurait pas cru imaginable d'être excitée à ce point par cette débauche de corps quasi obscène. *Farnesa me monte à la tête,* tenta-t-elle d'ironiser, toute frémissante. Il flottait dans l'air comme un désir aberrant, généralisé, qui la maintenait fermement prisonnière. Cela ne se limitait pas aux hommes qui lui auraient plu habituellement, mais s'étendait aussi aux vieux bedonnants, aux morceaux de chair sans visage, jusqu'au contact tiède de la jolie Aiswyn qui se cramponnait à sa main…

Sentant rosir ses joues, elle croisa une fois de plus le regard bovin d'une quelconque brute au faciès disgracieux lorgnant dans sa direction, et se rendit compte que même cela participait à son émoi. Une partie d'elle-même brûlait d'être étreinte par des bras rudes, autant qu'elle pouvait désirer la caresse de la langue d'un éphèbe. Tout se mélangeait, tout semblait offert, et suggestif, et prometteur. Il y avait bel et bien un soupçon de plaisir orgiaque dans ce qu'elle ressentait, mais également des choses plus profondes, plus enfouies, comme surgies d'endroits secrets. À coup sûr, la faute en incombait à cette cité ambiguë et capricieuse… où elle se sentait si parfaitement chez elle.

Du coin de l'œil, elle observait les expressions du visage de sa camarade. La jeune bergère, tout comme elle, se sentait peut-être voyeuse, terriblement gênée et agréablement troublée ? Sans doute même tout cela la choquait-elle davantage qu'elle… Pourtant, au cœur même de cette cohue débridée, l'Ouestienne ne se départait pas de son air candide, comme si elle possédait en elle quelque pureté innocente que rien ne pouvait atteindre. D'une certaine manière, elle semblait moins mal à l'aise que sa compagne aristocrate. Evan, quant à lui, était invisible, entraîné hors de vue par quelque remous de la foule.

Plus tôt, en les voyant tous deux commencer leurs essayages, Caessia s'était brièvement étonnée. Les baladins avaient-ils réellement besoin de se costumer davantage ? s'était-elle demandé. À ses yeux, les vêtements qu'ils portaient habituellement – un justaucorps aux losanges multicolores pour le garçon, et un habit étoilé d'écuyère de cirque pour la fille – n'auraient pas dépareillé parmi les déguisements des festivaliers. Pour autant, les apprentis du Harpiste ne paraissaient pas décidés à dédaigner la tradition farnèsienne. Avec l'accord – et la bourse – de leur maître, ils avaient ajouté à l'ordinaire d'élégants loups de feutre doré, ainsi qu'une cohorte de rubans noués à divers endroits de leurs bras et de leurs jambes. Gaelion lui-même avait revêtu un masque similaire et ceint quelques bandes de tissu ambré autour de ses biceps.

Le sage ménestrel, d'abord rendu maussade parce que les jeunes gens avaient refusé d'écouter son conseil de discrétion, semblait finalement avoir fait contre mauvaise fortune bon cœur. Retiré sous l'enseigne d'un joaillier, il observait d'un air placide les allées et venues des festivaliers, gardant discrètement à l'œil ses deux pupilles. Machinalement, ses doigts folâtraient sur les cordes de sa Compagne, esquissant divers fragments de mélodie.

Aljir, en revanche, avait vite déchanté et montré des signes de lassitude. Sa couverture de Troll domestique le contraignait à attendre sagement sa maîtresse devant la porte des échoppes. Ainsi condamné à ronger son frein sous l'œil méprisant des passants, il paraissait néanmoins souffrir surtout de la cacophonie ambiante. Caessia ne put s'empêcher de rire jaune, en repensant à la réaction du premier tailleur chez lequel ils avaient voulu entrer.

— Dites donc, vous, attendez un peu ! s'était étranglé le malheureux. Vous ne pensez pas mettre les pieds dans ma boutique avec cet animal ? Attachez-le à l'extérieur, bon sang !

L'héritière s'était empressée d'obéir, soucieuse d'éviter à la fois un scandale et l'apoplexie totale du pauvre marchand, mais l'incident lui avait laissé un goût amer. *Il faudra que cela change, lorsque la République aura pris le pouvoir,* avait-elle songé.

Mais, en cet après-midi d'insouciance, elle avait vite laissé son esprit se tourner vers des considérations plus futiles. Conseillée par Aiswyn, elle avait choisi pour la période du carnaval une robe d'un violet presque noir, qui mettait en valeur la nouvelle pâleur de son teint. Son tissu soyeux était rehaussé de fins diamants, cousus en lignes courbes évoquant des arabesques. Face au grand miroir du tailleur, Caessia s'était réjouie de constater que ces tracés élégants épousaient parfaitement ses formes nubiles. Comme il s'agissait d'une robe de grand prix et qu'elle savait qu'elles avaient fait halte chez l'un des artisans les plus réputés de la cité, Aiswyn avait paru stupéfaite lorsque sa compagne avait effectivement acquis l'habit convoité. Caessia l'avait vu arrondir des yeux étonnés en découvrant la petite fortune en pièces d'or qui emplissait sa bourse. Même si elle en avait laissé – pour la cause – une partie importante à Ettore juste avant son départ, la princesse avait en effet conservé de quoi subvenir largement à ses besoins pendant quelque temps. Pour faire bonne mesure, l'aristocrate avait donc acheté également une cape de velours à profonde capuche, comme elle les aimait. Elle aurait voulu offrir quelque chose à sa nouvelle amie, mais cette dernière avait gentiment rejeté son offre et l'héritière avait senti qu'insister ne ferait que blesser sa fierté paysanne.

Quoi qu'il en fût, cette robe de bal était une bonne acquisition, songeait-elle. Même en pensant plus loin qu'aux festivités de Farnesa. *Ainsi, je ne me trouverai pas prise au dépourvu, si jamais se présente l'occasion de porter ce genre de toilette. Depuis que j'ai quitté la Nef, je ne possédais plus rien qui me permît de m'afficher dans les cours…*

Bien entendu, dès son engagement au sein de la République, sa fugue auprès de la princesse Deidwen n'avait plus été d'actualité, mais on ne sait jamais ce que l'avenir peut réserver... Par exemple, une mission d'ambassade pour le compte de la République – une fois le pouvoir de celle-ci installé sur Tireldi – n'était pas à exclure. L'infante ne doutait pas qu'Ettore et les siens chercheraient à utiliser son ascendance royale comme symbole politique. Et il lui faudrait bien, alors, être vêtue conformément à son rang.

Outre son costume de fête, la demoiselle sudienne avait profité de l'occasion pour se choisir un certain nombre de nouvelles tenues de voyage. Les siennes avaient bien trop souffert depuis sa fuite du palais.

Ainsi occupées, ces quelques heures de répit avaient passé bien vite... Déjà, elles touchaient à leur fin, le crépuscule s'installant. Bientôt, il ne fut plus possible de retarder beaucoup le moment où Gaelion et Aljir rappelleraient leurs cadets à l'ordre.

Comme la nuit commençait de tomber, la foule elle-même se fit moins dense. On dînait tard, dans le Sud, mais l'heure semblait néanmoins venue pour les festivaliers d'aller se restaurer. Et dans les yeux d'Aljir, Caessia pouvait deviner que le Troll avait plus que hâte d'en faire autant. Le petit groupe se mit donc en route silencieusement, l'excitation retombant au même rythme que se rafraîchissait la température vespérale.

La princesse sentait son cœur se calmer peu à peu, même s'il battait encore trop vite, et les derniers éclats de rire résonnaient maintenant à ses oreilles comme des échos lointains. Tout à coup vaguement déprimée, elle rajusta sur elle les plis de sa cape neuve, bien que la soirée fût encore douce. Ainsi, les bords de la grande capuche lui retombaient jusque sur les épaules et plongeaient son visage dans la pénombre.

Cela lui donnait un air de conspiratrice, se dit-elle avec un amusement doux-amer, ou même de conjurée prête à brandir quelque lame traîtresse. Tout cela était tellement farnèsien, tellement adapté à cette cité où chacun semblait jaloux de ses petits secrets – et où le port du masque avait la réputation de ne pas se limiter à la période du carnaval – qu'il lui fallut quelques instants avant de réaliser que c'était *effectivement* ce qu'elle était. Une conjurée. Une jeune fille qui se préparait à commettre rien de moins qu'un régicide doublé d'un parricide. Elle frissonna, pressant le pas pour rejoindre le cœur du groupe composé par ses camarades.

À ses chevilles, tintaient toujours ses bracelets damasquinés d'argent. Fréquemment, elle pouvait presque entendre les voix des moines jadiens lui reprocher cette coquetterie inutile et nocive à toute tentative de discrétion. Mais peu lui importait, elle ne pouvait se résoudre à les ôter. C'étaient les derniers objets qui lui rappelaient l'époque de la Nef, et entendre leur léger cliquetis à chacun de ses pas l'aidait à se souvenir du chemin parcouru depuis lors. Or, jugeait-elle, il fallait bien tout ce qu'elle avait traversé pour expliquer ce qu'elle s'apprêtait à commettre...

Le long du chemin pour regagner l'auberge dans laquelle les Ouestiens avaient loué leurs chambres, Caessia remarqua que la Farnesa nocturne devenait plus inquiétante. Moins charmeuse, plus rêche et brutale... On sentait qu'elle pouvait avoir, dans ces heures-là, des réactions d'amant éconduit. Farnesa la courtisane changeait de sexe, se muait en un fou cynique et retors, imprévisible et violent.

Cependant, l'infante n'était pas certaine de détester cet autre visage.

— Hâtons-nous, grogna Aljir, profitant d'une ruelle déserte pour laisser de côté son rôle d'animal de bât. Je pressens que nous pourrions faire quelque mauvaise rencontre...

Caessia haussa les épaules. Elle accordait généralement une grande confiance aux intuitions très fines de son compagnon, mais elle supposait que sa journée d'humiliation devait avoir largement contribué à rendre le Troll nerveux. Du moins, cela aurait été le cas pour elle, si même elle avait pu le supporter. Mais, surtout, la jeune fille voulait encore dérober quelques instants d'insouciance, encore flâner et s'enivrer de cette face inédite qu'affichait maintenant la ville qu'elle aimait.

La semi-obscurité faisait apparaître une autre couleur. Le glauque, qui prenait d'assaut chaque pilier, chaque mur, en révélant la rouille ou les moisissures. On comprenait, alors seulement, à quel point la cité était rongée par l'eau. Comme par une vieille maladie honteuse. Comme par un ancien péché.

L'autre visage de Farnesa s'écoutait, aussi. Par les soupiraux des palais des Grands, on entendait les pleurs des ennemis capturés. Le raclement lourd de leurs chaînes, les cris déchirants que poussaient les prisonniers de guerre soumis au supplice.

La jeune fille finit par frémir à nouveau, mais toujours pas de froid. Après tout, Aljir avait peut-être raison. *On ne peut pas raisonnablement prendre plaisir à une ambiance aussi malsaine,* se réprimanda-t-elle tout bas. Et pourtant… son cœur s'était remis à battre follement. *Farnesa…,* haleta-t-elle intérieurement.

Caessia était amoureuse pour la première fois.

Chapitre 16

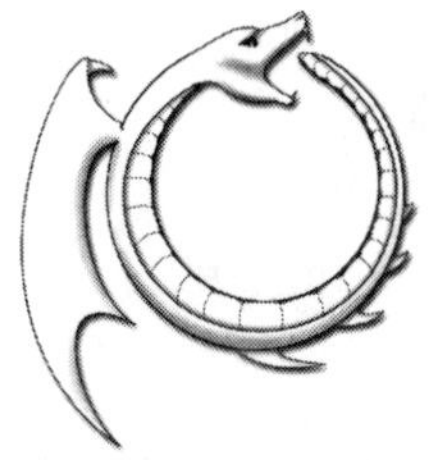

° Tu sembles essoufflé, s'intrigua l'épée. Aurais-je raté quelque chose d'important ?

Evan sursauta, frappé par le retour de la voix dans son esprit. À la suite des requêtes insistantes du Troll – qui tenait subitement à récupérer son xhain – Gaelion venait de lui rendre Sorcelame. Tandis que l'Aether changeait de main à nouveau, la mise en garde dans le regard du musicien n'avait nécessité aucune parole. « *Je te fais confiance, mon garçon, mais c'est la dernière fois...* », avaient clairement déclaré les yeux gris.

Avec un soupir, l'orphelin avait entrepris de rattacher la ceinture d'arme sur ses hanches. Il avait à peine terminé lorsque sa compagne télépathique se manifesta ainsi.

° Tu me manquais..., grogna-t-il, sarcastique. Cette sensation d'être seul avec mes pensées, tout ce silence et cette paix dans ma tête...

Un rire onctueux fusa pour toute réponse. Evan enragea. Au fond de lui, il n'était pas si mécontent du retour de l'épée, mais il aurait au moins aimé le lui faire croire...

Se souvenant de sa question, il déclara d'un ton moins acerbe :

° Non, rien de particulier. Mis à part le moment où les Templiers ont failli nous avoir, cette nuit, pouffa-t-il silencieusement.

Mais je suppose que nous sommes tranquilles de ce côté-là, pour le moment.

Il porta une main à sa joue et constata qu'elle était encore chaude. *Je dois être tout rouge...*, pensa-t-il fugacement.

° Si tu veux tout savoir, j'étais en train de danser. Et je ne vois pas en quoi cela te regarde...

Sorcelame ne répondit pas, mais Evan pouvait toujours sentir sa présence. Il craignit un instant de l'avoir vexée, mais il doutait que ce fût le cas. *D'ailleurs, je m'en fiche pas mal...*, se souvint-il.

Pensif, il observa la lune au-dessus des toits. Le garçon gardait une impression mitigée de cet après-midi endiablé. Il n'y avait aucun doute sur le fait qu'il se fût amusé, relâchant enfin les tensions qui avaient pesé sur lui depuis des jours. Néanmoins, il ne parvenait à conserver de tout cela qu'un souvenir doux-amer. D'une part, ce moment insouciant était terminé, et le retour à la réalité n'en était que plus chagrin. Mais, surtout, il regrettait de ne pas avoir réussi une seule fois à attirer l'attention de Caessia. Cette fille était-elle donc aveugle et sourde ?

Des heures durant, il avait tourné autour d'elle comme une abeille autour d'un pot de confiture. Dans les premiers moments, la foule déguisée l'avait mis mal à l'aise, lui évoquant à nouveau le sinistre bouffon qui commandait aux Templiers du Chaos... Mais ce dernier avait vite été oublié, la jeune aristocrate ne laissant aucune place pour lui dans les pensées de l'orphelin. Plus que jamais, Evan s'était senti envoûté par sa peau de nacre et ses formes souples. À un moment, il avait aperçu l'un de ses bras nus sortant d'une cabine à rideau pour attraper l'habit que lui tendait Aiswyn. Elle avait des articulations magnifiques. L'adolescent s'était senti puissamment ridicule de penser cela, mais il n'aurait pu l'exprimer autrement. La façon dont se mouvait son bras, dont jouait sa clavicule sur son épaule, et l'élégance subtile de son poignet valaient le plus captivant des spectacles. C'était comme si quelque chose s'effondrait au fond de lui, un vide qui ne pourrait être comblé qu'en caressant cette chair pâle et fuselée.

D'ailleurs, cet étrange instant de fascination n'avait pas été le seul de l'après-midi. À plusieurs reprises, le jeune Ouestien avait à nouveau ressenti un tel frisson, hypnotisé par une expression sur le visage de Caessia ou par la grâce de sa démarche. Comment aurait-elle pu ne pas se rendre compte qu'il la dévorait des yeux ? Et pourtant, pas un mot, pas un regard. Même lorsqu'ils avaient évoqué un sujet aussi important que leur future rencontre avec Finrad, elle avait eu l'air pressée d'en finir pour retourner s'amuser loin de lui. *Qu'est-ce que j'ai donc de si détestable ?* se demandait Evan, un poids désagréable sur l'estomac.

Durant ces quelques jours de cohabitation, il avait remarqué qu'elle semblait apprécier la musique, prêtant toujours une oreille attentive à la harpe de Gaelion. Aussi, l'apprenti baladin avait été jusqu'à jouer de la flûte pour elle, mettant en pratique avec application tous les conseils de son maître. Elle ne se trouvait alors qu'à quelques pas, et il avait espéré qu'elle tournerait vers lui un regard admiratif, ou au moins attendri. Mais elle s'était éloignée sans même le remarquer, attirée par quelque autre distraction du moment. Le garnement savait qu'il n'avait pas le talent du Harpiste, mais tout de même... Au bout du compte, il ne savait plus vraiment s'il était furieux ou peiné. Quel droit avait-il d'être l'un ou l'autre, de toute façon ? Cette fille ne lui avait rien demandé...

Avec un soupir résigné, l'orphelin essaya de tourner ses pensées vers un autre sujet de préoccupation. Il y parvint plus vite que prévu, comme un souvenir lui revenait subitement en mémoire. Ce matin, lorsqu'ils avaient croisé les Fraters, Evan s'était promis d'interroger l'Aether à ce sujet, dès que le contact serait rétabli.

° Tu te targues d'être ma préceptrice dracomancienne, commença-t-il. Eh bien, j'ai une question à te poser, si ça ne t'ennuie pas...

° Préceptrice draconique, le corrigea l'épée. Mais vas-y, je t'en prie.

Le garçon acquiesça physiquement, sans s'en rendre compte sur le coup. Il se dit que ses compagnons devaient souvent lui trouver un air bizarre, lorsqu'il s'entretenait ainsi avec Sorcelame.

° Je suis victime d'un sortilège des Fraters, reprit-il. La Marque Noire.

° J'en ai entendu parler, fit l'épée d'un ton préoccupé. Ce n'est pas quelque chose que je connais très bien, mais je sais ce que c'est. D'ailleurs, j'avais déjà remarqué que tu étais Marqué lors de l'arrivée des Fraters au village de la bataille.

° Et… alors ? demanda le garçon. N'y a-t-il rien que tu puisses faire ? Je n'ai pas envie de vivre avec cette menace au-dessus de ma tête le restant de mes jours. Gaelion et sa harpe ne seront pas toujours dans les parages…

L'Aether émit un long soupir.

° J'y ai beaucoup pensé, avoua-t-elle. Hélas, je ne vois pas.

° Mais j'ai bien réussi à vaincre l'autre sort de la Soror ! s'exclama Evan. Ne pourrait-on pas procéder de la même manière, en dénouant les fils qui constituent ce… *construct*, ou quel que soit le nom que tu veux donner à ça ?

° Impossible, rétorqua Sorcelame, embarrassée. La Marque Noire est une formule trop subtile, une construction trop complexe pour ça. Elle ne peut s'annuler comme un sortilège normal.

° Alors, je suis coincé, c'est ça ? Je ne pourrai jamais y échapper ?

Un nouveau soupir gêné lui répondit, avant que l'épée n'enchaîne :

° Il n'y a que deux moyens de dissiper la Marque Noire. Soit un myste du Dåzhiel accepte de lever le sort, soit…

° Un quoi ? l'interrompit brusquement Evan.

Sorcelame marqua un court silence, peut-être sous l'effet de la surprise.

° Bien sûr…, s'amusa-t-elle en reprenant la parole. Autres temps, autres noms… Pardonne-moi, je voulais dire : un adepte de la Voie du Vide. Un Frater, si tu préfères.

° D'accord…, grogna le garçon. Et l'autre option est aussi irréaliste ?

° Difficile à dire, déclara sérieusement l'épée. Juge par toi-même :

le second moyen d'annuler la Marque Noire serait la mort de celle qui l'a conjurée.

Cette fois, le garnement souffla rageusement par le nez.

° Je vois. Magnifique.

Ils arrivaient presque en vue de l'auberge lorsque le petit Ouestien leva enfin les yeux de ses bottes. À trois pas devant lui, Aiswyn et Caessia devisaient comme des amies de toujours. Gaelion semblait comme toujours perdu dans ses pensées et Aljir reniflait la brise d'un air méfiant. Rien d'inhabituel, somme toute, jugea le garçon, si on exceptait la nouvelle complicité des deux jeunes filles.

À ce moment-là, un flot de festivaliers costumés surgit d'une allée transversale, emplissant subitement la ruelle déserte. Surpris par leur présence dans ces rues calmes, Evan n'eut pas le réflexe de se retirer lorsque l'un d'entre eux attrapa sa main, pour l'entraîner dans leur farandole. Sur le coup, ses jeunes compagnes ne réagirent pas davantage. Caessia fronça les sourcils d'un air agacé, mais elle fut avalée par la ronde avant d'avoir eu le temps de protester.

Gaelion, en revanche, repoussa avec une fermeté polie le noceur qui s'approchait de lui. Ce dernier dut se contenter de mimer un geste de désespoir théâtral, avant de rejoindre ses condisciples. Quant à Aljir, laissé de côté de par son statut d'« animal », il s'était figé dans une immobilité tendue, et observait la douzaine de nouveaux venus en grognant.

Cette attitude rendit Evan inquiet. Dévisageant à son tour les festivaliers, il nota que tous arboraient exactement le même costume. Une cape à capuche noire, entourant un sobre masque de porcelaine. S'il n'y avait eu leur amusante danse syncopée – tous agitaient les épaules d'une manière désarticulée qui évoquait au garçon les pantins d'Aiswyn –, ces visages blancs et privés d'expression auraient pu faire froid dans le dos.

Gaelion se tourna vers le Troll comme pour lui demander

conseil. Mais Aljir n'avait d'yeux que pour les danseurs masqués, sondant frénétiquement leurs circonvolutions dans la pénombre. Une ou deux secondes, seulement, avaient dû s'écouler depuis leur apparition, mais Evan se sentait déjà légèrement étourdi par l'entêtante farandole.

Des visages blancs passaient devant lui dans un sens puis dans l'autre, lui faisant perdre ses repères. Il entendit Caessia se plaindre et vit du coin de l'œil qu'Aljir se raidissait encore davantage, les narines frémissantes. Soudain, ce dernier cracha comme un chat en colère, dans un sifflement qui découvrit ses crocs.

Quelque chose va vraiment de travers..., réalisa Evan. Autour d'eux, Farnesa étendait ses ombres, muette comme un cimetière.

Tout à coup, le Troll s'écroula lourdement à genoux. Emporté par la ronde malgré ses efforts pour se dégager, l'orphelin dut tendre le cou pour continuer à voir son camarade. Avec horreur, il constata que ce dernier avait un poignard planté dans les reins. Suffoquant, Aljir tentait de se relever, dérapant dans la mare de sang qui commençait à l'entourer.

Caessia et Aiswyn se mirent à hurler en même temps. Evan se joignit d'ailleurs à elles, tout en se débattant à présent avec énergie.

Plusieurs lames brillèrent aux extrémités de son champ de vision, comme elles surgissaient hors des capes noires. Quand il sentit la pointe d'un poignard contre son dos, le jeune Ouestien crut que son heure était venue... mais il parvint juste alors à se libérer.

Ou plutôt... on l'avait relâché, dut-il admettre. Tel un groupe de chasseurs rabattant du gibier, les festivaliers avaient délivré les adolescents de leur étreinte, pour mieux les encercler. Également prisonnier de la ronde compacte maintenant formée par les spadassins masqués, Gaelion soutenait Aljir, tâchant de le redresser malgré sa masse impressionnante.

Le garçon aurait voulu l'aider, mais il ne parvenait pas à détourner son regard des douze silhouettes menaçantes. La moitié des agresseurs avaient tiré des dagues, et l'autre des matraques de bois à bout ferré.

Mais tous tenaient leur arme avec la décontraction de qui possède une longue expérience. Et leur nombre était suffisant pour boucher toute possibilité de fuite dans cette rue étroite.

— Les Manteaux Noirs ! siffla le Harpiste, un membre du Troll toujours passé par-dessus ses épaules.

Evan sursauta. Caessia lui avait parlé de cette tentaculaire organisation criminelle, qui centralisait une bonne partie des activités illégales du continent. *Mais quel rapport avec nous ?* se demanda-t-il. Pendant un instant surréaliste, l'idée lui vint qu'il pouvait s'agir d'une erreur. Les Manteaux Noirs semblaient connus pour régler leurs différends en affaires de manière expéditive. Ceux-ci avaient reçu l'ordre de « s'occuper » d'un groupe de marchands en délicatesse et les avaient confondus avec eux. C'était un terrible malentendu...

L'Ouestien songeait à quel point cela pourrait être divinement ridicule. Avoir échappé à tant de dangers, pour mourir dans une ruelle sordide, sous des coups de poignard qui ne leur étaient même pas destinés... Toutefois, aussi originale que lui semblât une mort aussi absurde, il n'était guère pressé de la voir venir. *D'ailleurs,* rectifia-t-il, *ressemblons-nous réellement à un groupe de marchands ?* Sans doute fallait-il plutôt voir la main de leurs vieux ennemis derrière cela, devina-t-il. Ce qui n'était guère plus rassurant, au demeurant.

La démarche presque nonchalante, les spadassins commencèrent à rétrécir leur cercle. Pourtant, arrivés juste assez près pour empêcher tout mouvement de leurs prisonniers, ils s'arrêtèrent, se contentant de les tenir en respect.

Alors, tout se passa très vite. En vérité, ce ne fut qu'après-coup que le cerveau d'Evan put remettre tous les éléments dans le bon ordre.

Au cours de la même seconde, il entendit Aljir crier « À terre ! » et sentit des mouvements précipités autour de lui. Levant les yeux par réflexe pour scruter les ténèbres mouvantes, le garçon crut discerner de nouvelles silhouettes, plus en hauteur. *Il y a des tireurs embusqués sur les toits !* comprit-il. *Voilà pourquoi les autres n'avançaient plus !*

Réalisant alors le bien-fondé du cri d'alerte de son compagnon, il se jeta enfin au sol. *Beaucoup trop tard...,* nota une partie de son esprit, celle qui avait déjà entendu le claquement sec d'une arbalète.

Par miracle, aucune douleur ne se fit sentir. Prenant conscience du déplacement d'air qu'il venait de percevoir sur sa droite, il devina avec un soulagement égoïste qu'il n'avait pas été la cible de ce trait mortel. Puis, dans le même instant, il tourna un regard rempli d'inquiétude vers ses compagnons.

Gaelion et Aiswyn gisaient au sol. Heureusement, ils n'avaient pas l'air blessés. Aljir, quant à lui, amorçait déjà quelque nouveau mouvement de défense. Mais ce fut la silhouette de Caessia qui retint l'attention de l'adolescent.

Étoiles..., s'étouffa-t-il.

La jeune fille était restée debout et se tenait très droite. Étonné par la posture bizarre de son bras, Evan dut y regarder à deux fois... avant d'ouvrir la mâchoire avec incrédulité.

Les doigts de l'aristocrate étaient serrés autour de quelque chose, juste devant sa poitrine. Refermant le poing, elle avait arrêté le carreau d'arbalète quelques centimètres à peine avant qu'il ne lui perfore le cœur. Le reste de son corps n'avait pas bougé.

L'orphelin la dévisagea avec stupéfaction, saisi par le calme marmoréen de son visage concentré. Le bras de cette fille pouvait-il se mouvoir avant même que le cerveau d'Evan n'ait commencé à commander le moindre réflexe ? Puis elle se remit en mouvement avec une instantanéité qui lui fit l'effet d'un coup de fouet. *Nous sommes toujours des cibles faciles !* réagit-il à son tour. *Ils peuvent nous abattre à tout moment !*

Tandis que ses yeux parcouraient la nuit – et plus précisément le cercle des Manteaux Noirs, pour en trouver la faille éventuelle –, Aljir se redressa pour de bon. Malgré sa blessure qui saignait toujours abondamment, il bondit en brandissant son xhain. Sur cette puissante poussée, il parvint à traverser les rangs ennemis, y ouvrant du même coup un chemin pour ses compagnons.

Sans réfléchir, Evan s'élança, espérant s'insinuer entre les spadassins bousculés par le Troll avant qu'ils ne reforment leur position. Il entendit que quelqu'un courait sur ses talons et pria pour que ce fût Aiswyn.

Aljir fit s'élever les billes de métal hérissées de pointes par-dessus sa tête. Elles commencèrent immédiatement à tournoyer avec leur sifflement caractéristique, tenant les Manteaux Noirs à distance pendant un instant.

Au terme d'une course plus qu'un peu désordonnée, ses alliés parvinrent ainsi à se retrancher dans un renfoncement de la ruelle. Un rapide coup d'œil leur avait suffi pour constater que les deux extrémités de cette dernière étaient obscurcies par des silhouettes. Difficile de dire combien, dans cette pénombre, mais visiblement en nombre suffisant pour rendre toute fuite impossible. *En tout cas pour le moment,* médita Evan. Le garçon, bien qu'assez peu optimiste sur la suite des événements, tenta de se montrer positif.

— Au moins, nous ne sommes plus encerclés, haleta-t-il.

En effet, en se plaçant dos à la providentielle porte cochère sous laquelle ils avaient trouvé refuge, les cinq compagnons faisaient à présent face à leurs adversaires.

L'une des billes menaçantes du xhain s'abattit à ce moment-là, fauchant par surprise le plus proche des spadassins. Celui-ci s'écroula sans avoir eu le temps de crier, accompagné du seul bruit de son crâne qui se brisait.

Alors, le chaos devint total. Les sicaires parurent se jeter sur eux tous en même temps. Evan, reculant tout en tentant de dégainer Sorcelame, manqua trébucher et dut à cette seule maladresse d'échapper à la trique qui sifflait vers son visage. L'instant suivant, il aperçut une main pâle – celle de Caessia ? – faisant un aller et retour subliminal dans son champ de vision. Encore sous le choc du coup mortel qui avait failli l'atteindre, le garçon vit cette main ouverte frapper son propre adversaire à la gorge, avec la vitesse et la précision d'un serpent venimeux. Sans chercher à comprendre, il finit de tirer son épée pendant que le tueur à gages s'écroulait.

Cette arme est bien trop encombrante pour moi, fut la première des pensées qui se bousculèrent alors dans son esprit. Stupide, peut-être, mais véridique. Sorcelame avait toutes les caractéristiques des claymores ouestiennes, c'est-à-dire beaucoup trop grande et lourde pour un enfant de quinze ans, fût-il l'élu d'une prophétie. « En la mettant droite, tu pourrais te cacher derrière », s'était moqué Aljir, l'un des jours précédents. Le Troll exagérait un peu, songea Evan, mais le problème était bien réel.

° Aide-moi, bon sang ! supplia-t-il l'épée.

Les seules fois où il avait eu à la manier, c'était l'arme qui avait fait tout le travail, ou presque. Sans son soutien magique, il n'était qu'un malheureux paysan ! Rencontrant déjà des difficultés pour la sortir de son fourreau, il s'imaginait mal exécuter des moulinets…

Mais l'Aether demeurait désespérément sourd à ses appels paniqués. Evan sentit une goutte de sueur couler lentement le long de sa joue. Un autre sicaire avançait déjà vers lui, et il ne devait qu'au front efficace maintenu par Caessia et Aljir de ne pas avoir encore à en affronter davantage.

° Sorcelame ! s'égosilla-t-il mentalement.

L'épée daigna enfin sortir de son mutisme, mais l'orphelin put à peine reconnaître sa voix, tant celle-ci était crispée.

° Je ne peux pas t'aider…, lâcha-t-elle avec effort, comme si chaque mot lui coûtait. Une crise…, expliqua-t-elle, dans un état apparemment proche de la panique. Le Sombre-Venin…

° Quoi ? Maintenant ? s'étrangla Evan, avant de réaliser que c'était peut-être justement le fracas du combat qui provoquait ce sursaut néfaste de la corruption de l'épée.

° Le Sombre-Venin… Terrible… Je dois lutter…, fut tout ce que cette dernière parvint à ajouter.

Evan était seul. Pour se défendre, il n'avait entre les mains qu'un morceau de métal de dix tonnes et la pensée d'Aiswyn sanglotant vraisemblablement dans son dos. Il inspira profondément.

Le Manteau Noir, qui avait passé ces quelques instants à le jauger en reportant son poids d'une jambe sur l'autre, se fendit soudain dans sa direction.

Ce fut cette fois Aljir qui vint au secours du garçon. Il lança l'une des extrémités de son xhain entre le tueur et sa victime, puis tira d'un coup sec. La chaîne, dans un mouvement presque vivant, s'enroula alors autour du cou du sicaire. Le malheureux fut arraché à la vue d'Evan, happé comme une poupée de chiffons vers le maître de l'arme qui l'étranglait.

Jetant un regard reconnaissant à son sauveur, l'orphelin remarqua combien ce dernier paraissait souffrir de sa blessure. Les traits de son visage verdâtre étaient abominablement tirés et il tremblait de tous ses membres.

Deux cadavres de Manteau Noir gisaient à ses pieds, et autant étaient étendus devant Caessia, mais Evan gageaient que les deux combattants ne pourraient pas tenir autant d'ennemis en respect éternellement. Pour le moment, tous les protagonistes avaient marqué une trêve et s'observaient en haletant. Les yeux des tueurs ne semblaient pas ciller, derrière les fines ouvertures de leurs masques.

— Aljir, tu n'as pas bonne mine, déclara Caessia d'une voix tendue, sans toutefois quitter des yeux leurs agresseurs.

— Ça ira, répondit le Troll d'une voix sifflante, ponctuant ces mots d'un petit bruit qui ne dit rien qui vaille à Evan.

Il crache du sang..., comprit-il sans avoir à observer de nouveau le Troll.

Profitant de ce moment de répit, il se tourna brièvement vers Aiswyn et Gaelion, retranchés derrière ceux qui pouvaient encore les protéger. Le Harpiste avait fini de sortir sa Compagne de son étui de cuir et s'apprêtait visiblement à en tirer quelque mélodie dracomancienne...

Ne te plante pas sur ce coup-là, Gaelion, l'encouragea Evan en pensée. *Tu es notre seule chance...*

Reportant son attention sur leurs ennemis, il agita légèrement Sorcelame, afin d'en éprouver l'équilibre. Devant ses yeux, la lame semblait le narguer. Elle arborait son habituelle couleur minérale, entre le rouge sombre et le noir. Ses douze runes pourpres luisaient faiblement, mais cela reflétait seulement le combat intérieur de l'Aether, supposa-t-il, car l'arme n'était pas animée de l'intense aura rouge qu'elle exhalait d'ordinaire au combat. *Je suis injuste,* se morigéna le garçon après l'avoir convenablement maudite. *Elle fait sûrement tout ce qu'elle peut.*

— Campe-toi mieux sur tes jambes ! lui intima Gaelion, dont les doigts commençaient à courir sur les cordes. Qu'est-ce que tu fais ? Ramène tes coudes, mon garçon !

Evan suivit cet ordre, et se sentit effectivement plus à l'aise. Néanmoins, il supposait qu'une position adéquate ne suffirait pas à lui donner l'avantage sur un combattant expérimenté. Le nouveau spadassin qui s'en prit à lui paraissait du même avis, fondant sur sa victime sans la moindre appréhension.

— Attention ! résonna derrière lui la voix du ménestrel, l'alertant juste à temps pour le sortir de sa torpeur incrédule.

Réalisant qu'il avait sans doute épuisé les ressources dont disposaient Caessia et Aljir pour voler à son secours, il plongea sur sa droite. La matraque ferrée siffla au-dessus le lui, le manquant d'un cheveu.

— Bien ! le félicita Gaelion. Mais ne déporte pas tout ton poids sur une seule jambe. Et garde ta lame à la hauteur des yeux ! renchérit-il hâtivement.

Evan lâcha une expiration tendue. Le spadassin lui faisait toujours face, ses petits yeux brillant d'assurance dans les trous de son masque. L'orphelin eut l'impression de sentir ce que pouvait éprouver une souris surprise par un chat. *Non,* se reprit-il avec amertume. *La souris, elle, a au moins une chance de fuir.*

Tenant sa garde haute conformément au conseil de son mentor, il parvint à parer l'attaque suivante que lança son adversaire. Du moins, se dit-il, si on pouvait appeler parade le fait de reculer précipitamment en levant les mains, les yeux à peine ouverts. Mais la posture recommandée par Gaelion ne devait pas être si mauvaise, car cela avait suffi pour cette fois. Le Manteau Noir, pas intimidé, fit passer son arme d'une main à l'autre dans une facétie bravache.

Recommence ces âneries et on rigolera, jura l'adolescent en serrant la mâchoire. *Je ne suis peut-être pas un maître d'armes, mais pas un infirme non plus...*

Mis légèrement en colère par ce geste de défi, Evan en ressentit un peu moins l'aiguillon de la peur. Obéissant à une pulsion un peu floue, il se rua alors sur le sicaire en faisant décrire à Sorcelame un grand arc de cercle.

Hélas, son adversaire n'eut même pas réellement besoin d'esquiver, tant son coup avait manqué de précision. Emporté par le poids de l'arme, le garçon se mit même en position de subir une terrible contre-attaque et ne dut qu'à l'allonge très supérieure de la claymore d'y échapper.

Dans son dos, quelques notes s'élevaient, tissant un début de mélodie. Lentement, trop lentement au goût du garçon. Oubliant que les avis éclairés du troubadour lui avaient peut-être sauvé la vie, il songea que ce dernier aurait mieux fait de se concentrer davantage.

À l'instant où son adversaire paraissait sur le point de revenir à la charge, un sifflement complexe se fit entendre depuis les toits. Dans un mouvement concerté, les Manteaux Noirs réagirent aussitôt par un léger recul. Evan, d'abord soulagé de voir l'assaut qui le menaçait retardé, pesta bientôt intérieurement. Il craignait que...

— Attention ! s'écria-t-il, en levant les bras pour se protéger.

Corroborant ses craintes, un ou plusieurs tirs s'abattirent à nouveau dans leur direction. Voilà qui confirmait que le tireur n'était pas seul. En effet, même si le combat lui avait semblé durer une éternité, Evan savait qu'il ne pouvait avoir commencé depuis plus d'une poignée de secondes. L'arbalétrier n'aurait pas eu le temps de réarmer.

Pour achever de lui donner raison, un nouveau trait siffla à ses oreilles tandis qu'il se jetait à terre. Leur petit groupe essuyait cette fois un feu nourri.

— Prenez garde, imbéciles ! clama cependant une voix grave dans les hauteurs. Il nous faut le gamin vivant !

L'orphelin déglutit bruyamment en entendant ces mots, se demandant ce qu'on lui voulait encore. *Enfin, disons que c'est une bonne nouvelle,* philosopha-t-il en grinçant des dents.

Aljir, qui semblait avoir repéré d'où étaient venus certains tirs, lança son projectile courbe dans cette direction. Evan suivit la trajectoire elliptique du xhoan, qui s'envola en tournoyant avant de revenir dans la main du Troll, ses deux lames dégoulinant de sang. Entre-temps, il y avait eu un impact sourd, et la chute d'un corps depuis un balcon proche.

Pratiquement dans le même mouvement, le Troll réitéra son exploit, prenant cette fois pour cible la petite passerelle qui reliait deux îlots voisins en surplombant la rue. Un autre arbalétrier y était embusqué, accroché à l'envers sous le pont à l'aide de sa main libre. Hélas pour lui, toute l'ingéniosité de sa cachette ne l'empêcha pas d'en être délogé de la même manière que son infortuné acolyte. Le boomerang traça un sillon sanglant dans son visage, après avoir fait voler en éclat le masque de porcelaine.

Avec un hurlement déchirant, le malheureux tomba lourdement vers le sol, où il s'écrasa sur deux de ses complices. Ces derniers ne parurent que légèrement sonnés, mais le désordre semé dans leurs rangs avait suffi à Aljir pour reprendre l'initiative. Afin d'éviter aux siens d'être à nouveau mis en joue, il força les spadassins à revenir se battre, rendant ainsi la mêlée trop confuse pour permettre aux tireurs de viser.

Par malheur, le mal était déjà fait, comme s'en rendit compte Evan en jetant un coup d'œil vers ses compagnons.

Caessia avait cette fois été touchée à l'épaule et elle tentait en gémissant de retirer le carreau encore fiché dans la blessure. Face à ce spectacle, le garnement sentit ses entrailles se tordre et son cœur saigner dans un élan de compassion qu'il n'aurait cru possible d'éprouver qu'envers Aiswyn.

Mais ce n'était pas le pire, hélas. Réalisant avec angoisse que l'air de harpe s'était brusquement tu, il reporta son attention sur Gaelion. Lui aussi avait fait les frais du feu ennemi. Sa main droite saignait, traversée en son centre par un trait qui en ressortait de part en part. Tout en conservant un visage de marbre, le Harpiste observait sa blessure d'un œil anxieux.

— Je ne peux plus jouer, informa-t-il ses compagnons d'une voix atone.

Chapitre 17

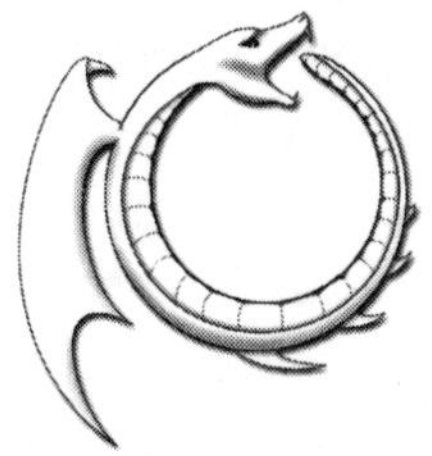

Comme il entendait ces mots, Evan se pétrifia. Il y eut pour lui un instant où tout ce qui l'entourait sembla figé, et un goût de bile envahit sa bouche. *Nous sommes perdus,* prophétisa-t-il amèrement. Sans la magie du musicien, ils n'avaient aucune chance d'échapper à autant d'adversaires.

Des renforts étaient apparemment arrivés au secours de la douzaine initiale, même s'il était impossible de les dénombrer avec précision. Evan en avait vu certains descendre des toits en se laissant glisser le long des gouttières, d'autres étaient apparus en sortant des égouts ou tout simplement depuis un porche plongé dans les ténèbres. Une chose était sûre, cette embuscade avait été préparée avec minutie. En moins de quelques dizaines de secondes, la rue entière s'était peuplée de fantômes au masque de porcelaine. Et l'obscurité donnait l'impression qu'ils étaient encore plus nombreux.

L'un d'entre eux fit à nouveau face à Evan. Rien n'attestait que ce fût celui contre qui il s'était battu un instant plus tôt, mais il était pareillement armé d'une matraque. *Évidemment...,* grinça l'orphelin. *Il faut me prendre vivant.* Ses amis n'auraient pas cette chance, de toute évidence, et cela lui rendait la situation encore plus terrifiante.

Il jeta un regard sur ses côtés. Aljir était toujours aux prises avec deux spadassins, mais son xhain paraissait pour le moment les maintenir à distance. Evan songea que les Trolls disposaient de ressources physiques hors normes, car une blessure comme la sienne aurait plongé n'importe quel Humain dans l'inconscience. Sans comprendre comment cela était possible, le garçon réalisa alors que cette dernière semblait d'ailleurs avoir cessé de saigner. Quant à Caessia, elle avait finalement réussi à ôter le carreau de son épaule, et toisait un adversaire rendu circonspect par le sort de ses prédécesseurs. Au niveau de sa plaie, mais aussi jusque sur son sein et son bras, la tunique de la jeune fille était abondamment imbibée de sang. Ses mouvements paraissaient un peu raides de ce côté-là, mais elle semblait en état de se battre. D'ailleurs, quelle que fût l'inquiétude d'Evan à son égard, il devait pour l'instant se préoccuper de son propre sort.

La matraque s'abattit vers lui. Un geste plus sec ne lui aurait laissé aucune chance d'esquiver, mais son adversaire semblait réellement soucieux de ne pas le blesser gravement. Ses attaques s'en ressentaient, devenant un tout petit peu plus molles et hésitantes que la normale. C'était juste assez pour offrir un espoir à l'orphelin.

Ce dernier, par ailleurs, commençait à s'accorder au rythme du combat. Il évita ce coup d'une torsion des épaules et entendit la trique siffler près de son oreille droite.

Le coup suivant vint avant qu'il n'ait eu le temps de repousser son assaillant comme il l'envisageait, mais il ne se laissa pas démonter pour autant. Il para cette fois avec sa lame, d'un geste légèrement plus assuré que dans son essai précédent. Le spadassin recula.

Du sang gouttait de sa manche. Evan devait reconnaître qu'il n'avait pas fait exprès de le blesser, mais ce spectacle lui donna néanmoins un regain de confiance en lui. Au fond de son esprit, une petite voix rendait grâce aux Étoiles d'avoir déjà eu l'occasion de manier Sorcelame. Même s'il n'avait alors rien maîtrisé, ses mains avaient retenu la sensation de combattre avec une lame, et cela faisait maintenant toute la différence. Il gageait que tous les conseils de Gaelion n'auraient suffi à le tirer d'affaire, s'il avait été absolument novice et n'avait jamais tenu une épée de sa vie.

Profitant de la déconcentration momentanée de son ennemi, il tenta une manœuvre plus audacieuse. Il se servit de la longueur de la claymore pour le repousser, en une série de petits battements maîtrisés.

L'Ouestien avait eu l'impression de contrôler la situation, mais il entendit le Harpiste s'étrangler dans son dos :

— Evan, par les six Trônes, inutile de gesticuler comme un papillon de nuit ! Tu voudrais peut-être que je te joue une gigue ?

Le garnement nota que si les paroles étaient sarcastiques, le ton semblait en revanche aussi paniqué que pouvait l'être l'imperturbable Gaelion. Il cessa aussitôt de marcher sur son adversaire.

Le spadassin, qui paraissait déconcerté par la stratégie incohérente du garçon, hésita un instant. Evan, comprenant nébuleusement que ce qu'on appelait « la chance du débutant » n'avait peut-être de chance que le nom, suivit alors une nouvelle inspiration subite. Il ferma les yeux et fonça en avant, Sorcelame tendue en un coup d'estoc.

— Non ! s'écria Gaelion derrière lui.

Mais le Manteau Noir avait été surpris par ces ruptures de rythme successives. La claymore le perfora en plein ventre, s'y enfonçant avec plus de facilité que le garçon ne l'avait imaginé. Le masque du tueur se décrocha sous l'impact, révélant un visage où se peignaient toutes les nuances de la perplexité. Lorsque la porcelaine toucha le sol, elle éclata avec un bruit de vaisselle brisée.

Le regard d'Evan suivit sa lame jusqu'à son adversaire. Même la couleur sombre de sa cape ne suffisait pas à dissimuler la tache de sang qui s'étendait comme sur un buvard. *Je l'ai touché...* Il avait agi en mêlant la naïveté du novice et une froide réflexion. Sa moitié lucide savait qu'un coup d'estoc ne lui ferait pas perdre l'équilibre, comme lors de sa fâcheuse tentative précédente. *Ça a marché...*, frissonna-t-il, incrédule.

Il tira sur son épée, qui ressortit de la blessure avec un bruit de succion. Des morceaux de boyaux sanguinolents l'accompagnèrent, se déversant sur le sol tandis que toute lumière s'éteignait dans le regard du spadassin.

Le jeune Ouestien vacilla, puis tomba à genoux en lâchant son épée. Soulevé par un haut-le-cœur, il se mit à vomir bruyamment. Son front était couvert de sueur, mais il avait l'impression de geler.

Tout son corps tremblait. Il n'entendit pas l'avertissement de Gaelion. Il sentit à peine la mêlée se refermer sur lui. Ni le coup de matraque qui le projeta dans les ténèbres.

Caessia saignait. Beaucoup.

Elle faisait de gros efforts pour ne pas laisser l'angoisse la submerger, *l'affaiblir.* Mais une petite voix en elle gémissait de manière pathétique. Était-ce grave ? Dans quel état était-elle ? Elle n'avait même pas le loisir de regarder sa blessure pour en mesurer la profondeur. Et que se passerait-il si elle perdait conscience ?

Ce n'était pas tant la douleur – elle ne sentait qu'une vague pression endolorie – que la peur. L'infante avait déjà été blessée quelques fois, lors des tentatives d'assassinat dont avait été émaillée sa jeunesse. Mais ce n'était pas une chose à laquelle on se faisait facilement.

Elle se demandait si elle allait perdre l'usage de son bras. Elle ne voulait pas être ici. Elle se demandait si tout était perdu. Le sang qui s'écoulait de sa blessure – son sang ! – lui avait fait perdre ses repères. Mais la peur était bien réelle, sapant ses forces.

À côté d'elle, le xhain d'Aljir pulvérisa un crâne ennemi, faisant voler son masque impassible à plusieurs mètres. Celui-là n'aurait plus de questions à se poser.

Le Troll paraissait épuisé, et des halètements de titan soulevaient sa poitrine. Scrutant les ombres en mouvement dans la ruelle, il affichait une expression très, très pessimiste.

Personne n'allait donc venir à leur secours ? s'insurgea la princesse, tout en tâchant de se ressaisir. Si seulement un passant avait pu alerter la garde de la cité… Mais elle se souvint qu'ils étaient près de l'auberge, une auberge volontairement choisie dans un quartier excentré. Hélas, songea-t-elle, ses compagnons et elle ne seraient pas les premiers à périr dans une rixe nocturne à Farnesa. Ni les derniers.

D'ailleurs, quand bien même le bruit et l'agitation attireraient l'attention des Libres-Lanciers, rien ne garantissait qu'ils n'avaient pas été payés par les Manteaux Noirs, afin de s'assurer la tranquillité voulue.

Comme dans un rêve, la jeune fille observa son genou décrire un arc de cercle sec et vif, coupant la respiration d'un spadassin qui avançait vers elle. Si son stoïcisme jadien semblait avoir été quelque peu entamé, elle nota avec satisfaction qu'il n'en allait pas de même pour ses réflexes. Son bras valide s'enroula autour de la nuque du tueur et l'étreignit jusqu'à ce qu'un craquement d'os brisés se fît entendre.

Derrière elle, le Harpiste continuait d'encourager son pupille, le gratifiant de conseils précis et efficaces. Depuis l'attaque du village, elle était étonnée du calme olympien que gardait le musicien lors des combats. C'était sans nul doute le fruit d'une longue expérience, et le fait de tenir une harpe plutôt qu'une épée ne changeait rien à son professionnalisme.

Chaque fois qu'elle avait tourné son regard vers lui, elle avait constaté que le Dracomancien serrait son poing rescapé avec une rage froide. Désormais inutile, il paraissait hanté par quelque combat intérieur. À observer sa mâchoire crispée et son teint livide de colère retenue, on aurait dit qu'il brûlait d'intervenir.

Soudain, le jeune Evan tomba à genoux. Caessia n'avait pas vu s'il était blessé, mais supposait que non. Après tout, le chef des Manteaux Noirs avait ordonné de le prendre vivant. Lorsqu'elle jeta un coup d'œil dans sa direction, elle nota en effet que son adversaire se contentait de l'assommer, abattant sèchement sa trique sur l'arrière de son crâne.

Tout se passa très vite. Le Manteau Noir à la matraque se saisit du corps du petit baladin et l'entraîna en arrière, toujours inconscient. Un autre spadassin profita de cette brèche pour marcher sur Gaelion, impuissant à se défendre. La lame de son poignard étincela dans un rayon de lune, et Aiswyn hurla de terreur. Pendant ce temps, un autre assaillant bondissait audacieusement sur l'infante.

Caessia n'hésita qu'un instant. Même alors qu'on allait le tuer, remarqua-t-elle, le Harpiste bronchait à peine. Il paraissait accepter son sort, non comme une victime, mais comme un condamné qui sait que le jugement est irrévocablement tombé.

La jeune aristocrate attrapa son adversaire par le col et appuya son pied gauche sur son sternum. Se laissant chuter en arrière, elle décolla le spadassin du sol en utilisant l'énergie de son propre mouvement, pour mieux le projeter sur l'agresseur du troubadour. Les deux ennemis s'écroulèrent l'un sur l'autre, méchamment sonnés.

Sans s'attarder sur le regard reconnaissant que lui adressa Gaelion – à qui elle venait vraisemblablement de sauver la vie –, la princesse se rua à la poursuite du ravisseur d'Evan. Elle ne pouvait que prier pour qu'Aljir parvienne à assurer seul la protection des deux autres. Elle aurait peut-être dû rester, mais quelque chose en elle lui affirmait que si leurs adversaires désiraient le garçon, elle devait tout faire pour qu'ils ne l'aient pas.

Esquivant au passage deux traîtres coups de dague, elle traversa les rangs ennemis avec la souplesse d'une anguille. Les spadassins étaient deux, à présent, à porter le corps d'Evan. Ils se dirigeaient vers un petit escalier extérieur, donnant sûrement sur le toit en terrasse de quelque palais délabré.

Elle s'approcha au pas de course, mais comprit qu'elle n'atteindrait pas le colimaçon. Plusieurs Manteaux Noirs se rassemblaient déjà devant, faisant barrage de leurs corps.

— Attention, sur le toit ! s'exclama Aljir alors que la jeune fille hésitait encore sur la conduite à tenir.

Levant les yeux, elle surprit un curieux personnage vêtu de la même cape que les spadassins, mais affublé d'un masque de crocodile. *Nos fameux suiveurs !* s'exclama-t-elle silencieusement. Cependant, ce qu'elle remarqua surtout, ce fut l'arbalète pointée droit sur elle.

Crocodile tira au moment même où elle plongeait à terre. Elle sentit le souffle du carreau juste au-dessus d'elle. Furieux, le reptile jura, ce qui lui permit de reconnaître la voix grave qui avait ordonné de prendre Evan vivant.

Caessia roula sur elle-même puis rampa jusqu'à un recoin sombre, où elle s'accroupit à couvert. À quelques mètres, Aljir se démenait comme un diable, brisant crânes et membres avec une rage de forcené. Ce qu'il fallait pour détourner l'attention des Manteaux Noirs et laisser à sa camarade un petit moment de répit, comprit-elle avec reconnaissance.

Elle leva les yeux vers les toits. Crocodile, le grand échalas au masque de saurien, se contentait maintenant de surveiller le travail de ses troupes. La princesse remarqua alors qu'il n'était pas seul : à ses côtés, deux autres silhouettes se découpaient sur le disque lunaire.

Un coup de vent venait de chasser les nuages, versant sur eux une clarté diffuse. Les deux acolytes disparaissaient également dans une cape noire, d'où surgissait seulement leur tête travestie. *Un renard et une cigogne assise sur une cheminée...*, détailla Caessia en examinant leurs masques à l'effigie animalière. *Non : debout sur des échasses,* rectifia-t-elle au sujet de la cigogne. *Des tueurs en atours de carnaval...*

Tous les trois avaient une rapière à la main, éclat macabre d'acier froid dans la lumière lunaire.

— La fille ! cria Crocodile. Tuez-la ! Les autres sont sans importance !

Sur un signe du chef à son intention, Cigogne entreprit alors de courir jusqu'à l'escalier. À le voir chanceler sur les fines tiges de bois qui prolongeaient ses jambes, la princesse aurait juré qu'il allait dégringoler à chaque pas... Mais cette démarche vacillante devait être habituelle et maîtrisée, car l'échassier ivre progressa à grandes enjambées jusqu'à la trappe de l'escalier, où il disparut.

Il descend pour prendre les choses en main… et mieux me donner la chasse, rumina Caessia. En haut, les deux autres animaux de fable réceptionnaient déjà Evan des mains de leurs sous-fifres.

La jeune fille hésitait à quitter sa cachette. Si elle ne faisait rien, le jeune Ouestien serait emmené prisonnier et qui pouvait dire quel sort l'attendrait alors ? Mais si elle se risquait hors des ténèbres, elle aurait à défendre sa propre vie, ce qui l'occuperait peut-être trop pour venir en aide au garçon…

La fille ! Les autres sont sans importance ! Ces mots résonnaient dans son esprit troublé. Elle comprenait mieux pourquoi le premier carreau d'arbalète l'avait visée si personnellement. Elle espérait survivre assez longtemps pour comprendre quels objectifs tortueux pouvaient bien poursuivre les Manteaux Noirs.

Le tueur à tête d'oiseau apparut en bas, et la voix de Crocodile s'éleva à nouveau depuis son masque vert :

— Gaffe qu'elle ne nous échappe pas !

Bondissant sur ses hautes échasses, Cigogne répondit avec un rire haché :

— Aucun risque…

L'étrange personnage dégageait quelque chose de profondément malsain. Sa longue lame s'agitait avec une mollesse feinte au bout de son bras, et sa tête oscillait d'une manière teintée de folie. Caessia frissonna.

La seconde suivante, elle courait néanmoins hors de son refuge. *Si je reste terrée ici, je serais débusquée de toute façon,* s'était-elle persuadée en prenant son courage à deux mains. Elle ne fut plus si sûre d'avoir fait le bon choix lorsqu'une marée humaine sembla l'entourer.

Les Manteaux Noirs n'étaient pas encore sur elle, mais l'encerclaient, paraissant sortir de chaque recoin. *Une véritable armée d'ombres,* soupira-t-elle en les maudissant. Elle surprit l'un des spadassins courant le long d'un mur comme un acrobate de cirque, avant de se laisser tomber sur Aljir. Elle n'eut pas l'occasion de voir le résultat de cette manœuvre, son champ de vision subitement bouché par ses adversaires en approche.

L'étudiante jadienne comprit qu'elle ne devait surtout pas attendre. En quelques pas glissés, elle se fraya un chemin parmi ses ennemis. Distribuant des coups mortels malgré son bras inutile, elle écarta les deux premiers spadassins qui tentèrent de l'arrêter. Avec ce qui ne pouvait pas encore s'appeler du soulagement, elle constata que les Manteaux Noirs n'étaient pas aussi nombreux que leur connaissance du terrain, alliée à l'obscurité, ne le faisait paraître.

Soudain, le Troll mugit terriblement sur sa gauche. Elle ne pouvait toujours pas le voir. *Ce n'est rien,* se força-t-elle à penser. Ce n'était qu'un gémissement d'effort. Bien entendu, Aljir venait de renvoyer son assaillant volant d'où il venait, comme un fétu de paille. Il allait tenir.

Quoiqu'il en fût, elle n'y pouvait rien, depuis la souricière où elle se trouvait. Elle fit donc son possible pour ne plus y penser, sachant qu'elle devait absolument maintenir sa concentration si elle voulait rester en vie. En face d'elle, la nuit ressemblait à une mer d'étoffe noire, comme si une multitude de tueurs s'étaient glissés dans une seule et même cape immense.

Evan ! scanda une partie de l'esprit de la Sudienne. Quelque chose en elle ne pouvait se résoudre à l'abandonner.

Sentant soudain une main l'agripper par le dos, Caessia se retourna en lançant son pied à hauteur d'abdomen. Plié en deux par la violence du coup, son agresseur s'écroula sur les suivants, qui dégringolèrent comme un jeu de quilles. Son poignard avait eu le temps de déchirer la tunique de l'adolescente et probablement de laisser une estafilade. Mais par chance, le coup n'avait fait que glisser malhabilement.

C'était toutefois le signe que l'étau se refermait sur elle. La jeune fille leva les yeux, et repéra enfin ce qu'elle cherchait. Pinçant les lèvres avec résolution, elle jaugea la gouttière qui lui permettrait d'atteindre le toit où s'étaient réfugiés les ravisseurs de l'Ouestien. *Trop haute, même en sautant...*, pesta-t-elle intérieurement.

Cependant, un Manteau Noir fonça sur elle à ce moment-là, lui offrant une opportunité inattendue. Le pied droit de la jadienne prit appui sur la cuisse de son adversaire, avant que le gauche ne vienne se poser sur l'épaule du tueur. Se servant de ce dernier comme d'un escalier, elle prit son élan et poussa souplement sur ses jambes. Stupéfait, l'assassin n'eut que le temps de la voir s'envoler vers la gouttière, où elle s'agrippa de justesse.

Les mains de Caessia firent gémir le métal rouillé, mais la rigole tint bon. Aussitôt, l'adolescente effectua un rétablissement qui la plaça loin au-dessus des têtes de ses agresseurs.

Une poignée de secondes plus tard, elle avait grimpé agilement jusque sur le toit. *Voilà où les choses se compliquent,* ne put-elle s'empêcher d'ironiser, imaginant se trouver nez à nez avec les deux chefs et leurs sous-fifres.

Pourtant, à son amer étonnement, la terrasse était à présent vide de tout occupant. Elle retint un juron et regarda tout autour d'elle, le souffle court. Sur un toit voisin, elle aperçut Renard – *ou Renarde ?* se dit-elle en examinant de plus près la silhouette en cape noire – et les deux spadassins. Ils s'éloignaient tous les trois, portant Evan. Crocodile, quant à lui, n'était plus visible nulle part. Sans le chercher plus longtemps, Caessia se lança à la poursuite des ravisseurs de son compagnon.

Comme elle se mettait à courir, progressant au bord du vide, elle faillit manquer un pas dans sa précipitation et atterrir plusieurs mètres plus bas. Elle déglutit, se promettant de faire preuve de plus de prudence. Les tuiles, nota-t-elle, étaient rendues glissantes par la moisissure vert-de-gris qui les recouvrait, et certaines se déchaussaient sous ses pieds. Prenant garde de faire un faux pas qui se serait sans doute avéré mortel, elle reprit sa progression.

Je ne dois pas les perdre de vue, s'encouragea-t-elle, notant que les trois Manteaux Noirs se déplaçaient avec rapidité en dépit de leur fardeau humain. *Mille sorcières,* jura-t-elle à l'encontre de ces rats des villes apparemment rompus à toutes les acrobaties, *courir sur une toiture hasardeuse n'a donc rien d'inhabituel pour eux ?*

Arrivée à l'extrémité du toit, Caessia ne prit qu'une inspiration tendue avant de bondir à leurs trousses vers l'habitation voisine. *Une chance que je ne sois pas sujette au vertige,* se dit-elle tout en se réceptionnant accroupie de l'autre côté.

Comme ses pieds agiles martelaient les tuiles avec un staccato sonore, les trois Manteaux Noirs se retournèrent bientôt. La jeune fille ne se laissa pas intimider, cependant, et poursuivit sa course en leur direction. Sautant toujours de toit en toit, elle profita néanmoins de leur halte pour ralentir prudemment l'allure. *Trois…,* dénombrait-elle en pensée, comme un mantra. Malgré la blessure qui immobilisait son côté droit, elle pensait avoir sa chance. Tout dépendrait de l'habileté de Renarde…

Caessia se souvenait parfaitement que les spadassins n'avaient pas seulement pour objectif d'enlever Evan. Ils voulaient aussi la voir morte et feraient tout ce qu'ils pouvaient pour cela. Une part d'elle-même avait ainsi la désagréable impression de se jeter dans la gueule du loup. Mais la moitié qui désirait voler au secours de l'Ouestien se montra inflexible. Arrivée à leur niveau, elle s'apprêta courageusement à les affronter.

À ce moment précis, une voix féminine s'éleva sous le masque roux.

— Allez-y ! cria-t-elle.

Et les trois cheminées qui entouraient la princesse vomirent subitement leur armée de tueurs à gages. Au moins une douzaine de nouveaux spadassins, comme elle les compta avec horreur, surgirent autour d'elle.

À l'évidence, ils n'avaient pas pour seul but de lui barrer la route. Caessia considéra la situation avec un certain détachement. Elle allait mourir, et elle se rendit compte qu'elle n'avait pas vraiment cru que tout cela pourrait se terminer autrement. On ne gagnait pas contre une foule d'assassins œuvrant sur leur propre terrain, réalisa-t-elle. L'idée même en était ridicule…

Malgré tout, ou peut-être justement à cause du caractère désespéré de sa situation, elle n'eut pas le cœur de s'interdire une ultime bravade.

— D'accord, vous me battrez, déclara-t-elle de sa voix la plus neutre. Mais les premiers d'entre vous savent bien qu'ils vont périr.

La jeune fille avait parlé avec conviction et entendait bien, du reste, voir sa menace suivie d'effet. Aussi impuissante qu'elle pût se sentir en cet instant, elle n'envisageait pas de tomber sans entraîner avec elle quelques sicaires au masque de porcelaine.

Son poing valide en garde devant son visage, elle s'apprêta à accueillir les plus audacieux par quelques frappes bien placées. Les spadassins hésitèrent quelques instants, sinistrement conscients de la part de vérité contenue dans les dernières paroles de leur victime. La voix de leur meneuse s'éleva cependant à nouveau, et ils avancèrent.

Caessia heurta le premier du poing, en un geste aussi direct que brutal. Dans le même temps, son pied opposé cisaillait les ombres sur son autre flanc. Le sang gicla dans la nuit, décrivant de sombres arcs de cercle tandis qu'une mâchoire et un nez se brisaient. Deux hommes tombèrent.

La princesse frappait pour tuer. Elle ne traitait plus seulement la mort de ses adversaires comme une conséquence possible des coups destinés à les repousser… elle frappait *intentionnellement* pour les envoyer dans l'autre monde, visant des points bien précis de leur anatomie. Dans la fièvre de ce dernier combat, cela lui semblait nettement moins traumatisant que lorsqu'elle avait eu à occire Olñez et ses sbires. *Déjà l'habitude, peut-être…*, songea une partie de son esprit, entre amertume et cynisme. *Donner la mort…* Elle aurait aimé ne pas en ressentir une telle sensation de délivrance. Ni avoir l'impression quasi extatique d'assouvir un désir longtemps assoupi.

Quoi qu'il en fût, les Manteaux Noirs ne se laissaient pas tuer sans réagir. Un poignard l'avait déjà profondément tailladée tandis qu'elle se débarrassait des deux premiers sicaires, et elle se trouvait maintenant totalement encerclée.

Son pied d'appui dérapa sur une tuile glissante, au moment même où une dague s'enfonçait par-derrière dans ses côtes. Caessia eut le souffle coupé. Un horrible goût de sang envahissait sa bouche.

Elle toussa, crachant un liquide brunâtre. La tête commençait à lui tourner, et des dizaines de lucioles apparaissaient dans son champ de vision.

Rageusement, elle poussa un cri qui mourut dans sa gorge. Son talon ne s'en envola pas moins vers le cou d'un de ses agresseurs, lui écrasant mortellement la glotte. En prime, son mouvement tournoyant lui avait permis d'esquiver les dagues ennemies. Retardant d'un instant l'inévitable, elle n'avait récolté de cet assaut qu'un coup de coude maladroit, qui lui avait ouvert l'arcade sourcilière.

Mais les spadassins étaient trop près, à présent. Elle n'avait plus la place nécessaire pour exercer ses techniques jadiennes. Eux, en revanche, avaient tout loisir de plonger leurs courtes lames dans sa chair…

Un poignard lui perça le gras du bras, un autre la cuisse. Le métal était glacé en la mordant, mais une chaleur liquide et poisseuse venait aussitôt remplacer cette sensation. Elle attendit, impuissante, la suite de la curée. À travers le sang qui obstruait son œil boursouflé, elle jeta un dernier regard au corps d'Evan, inconscient.

J'espère que c'était toi…, songea-t-elle en sentant ses forces la quitter. *Ce sauveur qu'ils attendent tous, j'espère que c'était toi.*

Chapitre 18

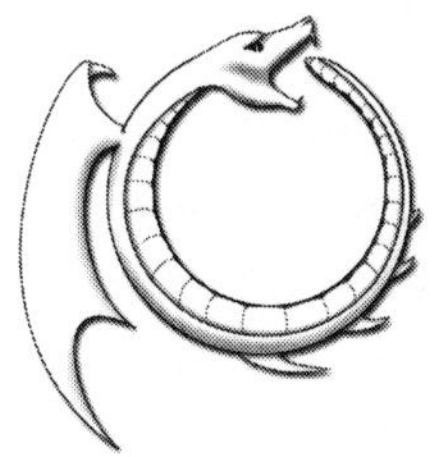

° Frater Loralius en approche, déclara ce dernier par l'intermédiaire du sort télépathique qui l'unissait aux autres membres de son Poing.

° Conservez position, ordonna sèchement Frater Gunther, son supérieur direct.

Les cinq religieux étaient arrivés quelques minutes plus tôt en vue de leur objectif, l'hacienda Ladiccio. Comme ils s'y étaient attendus, la vaste demeure paraissait gardée avec soin. Des paires de sentinelles faisaient les cent pas le long de son mur d'enceinte, se croisant avec une régularité de métronome. Depuis le bosquet d'oliviers qu'il était en train de traverser, Loralius les observait, pouvant encore voir sans être vu.

Obéissant néanmoins à son supérieur, le jeune adepte de la Voie du Vide s'immobilisa sous les arbres. Il savait que ses quatre acolytes faisaient de même, à divers emplacements du parc entourant la propriété. Pour le moment, ils devaient se garder de sortir à découvert : le mur couleur crème qui ceignait l'hacienda était également surmonté de miradors occupés par des arbalétriers.

° Bouclier Sensoriel, commanda la voix de Gunther après un court moment.

Aussitôt, Loralius créa le vide dans son esprit et conjura le sortilège qui le ferait devenir invisible aux yeux des gardes. Sa prise se raffermit légèrement sur la hampe de sa lance.

La jeune recrue, dont c'était la première mission de terrain, était un nouveau venu dans cette unité. Il avait débuté sa carrière de Frater au directoire du nonce Waldius, un ami de sa famille. Mais les tâches bureaucratiques l'avaient vite ennuyé, malgré les riches possibilités d'avancement que lui offrait la nonciature. Faisant jouer ses relations paternelles, il avait donc été muté sous les ordres d'une jeune étoile montante de la Fraternité, la redoutée et controversée Examinatrice Frieda. Cette dernière – tenue très en estime par ses supérieurs, même si on semblait surveiller de près ses excès de zèle – avait su éveiller en Loralius une véritable flamme sacerdotale. Sa vie et son engagement, qui lui avaient jusque-là souvent paru vides de sens, s'étaient soudain animés d'un souffle profond. Comme chacun des membres de son Poing, il aurait aujourd'hui préféré mourir plutôt que de décevoir la Soror.

— Quand je pense que nous devrions être auprès d'elle à Farnesa…, pesta-t-il entre ses dents. Elle a certainement besoin de nous à l'heure qu'il est.

Mais nous sommes ici, se raisonna-t-il. *Et je dois rester concentré sur cette mission.*

° En avant, maintenant ! ordonna Gunther comme en écho à ces pensées. Commencez à quadriller la zone, sans vous faire repérer. Le premier à localiser notre cible avertit les autres.

Protégé par le dôme psychique qui rendrait les sentinelles aveugles et sourdes à sa présence, Loralius s'avança en direction de l'hacienda. Il scruta néanmoins avec précaution les réactions de tous les gardes lors de sa traversée de l'étendue découverte.

Le jeune Frater savait qu'il n'était pas *réellement* indétectable. Les sortilèges de sa Voie pouvaient tromper les sens de ses ennemis, pas le faire disparaître totalement de la réalité. Rencontrer un esprit moins malléable à la magie était toujours possible, et la recrue devait conserver cette éventualité en mémoire. Les Trolls, en particulier, se montraient sensiblement plus difficiles à duper. Au sein de la Fraternité, on avait depuis longtemps découvert que certains d'entre eux étaient bien plus que les animaux pour lesquels ils voulaient se faire passer. Pour l'instant, Loralius n'en avait pas vu parmi les sentinelles, mais il y en aurait certainement à l'intérieur. Après tout, les plus hautes instances de la République étaient rassemblées ici, et les ressortissants du peuple troll avaient toujours soutenu cette cause.

Parvenu au pied du mur d'enceinte, le jeune religieux incanta une Lévitation qui l'éleva doucement par-dessus l'obstacle, avant de le reposer de l'autre côté.

Conformément à ses attentes, il y avait également des sentinelles le long du pan intérieur de la muraille. Un couple de ces dernières arrivait d'ailleurs droit sur lui.

Loralius demeura parfaitement immobile, attendant qu'elles passent à son niveau. Il s'agissait de deux Sudiens aux cheveux noirs, portant pour tout uniforme un brassard républicain par-dessus leurs vêtements.

Son cœur lui sembla s'arrêter de battre lorsque l'un des deux rebelles se pétrifia, juste à côté de lui. Le regard du garde était fixé dans sa direction, tandis qu'une expression perplexe se dessinait lentement sur son visage. Impossible pour Loralius de savoir si ce dernier le voyait ou s'il contemplait seulement quelque chose derrière lui.

Il eut la réponse à sa question lorsque la main du Républicain glissa brusquement vers la garde de son épée, qu'il tira à demi de son fourreau.

— Que… que faites-vous ici ? demanda-t-il d'une voix mal assurée, comme s'il n'était pas tout à fait certain de ne pas rêver.

Son compagnon, quant à lui, l'observait avec des yeux ronds.

— À qui tu parles, Saviño ? Ne me dis pas que tu as encore trop bu…

Loralius réagit avec tout le calme dont il se sentait capable. Sa main droite toujours fermement assurée sur sa lance, il leva lentement la gauche vers sa tête, imitant inconsciemment le geste de quelqu'un qui serait victime d'une soudaine migraine.

— Pas d'inquiétude, murmura-t-il, sachant que seul la sentinelle sensitive l'entendrait. Je suis attendu. Tout va bien.

Alors que ses yeux devenaient vitreux, le dénommé Saviño rengaina son arme en répétant mollement :

— Attendu… Tout va bien…

Son acolyte le bouscula légèrement, l'attrapant par l'épaule.

— Camarade, tu es sûr que ça va ?

Loralius les quitta, les laissant discourir de l'éventuel abus d'alcool du malheureux Saviño, qui devait commencer à douter lui-même de sa sobriété. Même s'il se savait couvert par le Bouclier Sensoriel, le jeune homme attendit de s'être éloigné de quelques pas avant de s'autoriser un soupir de soulagement.

Une chance sur cent, et cela tombe sur moi…, maugréa-t-il intérieurement. Mais il arrivait déjà en vue d'une entrée.

Une porte d'acajou à double vantail était ouverte, au-delà du cloître ombragé qui suivait presque tout le pourtour de la demeure. Traversant cette sombre allée extérieure, qui le fit penser aux monastères de son pays, il franchit la porte… pour se retrouver de nouveau à la lumière du soleil. Il avait débouché sur un large patio, abritant un jardin. Au centre, trônait une fontaine à bassin, où nageaient quelques poissons exotiques. Mis à part ces derniers, il n'y avait pas ici âme qui vive.

Loralius resta un moment sur place, curieux de la très sudienne architecture des lieux. Il sursauta soudain, croyant avoir aperçu un mouvement. Mais ce n'était que son reflet, tremblotant dans l'eau de la fontaine. Il s'attarda un instant sur l'image de ce Frater à l'apparence encore juvénile. Longs cheveux blonds et beau visage mince, détailla-t-il, nez aquilin… Avec sa lance et sa robe monacale surmontée du rutilant plastron aux épaulettes démesurées, il ressemblait à une sorte d'idéal estien. Le fils dont auraient rêvé tous les pères de l'empire.

Le jeune homme tourna la tête avec une moue de dédain. *Perdu dans la contemplation de mon propre reflet, comme une jouvencelle,* se tança-t-il, les joues soudain rouges de honte. Il maudit d'une même pensée ses parents aristocrates et les précepteurs obséquieux de ses jeunes années, qui avaient fait de lui ce fat inconséquent. *Heureusement que mon chemin a croisé celui de Soror Frieda,* songea-t-il avec une reconnaissance sincère. *À présent j'ai une chance de me racheter aux yeux de la Lumière.*

Il s'apprêtait à quitter le patio lorsque des bruits de pas se firent entendre dans son dos. Une délégation d'une demi-douzaine d'hommes traversa le jardin, heureusement sans prêter attention à l'intrus. L'un d'entre eux, au milieu de ce qui pouvait être ses gardes du corps ou ses lieutenants, arborait un brassard de général républicain.

Parfait..., décréta le Frater avec un sourire satisfait. *Je n'ai qu'à les suivre. Ils vont me conduire directement à notre objectif.*

Il ne se trompait pas. Deux minutes plus tard, il entra à la suite de la délégation dans une vaste salle qui devait former le cœur de l'aile sud de l'hacienda. Une bibliothèque, précisément. Loralius retint un grognement de mépris à la vue de tous ces livres impies. Il y en avait des centaines, des milliers peut-être, et ce spectacle éveillait en lui un furieux désir d'incendie.

Mais il parvint à se concentrer sur l'important, à savoir sa mission. Comme il l'avait deviné, le général l'avait mené droit au but de leur visite en ces lieux : l'état-major de la République. Tous les principaux chefs de cette force politique étaient réunis pour une mise au point finale, avant ce qu'ils appelaient « le grand soir ».

Au centre des rayonnages de volumes anciens, on avait dressé un cercle de tables, et déroulé un nombre impressionnant de plans et de cartes, au-dessus desquels se penchaient une vingtaine d'officiers républicains.

Par télépathie, Loralius informa ses acolytes de sa découverte, leur indiquant le chemin. Puis, voyant frémir les oreilles d'un des deux Trolls présents dans la pièce, il recentra toutes ses ressources sur le maintien du Bouclier Sensoriel. Le colosse verdâtre renifla nerveusement encore une fois ou deux, mais parut finalement se laisser mystifier par le sortilège.

Depuis le poste d'observation qu'il s'était trouvé dans un recoin de la bibliothèque, le jeune Frater attendit l'arrivée du reste de son escouade en détaillant les républicains présents.

Nombre d'entre eux lui étaient déjà connus, même s'il les avait vus en Gravure Mentale plutôt qu'en chair et en os. La majorité des chefs de ce mouvement ayant déjà été suivis par des espions de la Fraternité, il avait suffi aux membres de son Poing de se faire transférer psychiquement leur image avant de débuter cette mission.

Il y avait, pour commencer, le prince Ladiccio lui-même, hôte de la petite assemblée. C'était un vieil homme distingué, ayant autrefois été le précepteur du roi Bassianus. Le blanc éclatant de sa barbichette et de sa moustache soignées contrastait avec son teint bronzé de sudien. Il avait un visage en lame de couteau, où brillaient des yeux pétillants de sagacité. D'après ce que Loralius avait appris par cœur pour se préparer à cette opération, l'homme venait d'une très vieille famille tireldienne et était un cousin de la mère du roi. On le disait d'une exceptionnelle érudition, mais il s'était refermé sur lui-même depuis des années, abandonnant toute vie sociale à la cour. Certains prétendaient qu'il avait été dégoûté de la monarchie en voyant la manière dont le roi de Tireldi détournait son enseignement.

Trois Elfes, debout côte à côte comme s'ils ne faisaient qu'un, se tenaient non loin de lui. Il y avait quelque chose de presque trop parfaitement immobile en eux, qui mit le Frater légèrement mal à l'aise. Continuant son examen, ce dernier reconnut également une poignée d'universitaires révoqués pour leurs idées trop progressistes, deux sénateurs, ainsi que les membres de certains collèges de magie.

Loralius secoua lentement la tête. Cette intelligentsia prétentieuse et donneuse de leçons, qui se croyait à l'abri du courroux de la Lumière, lui donnait la nausée. *Ces hommes prévoient de libérer une anarchie sans précédent sur leur royaume, de le livrer au vice et à l'impiété, et ils osent en être fiers...*, bougonna-t-il en lui-même. *Croient-ils sérieusement pouvoir opposer un front efficace à la Mère Stérile, lorsque toutes les institutions qui soudent leur société auront été foulées au pied ?*

Parmi les dangereux conspirateurs, le Frater remarqua aussi plusieurs jeunes capitaines élégants, probablement issus de cette noblesse même qu'ils entendaient renverser. Un certain Ettore, tout particulièrement, retint son attention. En dépit de son âge, celui-là était un des personnages importants de la République. Il ne faisait bien sûr pas partie de ses idéologues fondateurs, comme le prince Ladiccio, mais il s'était néanmoins imposé comme l'une des âmes vivantes du mouvement.

Sans avoir besoin de piocher davantage dans les informations de la Gravure Mentale, Loralius nota que le jeune homme avait bien le charisme nécessaire à la propagation de ses idées subversives. Tandis qu'Ettore se penchait à l'oreille de son voisin, le Frater détailla froidement sa physionomie. Le capitaine pouvait avoir dix-huit ou dix-neuf ans et était donc un peu plus jeune que lui-même. Il portait de longs cheveux fins et raides, comme ceux du Daedorien, mais les siens étaient noir de jais. Sa chemise blanche de duelliste était honteusement déboutonnée, dévoilant une partie de son torse imberbe et délicatement musclé. Partagé entre dégoût et fascination, le Frater s'attarda sur l'observation de ce rictus impertinent, dont on devinait au pli subtil des lèvres qu'il pouvait subitement se muer en sourire enjôleur. Malgré ses traits tirés d'épuisement, le jeune Ettore dégageait une vitalité farouche, une flamme intérieure effectivement propre à embraser les foules...

Loralius le détesta immédiatement. Il le haïssait pour ce qu'il était, un terroriste débauché, mais plus encore pour le trouble que son insolente beauté avait instillé en lui. L'aura du jeune républicain, alliée à la candeur de son engagement idéaliste, bouleversait le Frater. Il prit sur lui pour chasser le déconcertant sentiment de gémellité qui l'avait envahi, presque comme un frisson amoureux. Il devait se souvenir que derrière ce visage d'ange, se cachait un être retors, qui s'était déjà rendu coupable de plusieurs assassinats politiques dans l'entourage du roi. Un homme qui se montrait également capable de mener au combat des troupes d'anarchistes sanguinaires, avides de détruire toute civilisation hiérarchisée.

— J'imagine comme tu dois réussir à abuser les âmes faibles, cracha-t-il à mi-voix, s'adressant au capitaine tout en sachant qu'il ne pouvait l'entendre. Comme tu peux facilement séduire…

Chaque sourire est une tromperie, résonna en lui la voix sévère mais vénérée de l'Examinatrice Frieda. *Chaque mouvement gracieux, une corruption.* Le *Livre des Psaumes*, Sainte Parole de l'Exégète, exhortait au contraire les Fraters à n'arborer aucune expression faciale ou corporelle. Les fidèles de la Lumière étaient tenus de garder une saine neutralité en toutes circonstances.

Soudain, Loralius fut rappelé au présent. Une voix distincte s'éleva par-dessus le bourdonnement de conversations brouillonnes qui avait prévalu jusqu'à maintenant. C'était Ladiccio qui prenait la parole, constatant que tous ses invités étaient arrivés.

— Mes camarades, commença-t-il sans ambages, je sais que beaucoup parmi vous ont critiqué mon manque de détermination, tout au long de ces années de lutte.

Des murmures surpris et gênés parcoururent l'assistance. Le prince attendit qu'ils se soient tus pour continuer.

— Assez d'hypocrisie, déclara-t-il d'un ton aimable en dépit de l'éclat dur qui animait soudain son regard. Je n'ignore pas que certains ont dit de moi que j'étais faible et indécis. Qu'il était criminel de se contenter de rédiger quelques manifestes de philosophie politique, tandis qu'une noblesse parasite dévorait les forces vives de notre nation… (L'éclat dans son regard mourut aussi soudainement qu'il était apparu, ne laissant derrière lui qu'une terrible résignation.) Heureux soient-ils, à présent, car l'heure de passer à l'action a enfin sonné.

L'un des sénateurs, affichant une mine aussi soucieuse, demanda :

— Je suis au courant. Nous le sommes tous, bien entendu. Mais sommes-nous *réellement* prêts à prendre les armes ?

Devançant le maître des lieux, ce fut Ettore qui répondit.

— Il n'y aura pas d'autre moment, déclara-t-il, d'un ton qui ne laissait place à aucune contestation. L'armée de Bassianus se renforce de jour en jour. Ce n'est... pas le cas de la nôtre.

— Je comprends, intervint un universitaire d'âge avancé. Mais ce qui m'inquiète, c'est l'après. En admettant que nous sortions victorieux de cette entreprise, j'ai bien peur que nous manquions de projets concrets quant à l'administration de la nation...

Ce fut au tour de Ladiccio de hausser un sourcil sincèrement étonné.

— Comment ça, Giustini ? Nous savons depuis des années ce qui doit être fait. Tout a été écrit et débattu depuis longtemps, n'est-ce pas ?

Le vieux professeur soupira, embarrassé.

— Sur le papier, mon ami. Sur le papier.

Ettore, sentant visiblement la situation lui échapper, reprit la parole.

— Tout est clair, au contraire, certifia-t-il. Dès la chute de la monarchie, le Conseil patriotique sera constitué, prenant le relais de toutes les instances actuelles. Nos partisans sont répartis dans tout le pays. Après la victoire, ils n'attendront que nos ordres pour organiser la réforme. Une partie de nos troupes restera mobilisée pour constituer des milices citoyennes, qui s'assureront que les terres et les biens seront équitablement partagés.

Loralius entendit alors le jeune terroriste réaffirmer les grandes lignes de ce qui composait son inquiétante utopie. Nobles et marchands verraient tous leurs privilèges abolis, la guilde du Commerce serait dissoute, ainsi que le Sénat. L'ensemble des richesses serait confisqué et distribué entre les citoyens, tandis que les troupes du roi et de ses vassaux seraient désarmées. Un nouvel ordre politique, s'appuyant sur les paysans et les artisans, régnerait sur Tireldi. Le jeune capitaine républicain semblait croire que des cellules de volontaires disséminées à travers le royaume – et centralisées par son fameux Conseil patriotique – seraient capables de faire régner l'ordre. À l'écoute de cette triste énumération, le Frater s'était mis à soupirer avec dédain. Il n'arrivait pas à croire qu'une personne aussi manifestement intelligente puisse faire preuve d'un idéalisme aussi puéril.

À ses yeux, il n'y avait qu'une idée à sauver de toute cette folie verbeuse. La lutte contre la Mère Stérile, qui semblait demeurer l'une des priorités du mouvement révolutionnaire. Sur ce point, au moins, l'Estien ne pouvait qu'approuver la résolution de la République. Mais même cela ne suffisait pas à racheter ses partisans, évidemment.

— Voilà qui est bien parlé, général Ettore, déclara Ladiccio lorsque son cadet eut conclu sa harangue.

« Général » ? nota Loralius. Ainsi, le jeune partisan était monté en grade… Une information qu'il n'oublierait pas de consigner dans son rapport.

Il fut toutefois tiré de ses pensées par l'arrivée discrète de ses compagnons d'escouade. Les quatre autres membres de son Poing, qui s'étaient rassemblés avant de pénétrer dans la bibliothèque pour limiter les risques d'être découverts, venaient de le rejoindre. Ils échangèrent un bref salut martial, puis tous cinq furent bientôt postés côte à côte. Le jeune religieux dut retenir un sourire narcissique. Il y avait une force fascinante dans l'image de ces silhouettes hiératiques et muettes, drapées dans leur invisibilité magique.

À sa droite, Frater Gunther, commandeur trapu à la figure de bouledogue et aux courts cheveux gris. C'était un vétéran, un homme austère et efficace. Les crânes stylisés qui décoraient ses épaulettes attestaient qu'il avait autrefois servi dans les troupes de choc du cardinal Heigger.

Frater Franz était un géant musculeux au crâne rasé et la preuve vivante qu'un être humain pouvait se montrer aussi froid et laconique qu'une pierre. Loralius doutait de son intelligence, mais l'appréciait pour sa fidélité aveugle et la manière dont il exécutait n'importe quel ordre sans poser de questions. Par ailleurs, c'était lui qui suivait l'Examinatrice Frieda depuis le plus longtemps.

Sur sa gauche, Frater Aulius, à peine plus vieux que lui. C'était un jeune homme timide, au visage poupin et aux mains potelées. On le disait brillant Dracomancien, et ses compagnons paraissaient l'avoir officieusement désigné comme leur spécialiste de tout ce qui touchait aux arts psychiques. Sans l'avouer franchement, le nouveau venu aurait été curieux de se mesurer à lui dans ce domaine.

Frater Gœder, enfin, était le plus mystérieux du lot. Pour une raison inconnue, on le surnommait « le Confesseur », et Loralius n'était pas certain de le cerner encore tout à fait. Il s'agissait d'un petit être d'une maigreur étique, dont le visage osseux évoquait le crâne d'un mort. Affublé de divers tics nerveux, il n'en était pas moins d'une redoutable vivacité d'esprit. D'après ce que le jeune Frater avait cru comprendre, il avait longtemps œuvré en tant que laïque au sein de la Heilsgaard – la police secrète de l'empereur – avant d'entrer dans les ordres.

Ce Poing avait été constitué à peine une semaine plus tôt, mais ses membres – hormis Loralius, bien entendu – avaient déjà l'habitude de travailler ensemble. Quel qu'ait été leur passé avant de rejoindre les rangs de cette unité, ils étaient désormais tous détachés au service de Soror Frieda. Un Chapitre entier avait ainsi été placé sous le commandement de cette dernière : cent hommes, affectés aux missions spéciales. La jeune Examinatrice, en effet, recevait directement ses ordres du Grand Archiviste, quand ce n'était pas de l'Exégète lui-même. Loralius savait que les quatre Fraters qui l'entouraient faisaient partie des meilleurs éléments de cette troupe. Et lui, la jeune recrue, à présent debout parmi eux... Non, il n'avait jamais été aussi fier que du fait d'appartenir à cette escouade.

Mais le débat entre les républicains devenait plus intéressant, quittant les généralités. Le Frater se souvint que leur mission était d'espionner cette réunion d'état-major, et ouvrit grandes ses oreilles.

Ettore avait déroulé une carte du royaume de Tireldi sur une table, et désignait des points précis de la pointe de son couteau :

— Je suis conscient de manquer d'hommes, ou en tout cas d'hommes fiables et entraînés, pour lancer cette vaste offensive. Cela faisait partie des hypothèses de départ, et je ferai avec. Mais *ici*... (Il désigna un endroit de la grande route qui reliait Farnesa à la Nef.) et *là*... (La pointe du couteau vola vers le col boisé qui formait la porte d'entrée du Drekvo.), nous courons à la catastrophe si vous ne pouvez m'attribuer des renforts supplémentaires.

Une demi-douzaine d'officiers hochèrent gravement la tête à l'écoute de ces paroles, marquant leur soucieuse approbation. En réponse, le maître des lieux arbora un fin sourire, d'une malice presque enfantine.

— Il y a une donnée que j'ai tenu à conserver secrète le plus longtemps possible, déclara-t-il. Tu auras tes renforts, général.

L'intéressé lui adressa un regard interrogateur.

— Nous avons le soutien d'un allié puissant, poursuivit Ladiccio. Soutien officieux, mais appréciable, comme tu vas le comprendre. Il s'agit du roi Lemneach, seigneur d'Orlande. Comme nous, il a percé à jour la duplicité de Bassianus et sa complicité avec la Dernière Prophétesse. C'est pourquoi il va nous aider...

Un silence hébété tomba sur l'assistance. Puis, comme les protagonistes réalisaient peu à peu l'ampleur de la nouvelle, Ettore s'inquiéta :

— Est-on certain qu'il ne s'agit pas d'un piège ? Les traités entre les héritiers des Anciens Rois n'ont que rarement été bafoués, et jamais entre l'Ouest et le Sud. J'imagine mal Lemneach compromettre la parole de ses ancêtres en envoyant ses troupes déposer le roi de Tireldi.

— J'ai confiance en lui, objecta le vieux prince. C'est un homme juste. Il n'agit ainsi que pour contrecarrer les plans de la Mère des Douleurs. D'ailleurs, ce ne sont pas des troupes orlandaises qu'il compte envoyer à notre secours, ajouta-t-il d'un ton énigmatique.

— Qui, alors ? fit Ettore, les sourcils toujours froncés.

— Lemneach a utilisé une partie de son trésor royal pour acheter les Grands de Farnesa, révéla Ladiccio. Du moins, ceux qui n'étaient pas déjà acquis à la cause de Bassianus. À l'heure où je vous parle, l'affaire est conclue, ou près de l'être.

Un tonnerre de hourras salua les paroles du maître des lieux. Les jeunes officiers, particulièrement, exultaient en se donnant des claques dans le dos. La voix d'Ettore, qui paraissait à présent déridé, s'éleva par-dessus ce soudain brouhaha.

— Les mercenaires ! s'esclaffa-t-il, éclatant de son rire insolent. Nous sommes sauvés !

Il parut réfléchir un instant, puis s'interrogea, soudain redevenu soupçonneux :

— Étrange, tout de même, qu'ils aient accepté l'offre de Bassianus. Ils n'ont rien à gagner à voir notre régime se mettre en place... Vous n'ignorez pas qu'ils font beaucoup d'affaires avec la guilde du Commerce...

— Précisément, intervint l'un des sénateurs. Ces crapules sentent le vent tourner. Les Grands savent qu'ils ne peuvent empêcher la révolution. En acceptant de se battre à nos côtés, ils espèrent pouvoir négocier avec la République le droit de poursuivre leur triste commerce. La guilde peut être sacrifiée : les mercenaires ne manqueront jamais de clientèle, même s'ils doivent aller la chercher à l'étranger.

Le jeune général acquiesça, mais le sourire soulagé qu'il avait brièvement affiché ne revint pas. Ce fut un visage concentré qu'il reporta sur l'étude de sa carte.

— Bien. Nous placerons donc les troupes farnèsiennes ici, pour bloquer la route de la Nef, ce qui permettra de libérer des hommes pour attaquer le Drekvo. Il faut espérer que cela suffira. N'oublions pas que Bassianus s'est lui aussi assuré le soutien d'une partie des mercenaires, sans parler de son armée régulière.

Le maître des lieux hocha la tête d'un air confiant.

— Les tractations secrètes avec l'Orlande n'ont pas été ma seule occupation, déclara-t-il, pensif. J'ai aussi longuement réfléchi aux faiblesses de Bassianus, à son état d'esprit. Et... il fera une erreur, camarades. Je ne peux pas encore vous dire laquelle, mais je vous garantis qu'il en fera une. (Le vieil homme ferma les yeux, remontant dans ses souvenirs.) Je le connais bien, vous le savez. C'était un enfant intelligent… mais nerveux, rongé d'anxiété. Et surtout incapable de raisonner efficacement lorsqu'une situation le surprenait. Quelle que soit la force de son armée, je suis persuadé qu'il commettra tôt ou tard une maladresse stratégique qui lui coûtera la victoire. Faites-moi confiance.

Le prince avait parlé avec tant de calme assurance que l'assemblée sembla majoritairement convaincue. Un concert d'acquiescements et de murmures approbateurs survola les officiers présents. Depuis le début de la réunion, les Elfes impassibles étaient les seuls à ne pas participer à ces manifestations d'encouragements solidaires. Loralius observait leurs visages immaculés, d'une grâce inhumaine et pourtant assombris par une expression lugubre. *Ce sont des monstres…*, les maudit-il en pensée. En effet, les trois créatures sylvestres lui donnaient le frisson, et il détestait ça. *Des êtres répugnants,* poursuivit-il haineusement, *qui cachent leurs viles intentions derrière la pureté de leurs traits. Nous aurions dû les exterminer jusqu'au dernier, pendant le grand génocide.* Selon l'Exégète, la race humaine était la seule digne de prospérer à la surface de Genesia, mais aux yeux de Loralius, les Elfes avaient une *anormalité* qui les rendait encore plus détestables que les Trolls ou les Nains.

Par la suite, les républicains reprirent leur discussion plus sereinement. Ils paraissaient rassérénés par ces bonnes nouvelles et fermement décidés à mener à bien leur grand soir. Plusieurs heures durant, les sujets abordés consistèrent en une liste infinie de détails tactiques, que les Fraters notèrent soigneusement dans leur mémoire en vue de leur futur rapport. Le nombre et les emplacements des troupes, les mouvements prévus et les cibles privilégiées, rien de ce qui s'était dit au cours de la réunion ne leur avait échappé.

Les républicains allaient attaquer, comme prévu. *Tout se déroule conformément aux plans de l'Exégète,* se félicita le jeune espion.

Mais Loralius, tout en mémorisant et analysant ainsi, avait néanmoins une partie de son esprit tourné vers Farnesa. Il savait que

Soror Frieda les attendait là-bas et il avait hâte de la rejoindre. Leur Poing avait été fâcheusement retardé par cette mission d'espionnage, et la jeune femme avait dû gagner seule la Cité des Grands. Loralius supposait qu'elle n'aurait pas perdu son temps, prenant contact avec les Fraters déjà sur place et s'assurant que sa requête était bien parvenue aux Manteaux Noirs.

Mais si ces misérables criminels ne donnaient pas satisfaction – en dépit des sommes exorbitantes qu'ils exigeaient –, le Poing de l'Examinatrice devrait agir à leur place. Lui, il n'échouerait sous aucun prétexte, se refermant sans pitié sur les deux enfants impliqués dans les plans de l'Exégète.

Le Frater jeta un regard à ses acolytes. Ces hommes étaient les meilleurs agents de leur Chapitre. Seule leur réputation, précisément, les avait empêchés d'être déjà sur place, le Grand Archiviste n'ayant accepté personne d'autre pour espionner cette réunion capitale de leurs ennemis républicains. Bien que n'ayant pas encore fait ses preuves, Loralius se sentait flatté de ce choix, la gloire de ses compagnons rejaillissant un peu sur lui. Il regrettait seulement que cela les ait éloignés de Soror Frieda.

Bientôt, heureusement, ils en sauraient assez pour faire leur rapport. Ils enverraient les informations glanées par le système habituel de sémaphores télépathiques qui les reliait à leur monastère chapitral. Cette formalité accomplie, songeait le jeune religieux avec une impatience que sa supérieure n'aurait pas manqué de lui reprocher, le Poing serait enfin libre de voler vers Farnesa.

Ainsi, se dit-il, *Frieda et son Poing favori seront à nouveau réunis.* Mais il y avait plus, bien sûr. Les pupilles de Loralius s'étrécirent et sa poitrine se gonfla, tandis qu'il pensait aux plans de l'Exégète, aussi audacieux que grandioses. *Là-bas, nous serons aussi aux premières loges pour voir débuter la conquête de Genesia...*

Chapitre 19

Caessia ferma les yeux. Mais les coups suivants ne vinrent jamais.

Rouvrant les paupières avec incrédulité, elle vit le cercle ennemi se disloquer autour d'elle. L'adversaire qui lui faisait face s'écroula, et tout ce qu'elle aperçut fut un poignet ganté de fer, arrachant une hache du dos du malheureux. Un masque de porcelaine fut écrasé par un très violent coup de marteau, comme le second bras du nouveau venu s'élevait.

L'infante put alors observer la silhouette de son allié providentiel. C'était un Nain, surgi comme tombé de la lune.

— Nimrod..., souffla la princesse avec béatitude, bien que toujours à demi inconsciente.

Elle était tombée sans s'en apercevoir et gisait à présent parmi les cadavres de ses ennemis. Sa jambe blessée tremblait, agitée de soubresauts tandis que le sang s'en échappait par petits jets rythmiques. Mobilisant ce qui lui restait de forces, elle attrapa une bande de sa tunique déchirée et s'en fit un garrot. Le morceau de tissu ainsi noué parut suffire à panser la plaie, ce qui lui indiqua que son artère n'était probablement pas touchée aussi gravement qu'elle ne l'avait craint. Sa respiration et ses battements de cœur se calmèrent quelque peu.

Au-dessus d'elle, le vétéran taillait dans la masse. Sa hache et son marteau décrivaient de grandes ellipses, fauchant tout ce qui se trouvait sur leur passage. Cependant, les spadassins s'étaient immédiatement détournés de leur victime pour se défendre, et huit d'entre eux entouraient toujours le Nain en cet instant.

Restée seule à côté d'Evan assommé, Renarde sembla considérer que l'intrus était suffisamment occupé par les sbires. D'un pas chaloupé, elle avança lascivement vers Caessia. Contrairement à ses acolytes, elle portait un masque qui révélait le bas de son visage, découvrant une bouche sensuelle. *Par les Anciens Rois,* gémit mentalement l'adolescente, *elle sourit !*

La froide étincelle qui luisait dans son regard ne laissait cependant pas de doute sur ses intentions. Une fois de plus, Caessia se vit perdue. Et cette fois, elle ne voyait pas qui pourrait venir la sauver.

Comme elle cherchait en elle la volonté de trouver une solution, la voix de ses maîtres jadiens résonna alors dans sa mémoire. *Souviens-toi de ton enseignement,* semblaient-ils dire sévèrement. *As-tu enduré toutes ces souffrances pour périr ainsi ? N'avons-nous pas fait de toi un être redoutablement* supérieur *?*

Soudain, un millier de souvenirs du monastère revinrent hanter Caessia. Et alors, elle sut. Malgré son corps brisé et sanguinolent, elle devait lutter. Des larmes de douleur et d'épuisement inondant ses joues sans qu'elle parvienne à les retenir, elle se releva toutefois en titubant.

Au premier essai, elle vacilla et retomba en partie, se retenant sur un genou. Renarde laissa fuser un petit rire suave.

La seconde fois fut la bonne. La princesse voyait tout tourner, mais elle était debout. Son estomac se tordait tellement qu'elle se rendit grâce de n'avoir presque pas déjeuné. Elle était certaine qu'elle aurait tout vomi dans l'instant, dans le cas contraire.

Deux émeraudes cruelles la fixaient à présent, brillant à travers les trous du masque. Une rapière se dressa dans une parodie de salut.

— Un duel dans les règles ? se moqua Renarde.

Sa voix était chaude, un brin narquoise. Caessia songea nébuleusement qu'un tel timbre de voix devait rendre les hommes fous.

La bretteuse avança sur elle, la forçant à reculer en chancelant. L'adolescente ne comprit pas où son adversaire avait voulu en venir avant de sentir le sol changer sous ses pieds. Renarde l'avait repoussée vers une autre portion de la toiture… une arête beaucoup plus étroite.

Jaugeant le vide de chaque côté, Caessia voulut repartir en avant, mais les battements de la rapière ennemie lui barrait le chemin. Au contraire, la tueuse à gages força sa victime à reculer encore, s'assurant qu'elle ne pourrait quitter la mince corniche où elle l'avait conduite.

Se sentant nauséeuse et confusément attirée par le vide, Caessia songea avec désespoir que son adversaire n'aurait peut-être même pas besoin de la toucher pour qu'elle fasse une chute mortelle…

Cependant, les sacrifices du monastère de Jade vinrent aussitôt se rappeler à elle, chassant ce défaitisme. *Je suis une créature de chair,* récita-t-elle en se souvenant d'un vieux mantra jadien. *Et la chair ne craint pas l'acier…*

À peine formulait-elle cette pensée, que Renarde fondit sur elle en fouettant l'air de sa lame. L'adolescente dut effectuer un petit saut pour esquiver l'attaque fourbe qui cherchait à lui balayer les jambes. Sans ses réflexes aiguisés au prix d'une discipline de fer, des réflexes devenus véritablement mécaniques, le coup aurait porté.

Ce seul effort faillit malgré tout suffire à la faire basculer dans le vide. Des phosphènes dansants vinrent à nouveau troubler sa vue. De plus, sa cuisse blessée lui avait occasionné une douleur intense à la réception, comme si ses chairs meurtries venaient de se déchirer un peu plus. Son flanc et son bras la faisaient souffrir également, bien qu'ayant apparemment cessé de saigner.

La rapière siffla à nouveau droit sur elle, l'obligeant à se plier en arrière pour l'éviter. Sa propre contre-attaque, lancée par pur automatisme, faillit lui coûter très cher. La jeune fille était encore beaucoup trop faible pour tenter une action d'une telle audace. Sans même réellement menacer son adversaire, elle avait simplement manqué de s'envoyer toute seule atterrir dix mètres plus bas.

Caessia se savait capable d'agilité, lorsqu'elle était au mieux de sa forme. Mais à l'heure actuelle, l'espace exigu qu'elle sentait sous ses pieds lui donnait l'impression de danser sur un fil. *D'ailleurs, même en pleine santé,* dut-elle reconnaître, *je n'ai guère l'habitude de me battre en équilibre sur l'arête d'un toit glissant...*

Le rusé canidé, en revanche, avait l'air aussi sûr de lui qu'au milieu d'une vaste cour, nota-t-elle avec fatalisme.

— Tu pourrais être plus maladroite, étant donné les circonstances..., lui concéda Renarde tout en levant sa fine épée devant son visage. Mais le moment est venu d'en finir !

Elle rit alors de nouveau, et son rire avait quelque chose d'un peu fou.

— Je suis sûre qu'elle est originaire de la cité, paria tout bas Caessia. Un pur produit de Farnesa...

Admirant malgré elle la nonchalance apparente de sa rivale, elle chercha dans ses plus intimes ressources la force de continuer à se battre.

Elle pensa à un haut mur d'entraînement, bien plus étroit encore que cette corniche. Ce mur où elle devait exécuter des danses complexes tandis qu'on la bombardait de billes de bois destinées à la déséquilibrer. Elle pensa aux sauts compliqués répétés jusqu'à l'épuisement, à ces deux seaux d'eau qu'il fallait maintenir en équilibre des heures durant au bout de ses pieds, à ses poings réduits à l'état de pulpe de chair après avoir frappé la pierre toute la journée. Aux semaines de jeûne et... à bien pire encore, réminiscences douloureuses que son cerveau croyait avoir occultées. Son cœur se calma.

Et elle parvint à détourner ce qui aurait dû s'avérer le coup final. Renarde recula d'un pas gracieux, mais tout dans sa posture indiquait néanmoins son étonnement.

— Tu n'es pas si gravement blessée, tout compte fait, souffla-t-elle d'un ton fâché. Je vais t'apprendre à jouer la comédie !

La tueuse s'élança alors de plus belle, et les deux combattantes échangèrent ainsi quelques passes d'armes. Renarde se révélait redoutable, mais pas assez.

Caessia avait retrouvé toute sa sérénité, à défaut de ses facultés physiques. Ce n'était plus son corps qui se battait, c'était le pur esprit qui l'avait investie. *Je maîtrise la chair... La chair ne craint pas le métal.*

Pour la première fois, elle toucha son adversaire. Le dos de sa main fermée vint la frapper au visage, et même si le coup avait manqué de force, cette victoire psychologique parut marquer le tournant du duel.

Renarde, une lueur perplexe dans ses yeux verts, consacra une seconde à masser sa tempe endolorie. Puis elles reprirent leur combat de funambules.

Caessia réprimait autant que possible les tremblements qui agitaient son corps délabré. Chacun de ses mouvements requérait toujours une intense concentration, mais elle se sentait peu à peu plus sûre d'elle. Petit à petit, la chair prenait l'avantage.

L'adolescente se permit un bref regard en direction de Nimrod. Les rangs s'étaient clairsemés autour du Bakar, et lui-même ne paraissait pas blessé. Impitoyable dans son armure d'acier, il faisait s'écrouler les sicaires comme autant d'arbrisseaux abattus. Caessia commença à croire à l'éventualité d'une victoire.

Sans un mot, Nimrod découpait et écrasait méthodiquement autour de lui. Ce qu'il y avait de plus impressionnant, c'était que ses armes ne marquaient pas un seul temps d'arrêt, toujours en mouvement entre une gorge ou le creux d'un genou ennemi. Malgré l'apparence faussement colérique de son style de combat, le Nain ne faisait pas un seul mouvement qui ne fût strictement nécessaire... Ainsi, Caessia observa le vétéran bousculer son adversaire du moment sur le côté. D'un geste sec de bûcheron, il planta sa hache dans le front du Manteau Noir, tandis que son marteau le protégeait des autres. La princesse songea que la terreur devait se lire sous les masques de porcelaine dénués d'expression.

Juste avant qu'elle ne détourne la tête, les pupilles du Nain à barbe bleue accrochèrent les siennes. Le Bakar plongea dans les yeux de son ancienne protégée un regard indéchiffrable, peut-être pour la supplier de rester en vie.

Avec froideur, elle se concentra davantage sur chaque subtilité de sa lutte avec la tueuse. Mais celle-ci perdait du terrain. Et la vitesse de ses propres mouvements continuait de se décupler. Ayant pris la mesure des difficultés du terrain, la jadienne voltigeait à présent comme un petit démon. Ses poings, quant à eux, sifflaient avec toute la dextérité que permettaient ses blessures. Comme le découvrit Renarde avec des gémissements étouffés, ils étaient devenus plus durs que la pierre.

Malgré tout – et cela faillit bien faire perdre à Caessia sa concentration mystique – la duelliste masquée souriait toujours.

Le plaisir…, songea l'infante. *Voilà ce qui va te perdre, Renarde…*

La tueuse à gages se battait bien, certes, mais avec indolence et coquetterie. Tout cela devait être comme un jeu pour elle. Mais ça n'était pas un jeu pour Caessia. Autour de son ennemie, le croissant de la lune faisait un écrin blanc. Elle ne le remarqua pas. En cet instant, l'esprit de l'adolescente n'était pas dans la disposition de se laisser séduire par un quelconque décor. Par ailleurs, elle savait bien que l'une d'elles deux ne descendrait pas vivante de ce toit.

Renarde, sans paraître saisir cette réalité, demeurait une enfant de Farnesa. Ambivalente, sensuelle, distraite. La cité lui avait appris combien toutes les frontières étaient floues. Entre vie et mort, douleur et jouissance… Cette nuit, cet enseignement jouait en sa défaveur. Sa jeune adversaire, elle, n'avait aucunement l'intention de succomber aux charmes capiteux de l'atmosphère locale.

Son style efficace et sans fioritures finit par pousser la tueuse dans ses retranchements. Cette dernière prit peur, et délaissa ses minauderies habituelles pour des attaques plus directes.

Leur combat s'accéléra follement… devint perfide et sec. L'escrime de Renarde se fit mesquine, âpre.

Rythmés et précis, les coups de Caessia continuaient quant à eux à siffler, perforant indifféremment l'air ou la chair de la tueuse à gages. Le bout des doigts de la jeune fille était déjà couvert de sang.

Soudain, l'épéiste concentra ses ultimes forces dans une botte de toute beauté. Sa rapière vibra deux fois, tandis qu'elle se repliait légèrement sur elle-même. Puis elle se détendit en tournoyant, dans un saut virevoltant qui avait tout d'un entrechat. La pointe de sa lame fusa droit au cœur de la jeune princesse.

Mais Caessia eut disparu une fraction de seconde avant l'impact, et son cœur avec elle. Ses pieds agiles quittèrent leur fragile appui, si bien qu'elle parut l'espace d'un instant flotter dans le ciel farnèsien. Saisissant au passage le poignet de son adversaire, qui lui semblait à présent se mouvoir au ralenti, la jeune fille lui asséna un coup de la tranche du pied en plein plexus solaire. Puis elle retomba derrière elle, amortissant le mouvement d'une flexion des genoux.

Déséquilibrée, la tueuse à gages battit des bras pendant un court moment. Puis, se sentant perdue, elle se laissa choir d'elle-même dans le vide. Elle tomba sans un cri.

Caessia, bien qu'encore à demi hypnotisée par sa froide transe de combat, put enfin laisser échapper un soupir de soulagement. Elle constata alors que la dernière attaque de Renarde avait perforé sa tunique. Une botte vaine, par chance, mais brillante et créative, comme si l'assassin avait tenu à soigner sa sortie.

Suivant sa chute du regard, la princesse la vit s'empaler sur sa propre lame en atteignant le sol, une jambe repliée sous elle de façon grotesque.

Crocodile, sorti de nulle part, accourut alors à son secours… Mais la duelliste qui venait de s'écraser ainsi sur les pavés avait rendu l'âme sur le coup. Son masque avait été éjecté dans sa chute, révélant le visage brun d'une belle jeune femme. Sur ses lèvres, une sorte de consternation se mêlait à l'extase.

Caessia entendit le hurlement rageur de Crocodile en contrebas.

— Tu me le paieras, qui que tu sois ! promit-il en dressant un poing vengeur vers les toits. Tu entends, sale petite garce ? Nous nous retrouverons !

L'adolescente prit bonne note de cette menace, mais son esprit en était détourné par une constatation d'un autre ordre. Dans la ruelle, pour peu que ses yeux ne la trahissent pas, il n'y avait plus trace de ses compagnons. Ni de leurs cadavres, par miracle. Soit ils avaient été pris, soit ils avaient pu s'enfuir..., songea Caessia en priant pour la deuxième solution.

Elle détourna la tête, attirée par l'interruption des bruits de lutte sur le toit. En effet, s'avisant soudain du sort de leur meneuse, les trois spadassins survivants rompaient précipitamment le combat avec Nimrod. Ils furent rapidement avalés par l'obscurité farnèsienne, et le Nain ne tenta d'ailleurs pas de les poursuivre. La cité prestidigitatrice semblait pouvoir retirer ses pions avec la même fulgurance inouïe qu'elle les avait posés.

Caessia, dont la tête tournait à nouveau, tâtonna jusqu'à un endroit plus stable de la toiture. Sa jambe blessée paraissait peser une tonne... L'horizon vacilla, et la lune bondit un instant avant de reprendre sa place originelle.

La princesse comprit que son corps épuisé ne la soutiendrait pas plus longtemps. Heureusement, la poigne solide du Bakar vint la retenir au moment précis où elle se sentait défaillir pour de bon. Tout en chutant dans d'accueillantes ténèbres, elle perçut la force des bras amis qui l'emportaient loin du danger.

Tandis qu'ils s'enfuyaient ainsi dans la nuit, une unique silhouette resta visible dans ce quartier. Campé auprès du corps sans vie de sa bien-aimée, le Manteau Noir semblait scruter haineusement au-delà des ombres. Le profil de son masque de crocodile se découpa quelques instants devant la lune, puis il disparut à son tour.

Chapitre 20

Les émissaires prirent place dans un froissement d'étoffes. Les profondeurs de la Maison de Chair, qui recevait la prestigieuse assemblée, bruissaient de l'activité de nombreux serviteurs. Domestiques et responsables du protocole s'affairaient dans la vaste salle aux murs palpitants, tandis que leurs invités s'installaient. Une légère tension était perceptible, sous couvert d'empressement général. Il n'était pas si courant d'accueillir une réunion de l'Arcane, l'autorité fédérale qui regroupait les différents collèges de magie.

Le ventre étouffant du bâtiment souterrain, qu'on atteignait au terme d'un escalier parcouru de veines mauves et pulsantes, s'était donc entièrement mobilisé pour le service des Dracomanciens. Parmi ces derniers, certains étaient venus de l'autre bout du continent afin de participer au congrès. Les cinq porte-parole des Voies conviées attendaient maintenant patiemment la fin des ultimes préparatifs. Un sixième personnage, plus mystérieux, les avait salués en s'inclinant légèrement, mais sans ôter le capuchon de sa cape. Puis l'un de leurs hôtes l'avait conduit à son siège, dans un coin de la pièce d'où il observait à présent les représentants de l'Arcane.

Tous les cinq demeuraient parfaitement silencieux, assis dans leurs hauts fauteuils d'os, lesquels venaient de surgir du sol tendre comme les premières dents d'un enfant. Même pour des mages, l'arrivée en ces lieux avait dû faire forte impression. Ceux qui venaient pour la première fois ne pouvaient avoir échappé au malaise qui s'emparait des visiteurs étrangers, lorsqu'il fallait abandonner la lumière du jour et se laisser happer par les entrailles violacées de la demeure.

Dans les premiers instants, l'odeur musquée et capiteuse faisait suffoquer, et il fallait plusieurs minutes pour s'habituer à cette atmosphère chargée. L'air, brûlant, oscillait entre des parfums de venaison, de pourriture ou d'acidité, selon les endroits. Les sorciers avaient suivi leurs guides à travers le labyrinthique réseau de tunnels rosâtres ou brunâtres, dont les parois souples s'animaient au rythme d'une respiration majestueuse. Ils avaient traversé tout un univers d'organes internes, de tendons érigés en arches, d'alvéoles gluantes formant autant d'alcôves, de bassins remplis d'humeurs acides et fumantes. Toutefois, nulle trace d'angoisse ne subsistait dans leur regard, à présent.

Le premier d'entre eux était un guerrier-mage orlandais, émissaire de la Voie de la Claymore. Il portait la tunique et le kilt traditionnels, ainsi qu'une paire de jambières et d'épaulettes plus fonctionnelles qu'ostentatoires. Son immense épée était posée en travers, entre ses jambes, son bras gauche accoudé sur sa garde dans une posture presque nonchalante.

La Dracomancienne suivante était l'envoyée des Harpistes. Son costume de voyage violet et or l'attestait, tout comme la Compagne calée sur ses genoux. Sa longue natte dorée de Nordienne descendait jusque sur son ventre.

Ensuite, venait l'Elfe de la Voie du Verbe. Comme tous les siens, il arborait un visage d'une blancheur de papier. Mais son expression, bien que paisible, n'avait pas la placidité menaçante qu'affichaient nombre de ses compatriotes. On sentait davantage de bienveillance dans sa propre sérénité.

À la droite de ce dernier, était assis un alchimiste nain, émissaire de la Voie des Runes. Il portait le costume de son ordre, une robe orange, surmontée d'un plastron, et de larges bracelets de cuir brun.

Enfin, se trouvait une femme entourée de deux serviteurs, restés debout de part et d'autre de son siège. Vêtue d'un grand manteau blanc à capuche, tenant un bâton de la même couleur immaculée, c'était la représentante de la Voie de la Chair. Connus pour leurs talents de diplomates, les membres de cette Voie étaient souvent à l'initiative des réunions de l'Arcane, et leurs bastions les hôtes de ces symposiums, comme cela était le cas en ce jour. Ils étaient les seuls à ne pas avoir d'ennemis notables parmi les autres ordres de magiciens et à pouvoir rassembler ainsi la confiance générale.

En effet, si les Voies ne s'étaient jamais livrées de guerre ouverte, leur entente demeurait au mieux très fragile. Tout prétexte était bon pour nuire indirectement aux Dracomanciens rivaux. Bien sûr, il fallait voir à l'origine de ces antagonismes certains conflits philosophiques ou séculiers, mais ni les différences dans l'approche de la magie, ni les querelles quant au pouvoir politique ne suffisaient à expliquer totalement ce phénomène. Plus profondément, la haine voilée qui opposait les Voies trouvait sa source dans la nature même de la Manne, force fondatrice de la dracomancie, qui baignait tout Genesia de manière invisible. Les fluctuations de cette dernière étaient ainsi faites que lorsqu'une Voie prospérait, une autre déclinait obligatoirement. Il était donc apparu à chaque ordre que la destruction de ses rivaux serait tôt ou tard une question de survie.

Malgré tout, il arrivait que se produisent des événements suffisamment graves pour obliger les Voies à oublier temporairement leur animosité mutuelle. Lorsqu'il fallait régler ces problèmes importants, qui les touchaient toutes, elles réunissaient alors l'Arcane, comme aujourd'hui, pour tenter de trouver les meilleures solutions.

Au centre du cercle formé par les fauteuils d'os, les apprentis de la Voie de la Chair semblaient avoir fini de faire émerger une large surface ronde, brillante comme un ongle laqué, qui tiendrait lieu de table. D'autres serviteurs achevaient de vérifier la sécurité des lieux.

Leur inviolabilité en matière d'espionnage magique, en particulier, avait été l'objet de toutes les préoccupations. Nul ne devait pouvoir écouter, par quelque moyen que ce soit, une assemblée de l'Arcane. D'autres, enfin, agissaient sur certaines muqueuses des parois phosphorescentes, pour y faire apparaître des images illusoires. Afin de ne pas oppresser leurs invités, ils avaient invoqué des visions de paysages agréables, comme s'il s'était agi d'ouvertures sur l'extérieur. Ces faux vitraux laissaient ainsi pénétrer une lumière trompeuse mais plaisante. Selon les endroits, on pouvait contempler l'horizon de collines ouestiennes, ou bien l'océan, ou encore les immensités blanches de la banquise nordienne.

Lorsque les responsables du protocole eurent estimé que tout était en place pour que puisse débuter la réunion, leur supérieur vint s'incliner devant la magicienne en manteau immaculé, qui acquiesça distraitement. Alors, tous les domestiques s'éclipsèrent comme par enchantement, laissant bientôt les ambassadeurs de l'Arcane seuls dans la vaste salle – à l'exception des deux serviteurs de la Dracomancienne autochtone et de leur mystérieux invité encapuchonné.

La femme en blanc acquiesça à nouveau, puis déclara :

— Les Aïeules souhaiteraient vous dire quelques mots.

Alors, comme elle claquait sèchement des mains, le plus imposant de ses serviteurs s'avança d'un pas. C'était un colosse à la peau noire et à la courte chevelure crépue. Avisant sa stature et ses yeux uniformément blancs, les autres sorciers comprirent qu'il s'agissait d'un Aveugle, marionnette de chair entre les mains de sa maîtresse.

Stoïque dans son sobre habit de lin immaculé, qui tranchait avec l'éclat sombre de sa peau, l'homme se planta devant la table de corne nacrée. À l'évidence, ses ancêtres étaient natifs du Loin-Sud, même s'il était plus probable que lui-même était né dans l'un des élevages d'esclaves entretenus par la Voie blanche. Les diplomates de l'Arcane y faisaient naître des enfants humains comme ailleurs des chevaux ou des chiens de race. Lorsque les lignées, étroitement surveillées, réclamaient l'apport de sang extérieur, les Dracomanciens faisaient appel à des géniteurs triés sur le volet. Ils choisissaient les parents de leurs futurs esclaves parmi les plus grands guerriers ou les plus célèbres gladiateurs du continent, à qui la Voie achetait leur semence – ou bien louait leur ventre – à prix d'or. Dressés selon un protocole secret, leurs rejetons devenaient par la suite ces gardes du corps à la loyauté inébranlable, connus sous le nom d'« Aveugles ». Seule une poignée de personnes, en dehors de la Voie de la Chair, connaissait l'origine de cette fidélité, et le lien surnaturel qui les unissait à leur mage. Toutefois, les émissaires présents faisaient partie de ces privilégiés. Ils savaient ce que signifiaient les yeux laiteux du géant, ce regard absent qui plongeait bien au-delà de son auditoire.

L'homme, au terme d'un processus infernalement douloureux, avait été dépossédé de toutes ses capacités sensorielles. Il ne pouvait plus voir, ni entendre, ni faire appel à aucun de ses cinq sens de manière conventionnelle. Toutes ses perceptions avaient été remplacées par une sorte de sixième sens magique, lequel dépendait uniquement du bon vouloir de son mage tutélaire. Lorsque ce dernier n'avait pas besoin des services de l'Aveugle, le malheureux devait parfois passer des semaines privé de toute sensation, enfermé dans les ténèbres de sa prison de chair.

C'était aussi ce lien mystique qui permettait aux Aïeules – grand-maîtresses de la Voie – de s'exprimer à travers la bouche de ces esclaves, comme elles s'apprêtaient à le faire. Ainsi, une voix de vieille femme s'éleva, surprenante, depuis la gorge musclée du colosse.

— Bienvenue à tous nos hôtes, chevrota-t-elle. Moi, Aïeule Irina, annonce cette séance de l'Arcane ouverte. Des heures terriblement graves ont nécessité une telle réunion, mais j'espère que vous parviendrez ensemble à de satisfaisantes conclusions. En attendant, cette maison est la vôtre, aussi longtemps que nécessaire.

Sur ces mots, le garde du corps s'inclina, avant de regagner sa place auprès de la Dracomancienne. L'autre serviteur qui flanquait cette dernière, plus chétif, était sans conteste une Mémoire, comme le prouvait son crâne chauve et démesurément allongé. Sur un regard de sa maîtresse, un frisson le parcourut et ses yeux chafouins se révulsèrent subitement, tandis qu'il entrait dans la transe psychique qui lui permettrait de mémoriser et d'analyser méthodiquement chaque mot qui serait prononcé en ces lieux.

— Nous sommes prêts, fit alors la femme en manteau blanc, nommée Lothéa. Permettez-moi de rappeler l'ordre du jour.

Les mages qui composaient son auditoire se redressèrent sur leur siège, à présent parfaitement concentrés.

— Comme vous le savez, nous sommes réunis pour aborder deux sujets d'importance. En premier chef, la recrudescence des perturbations magiques dont nous avons tous été victimes. Ainsi que leur lien éventuel avec les... rumeurs concernant la prophétie de l'Ost-Hedan. Puis, dans un deuxième temps, nous devrons nous pencher sur les activités secrètes de la Voie dissidente. Après avoir estimé les dangers représentés, nous conviendrons d'une ligne de conduite commune face à ses manigances...

Les Dracomanciens acquiescèrent unanimement. Tous savaient que leur hôtesse évoquait l'inquiétant plan secret de la Fraternité, cet ordre pseudo-religieux qui regroupait les adeptes de la Voie du Vide. Le premier point, cependant, n'était pas moins préoccupant, et la magicienne entra immédiatement dans le vif du sujet :

— Depuis quelques années, nous avons tous senti les effets des remous du fleuve Invisible. Ses eaux s'agitent, s'emballent comme jamais cela ne s'était produit, de mémoire de Dracomancien. Nos sortilèges deviennent parfois plus rétifs, plus difficiles à dompter ou à maintenir. Cela n'est pas nouveau, hélas. Mais vous conviendrez avec moi que le phénomène est allé en s'amplifiant, jusqu'à atteindre un niveau dramatique. Aujourd'hui, la crue du Fleuve perturbe la Manne de manière terrifiante, et aucune de nos Voies ne semble épargnée.

L'assemblée demeura muette et grave. Aucun n'ignorait la nature du fleuve Invisible, source de toute magie. Le cours de ce dernier, composé de Manne à l'état pur, agissait directement sur l'ensemble des forces magiques qui irriguaient Genesia.

— Les sortilèges mineurs restent toutefois aisés à manipuler, apporta comme nuance la blonde déléguée de la Voie de la Harpe. Ce ne sont que les ouvrages les plus délicats qui souffrent de ces difficultés.

On lui jeta quelques regards dédaigneux. Aux yeux de leurs pairs, les Harpistes étaient des mages de bas niveau, réfractaires aux expérimentations les plus complexes de l'art dracomancien. Le Nain qui représentait la Voie des Runes répliqua :

— Quelques-uns d'entre nous ont de plus ambitieux objectifs que celui de faire sourire un auditoire de paysans, ma chère. Néanmoins, même les Harpistes doivent s'inquiéter de certaines bizarreries, n'est-ce pas ? Que dire, par exemple, des nouvelles couleurs arborées aléatoirement par nos tatouages frontaux ? Voilà encore une chose qui ne s'était jamais produite…

— Ce pourrait être le retour des Vraies Couleurs, murmura le sorcier elfe d'un ton doux et énigmatique.

Ses confrères lui lancèrent un même regard interrogateur. Sans nul doute, certains parmi eux maudissaient en secret le parler sibyllin des Elfes, et des adeptes du Verbe en particulier. Peut-être conscient de cela, l'intéressé esquissa un sourire subtil, avant de reprendre dans le même souffle paisible :

— Les Puissances. Si on en croit les textes anciens, elles sont censées se réveiller avec le passage du Fleuve et l'avènement de l'Ost-Hedan.

— Les… les Puissances ? bredouilla l'alchimiste nain, d'un ton devenu presque craintif.

Son hoquet de stupeur s'accompagna par ailleurs d'un concert de chuchotements inquiets ou indignés. En dépit de la douceur d'intonation de l'Elfe, évoquer le réveil des Puissances au beau milieu d'une réunion de l'Arcane constituait bel et bien une provocation. Le mage du Verbe ne se laissa pas intimider.

— Je comprends vos réserves, acquiesça-t-il. Mais… remontons aux sources, voulez-vous ?

Tandis que le silence se faisait à nouveau – bien que toute tension n'ait pas disparu, loin de là – il poursuivit son explication :

— Vous n'ignorez pas que nos Voies furent fondées par les Anciens Rois, lors du Glorieux Âge. Il est établi qu'ils s'inspirèrent pour cela, non seulement de leurs propres découvertes dracomanciennes, mais également des croyances populaires encore vivaces sur Genesia. Cette sagesse primitive décrivait le monde comme une harmonie entre sept anciens Règnes de la Création. Chacun de ces Règnes avait longtemps été dominé par une Cour d'Immortels, également appelés « Puissances ».

— Superstitions ! s'insurgea le guerrier-mage de la Claymore.

Toutefois, les regards appuyés de ses confrères lui intimèrent de laisser l'Elfe achever son exposé.

— On pourrait aisément imaginer que six de ces sept Règnes devinrent le terreau nourricier des Six Voies, le Règne de l'Ombre étant bien évidemment laissé de côté. (Il laissa échapper un léger soupir.) Je sais que nous aimons à penser que nous avons « inventé » la vraie magie. Que les pouvoirs plus anciens n'étaient que les tâtonnements de sages de villages. Mais si, tout au contraire, les Voies actuelles n'étaient que de pâles imitations, voire de grossières parodies, d'antiques mystères oubliés ?

Cette fois, tous les Dracomanciens élevèrent la voix en même temps, y compris la paisible dame Harpiste et la prudente sorcière blanche. L'âge des Puissances était considéré par tout mage digne de ce nom comme une époque d'obscurantisme, une ère primitive à laquelle l'humanité avait échappé précisément grâce à la sorcellerie des Voies. Par les paroles de l'Elfe, c'était toute l'Histoire et la fierté de l'Arcane qui étaient remises en cause.

L'adepte de la Voie du Verbe leva la main en signe de paix, parvenant à ramener le calme au sein de son auditoire.

— Je me doutais que vous n'accepteriez pas de vous laisser convaincre, sembla-t-il se résigner. Bien des éléments corroborent pourtant l'hypothèse que j'avance…

» Ceux de ma Voie ont longuement étudié les écrits d'autrefois. Tout particulièrement ceux où il est question de ces fameuses Cours composées d'êtres quasi divins, comme celles du Sylnæl, du Dåzhiel ou encore du Tatrøm. Ces noms ne vous évoquent peut-être rien, mais ils semblent avoir recelé un immense pouvoir, à cette époque antique. Et surtout, nous avons découvert que leur équilibre, que les anciens appelaient « la Concorde », fut rompu il y a bien longtemps. Voilà peut-être la réponse à une question sur laquelle n'ont cessé de se pencher en vain les plus perspicaces d'entre nous : pourquoi nos formes de magie sont-elles antinomiques ? Qu'est-ce qui fait que lorsqu'une Voie s'épanouit, elle entraîne nécessairement le déclin d'une autre ? Peut-être faut-il chercher l'explication dans l'harmonie brisée de ces anciennes forces primordiales...

Sur les visages des mages, la perplexité avait maintenant remplacé la fureur. Certains d'entre eux paraissaient pensifs, même si les autres demeuraient renfrognés et incrédules. La voix de l'Elfe, toujours aussi douce qu'une brise forestière, souffla à nouveau :

— Comprenez où je veux en venir : si nos Voies s'avéraient aussi intimement liées aux Puissances, il n'y aurait rien d'étonnant à ce que le réveil annoncé de ces dernières perturbe nos sortilèges. Ni à ce que les couleurs originelles de chaque Règne viennent remplacer spontanément celles choisies par les Anciens Rois pour se démarquer des origines primitives de la magie. Nos tatouages spirituels ne sont qu'une expression de la Manne, ne l'oubliez pas.

Machinalement, plusieurs Dracomanciens portèrent une main à leur front. Dernièrement, le dragon enroulé sur lui-même leur avait joué bien des tours. La Harpiste, elle-même, ne pouvait nier la stupéfaction qui s'était emparée d'elle lorsqu'elle avait été témoin du phénomène. À de nombreuses reprises, certains de ses collègues avaient vu le gris argenté de leur tatouage se muer en un bleu éclatant, sans la moindre explication.

Autour d'elle, chacun paraissait plongé dans ses pensées, tentant d'envisager les prolongements et les significations de l'hypothèse défendue par leur confrère elfe. Elle brisa bientôt elle-même ce silence.

— S'il faut voir dans le réveil de ces Puissances la raison des perturbations dont nous sommes victimes, réfléchit-elle à voix haute, cela constitue une révélation lourde de sens. Car les prophéties d'autrefois ne parlent pas uniquement du réveil des Puissances... mais aussi de celui des Anciens Rois, de celui de l'Ombre et de l'avènement de l'être baptisé « Ost-Hedan ». Si toutes ces choses, que nous avons considérées jusqu'à présent comme des rumeurs de profanes, s'avèrent réelles...

— Je ne peux y croire, la coupa le Nain en robe orange. Qui prête encore foi aux mises en garde de nos fondateurs ? Qui croit encore en leur retour ? (Il secoua lourdement la tête.) Comme nous tous, j'ai brièvement caressé cet espoir... Mais quinze ans se sont écoulés depuis le passage du Fleuve, qui devait annoncer leur réapparition, et force est de constater que les Anciens Rois n'ont toujours pas donné le moindre signe de vie ! Ni eux, ni leur Ost-Hedan censé libérer Genesia de l'Ombre. Nous sommes seuls, chers confrères, vous le savez bien. Selon moi, nous nourrir d'illusions serait la pire des attitudes.

Tout en prononçant ces mots, il avait jeté à son interlocuteur elfe un regard réprobateur, semonce qui n'avait nullement l'ambition d'échapper aux autres membres de l'assemblée.

Soucieuse de ne pas voir éclater une querelle sous son toit et sa responsabilité d'hôtesse, Lothéa prit la parole à son tour.

— Nulle piste n'est à écarter, néanmoins, déclara-t-elle diplomatiquement. À la lueur des paroles de maître Nî-Qin, ajouta-t-elle en désignant le mage elfe, il me semble en effet utile de nous pencher de plus près sur cette légende d'Ost-Hedan. Qui peut prédire quel bénéfice nous pourrions en retirer ? Et même si nous nous fourvoyons, la connaissance n'est jamais néfaste, n'est-ce pas ?

Elle attendit de voir la petite assemblée acquiescer avant de poursuivre.

— Quoi qu'il en soit, ces perspectives nouvelles ouvrent bien des conjectures nouvelles..., médita-t-elle en lissant machinalement un pli de son manteau blanc. Comment démêler le vrai du faux, dans toutes les rumeurs grandiloquentes qui courent à l'heure actuelle ? Que peut-on utiliser de la sagesse populaire, et que doit-on rejeter comme superstition ? Par exemple, je suppose que chacun d'entre vous a entendu parler maintes fois de l'apparition supposée d'une septième étoile, dans la constellation des Anciens Rois. Doit-on y accorder quelque crédit et, si oui, que peut signifier cela ?

Les yeux de l'Ouestien adepte de la Claymore s'emplirent soudain d'inquiétude, tandis qu'il s'exclamait :

— J'ai peur de comprendre... Nî-Qin, vous avez bien dit que nos Voies trouvaient leur origine dans six des sept anciens pouvoirs. Le septième, celui de l'Ombre, ayant été laissé de côté pour des raisons limpides.

L'Elfe opina.

— Dans ce cas, continua le guerrier-mage, je crois que la signification d'une septième étoile serait claire. Si jamais elle apparaissait, cela serait la preuve du retour de l'Ombre, tout simplement. La Septième Étoile... l'étoile de l'Ombre, conclut-il d'une voix lugubre.

Ce fut alors l'ambassadrice des Harpistes qui prit la parole, apparemment déterminée à le détromper.

— Je suis très sceptique quant à cette conjecture, déclara-t-elle avec assurance. Les Six Étoiles ne symbolisent pas les anciens pouvoirs, ni mêmes réellement nos Voies. Elles symbolisent le pouvoir temporel des Anciens Rois et la promesse de leur retour.

» Vous n'ignorez sans doute pas que nos fondateurs firent apparaître cette constellation peu avant leur grand départ, grâce à un rituel concerté d'une puissance sans précédent. Si je me permets de vous rappeler ces quelques notions d'histoire ancienne, c'est qu'il y avait une raison profonde à ce geste.

— Vous voulez dire... autre que celle de faire perdurer leur souvenir dans le cœur des Peuples Cadets ? questionna avec minutie Lothéa, comme s'il lui importait d'assimiler scrupuleusement chaque variable du raisonnement de son interlocutrice.

La Harpiste nattée acquiesça.

—Je comprends qu'on puisse spontanément voir les choses comme notre confère orlandais, admit-elle. Mais ce serait oublier un enseignement important de nos fondateurs. Lorsqu'ils quittèrent ce continent pour gagner leur retraite, ils annoncèrent non seulement leur retour, mais aussi la venue d'un être élu, qui serait leur champion.

— Nous savons tout ça ! pesta le Nain, ce qui ne sembla pas troubler la musicienne.

— C'est précisément la signification de leur ultime sortilège, poursuivit-elle sans relever cet éclat de voix. Ils invoquèrent les six lumières célestes pour laisser une trace de leur existence, mais surtout pour annoncer l'avènement de l'Ost-Hedan. D'après les connaissances de mon ordre, la clause principale de ce rituel était en effet de faire naître une septième étoile, lorsque l'heure de leur champion serait arrivée. Je m'en souviens à présent parfaitement. Dès que ce sauveur serait en âge d'être présenté au monde, récita-t-elle soigneusement, la Septième Étoile apparaîtrait, sonnant l'appel au Conclave. Alors les seigneurs des Peuples Cadets devraient se réunir pour honorer l'Ost-Hedan. Le sauveur annoncé par les Anciens Rois. Car c'est lui, et bien lui, que symbolise la Septième Étoile.

Un instant de parfait silence suivit cette révélation, bien vite interrompu par les récriminations de l'alchimiste nain.

—Je persiste à croire que tout ceci n'est qu'un tissu de croyances primitives, bougonna-t-il. Si les Anciens Rois avaient quitté leur retraite, pourquoi diable n'auraient-ils pas repris leur place à la tête des Voies ? Sans parler de leurs royaumes, bien entendu... Leur légende est telle qu'ils auraient été accueillis comme des messies, vous le savez bien !

L'Elfe Nî-Qin, qui était demeuré muet depuis un moment, refit alors entendre sa voix apaisante :

— Oui, cela paraît étonnant, j'en conviens. À moins que... (Il fit glisser son regard comme une onde sur son auditoire, englobant tour à tour chacun de ses interlocuteurs.) À moins qu'ils n'aient été profondément déçus et furieux en constatant la manière dont nous avons mené les choses en leur absence, supposa-t-il, sa voix sonnant maintenant comme un glas.

» Nous, Dracomanciens, avions la charge de soutenir leurs héritiers, de veiller à la cohésion de leurs royaumes. Or, nous avons perdu notre temps en querelles fratricides, nous nous sommes isolés et éloignés les uns des autres. Peut-être les Anciens Rois sont-ils effectivement revenus, mais nous considèrent-ils comme des enfants désobéissants et n'ont-ils plus confiance en nous. À leur place, j'avoue que j'aurais peut-être réagi de la même façon.

— Ceci n'explique rien, objecta le disciple de la Voie des Runes. Au contraire, ils auraient eu à cœur de reprendre les choses en main…

— Peut-être, accepta placidement l'Elfe. Sauf si leur déception et leur courroux furent tels qu'ils décidèrent de se passer définitivement de nos services. Peut-être préparent-ils en secret quelque plan destiné à nous punir ? Peut-être nous observent-ils dans l'ombre, attendant l'heure de leur vengeance ?

» Les Anciens Rois et leur Ost-Hedan sont censés initier un nouvel âge, qui verra les leurs libérés et sauvés…, conclut-il lentement, mais après toutes ces années, toutes ces erreurs, qui nous dit que *nous* sommes encore de leur côté ?

Cette fois, un silence pénible s'éternisa. Lothéa dut visiblement prendre sur elle pour rompre le mutisme sinistre qui s'était emparé de l'assemblée.

— Bien, déclara-t-elle en tâchant de dissimuler son embarras. Je crois que le moment est venu de passer à notre deuxième sujet de préoccupation. Je sais qu'il y aurait encore beaucoup à dire sur le premier point, mais je pense que chacun d'entre nous aura avant tout à cœur de débattre de ces nombreuses hypothèses nouvelles au sein de sa propre Voie.

Tous murmurèrent leur approbation. La sorcière au bâton blanc enchaîna donc, d'un ton plus naturel :

— J'ai bien peur, d'ailleurs, que notre deuxième problème ne recèle un péril encore plus vif, et plus immédiat. (Elle s'éclaircit la gorge.) Récemment, nous avons tous remarqué que quelque chose de terrible se préparait en Daedor. De tels remous dans la Manne, perceptibles d'un bout du continent à l'autre, ne laissent aucune place au doute.

» La Fraternité est en train de rassembler, dans un but inconnu, une quantité de puissance phénoménale. Aucun rituel de ma connaissance ne pourrait nécessiter une telle somme d'énergie magique. Je serais donc curieuse d'écouter ce que chacun d'entre vous a à dire sur le sujet…

— À mon avis, déclara aussitôt le guerrier-mage ouestien, cela ne peut vouloir dire qu'une seule chose : l'Exégète prépare un sortilège qu'il a lui-même élaboré, très certainement de nature offensive. Voilà bien longtemps que la Voie du Vide a déserté l'Arcane pour faire cavalier seul… et nous savions parfaitement que le moment de l'affrontement viendrait tôt ou tard. Et puisque la Fraternité semble disposer de cette nouvelle arme absolue, j'affirme qu'il nous faut sans tarder combler notre infériorité.

Il tapa du poing sur la table, tout en poursuivant :

— Si les Fraters rassemblent autant de pouvoir, ce ne peut être que pour nous briser ! Pour éliminer leurs rivaux, restant ainsi la seule et dernière Voie. Et vous savez qu'ils n'hésiteront pas à ravager Genesia pour cela, si nécessaire. Ce sortilège qu'ils préparent, de toute évidence, sera assez puissant pour détruire le monde…

— Même l'Exégète ne ferait pas cela, voyons, déclara le Nain. Il est ambitieux, pas suicidaire…

Pourtant, le guerrier-mage ne paraissait pas convaincu.

— Hélas, je le crois assez fou pour ne pas prendre conscience des risques, aveuglé qu'il est par son désir de nous voir disparaître.

Plusieurs autres mages acquiescèrent, ne cherchant pas à cacher leur mine soucieuse.

— C'est pourquoi je préconise une alliance entre nos meilleurs Dracomanciens, afin d'élaborer à notre tour un rituel d'une puissance similaire, que nous menacerons de lâcher sur Daedor. Cela devrait faire réfléchir notre apprenti déclencheur d'apocalypse...

Un murmure embarrassé parcourut l'assistance. Sans doute certains jugeaient-ils le procédé un peu radical, et les autres rechignaient-ils simplement à associer leurs connaissances à celles de Voies rivales. Lothéa mit fin à ce bruit de fond en annonçant :

— Il y a ici quelqu'un qui pourra peut-être nous éclairer davantage et nous éviter de prendre une décision trop hâtive. (Elle se tourna vers l'inconnu encapuchonné, qui était jusque-là resté assis au fond de la salle, silencieux et attentif.) Frater Clavear, s'il vous plaît...

L'invité mystérieux redressa alors le buste, faisant jouer les formes d'imposantes épaulettes sous son ample manteau. Il resta immobile un instant, semblant hésiter sur la conduite à tenir.

— Si vous voulez bien vous approcher..., insista aimablement la Dracomancienne, en lui indiquant de prendre place parmi les émissaires de l'Arcane.

Alors, l'homme se leva, sans brusquerie. Lentement, il fit glisser en arrière son capuchon, dévoilant un visage fin et une chevelure auburn. Quelques mèches pointues retombaient devant son œil gauche, mettant paradoxalement en valeur l'intensité bleue de son regard.

Après s'être avancé jusqu'à la table ronde, il se débarrassa entièrement de sa cape, révélant un uniforme clérical de la Fraternité. Plusieurs mages se raidirent, mais il n'y eut pas d'autre réaction.

— Bonjour à tous, fit le Frater en s'inclinant sobrement. C'est un honneur pour moi.

Les ambassadeurs lui ayant rendu son salut, Lothéa renouvela son invitation d'un regard, faisant comprendre à Frater Clavear qu'il devait prendre la parole.

— Comme vous le constatez, j'appartiens à la Fraternité, déclara-t-il en désignant ses épaulettes frappées d'un emblème cruciforme, qui pouvait évoquer un soleil à quatre branches. Pour autant, je ne partage pas toutes les idées de l'Exégète, ni celles de l'empereur. Vous devez savoir qu'un mouvement de résistance citoyenne est né en Daedor, depuis une quinzaine d'années. Bien qu'il ne soit pas aussi vivace et organisé que la République tireldienne, il existe, et j'y suis affilié. Si je suis ici, c'est à la demande conjointe de cette organisation et de dame Lothéa. En effet, ma position au sein de la Fraternité m'a mis en possession d'informations que vous, mages de l'Arcane, jugerez certainement utiles.

Le Frater parlait presque trop distinctement, d'un ton martial et sec, comme un officier transmettant des ordres. Néanmoins, il n'affichait aucune arrogance, apportant simplement un soin méticuleux à l'exactitude de ses propos.

— Nous vous écoutons, cher confrère, bruissa poliment Nî-Qin.

Frater Clavear, se tenant toujours droit comme la justice, poursuivit alors :

— Vous savez déjà que l'Exégète rassemble une somme pharamineuse de pouvoir brut. À ce sujet, j'ai peut-être un début d'explication à fournir.

» Dans l'enceinte de la basilique de Daedor, on murmure que le pontife aurait découvert… quelque chose. Quelque chose d'extraordinaire, à l'intérieur de l'antichambre sacrée que nous nommons « Cœur de Lumière ». Rien n'est encore vérifié, mais il est notoire qu'il y passe de plus en plus de temps, ces dernières années. Selon des espions placés dans son entourage proche, l'Exégète y aurait été initié à une nouvelle source de pouvoir. Une puissance plus ancienne, liée au Règne de la Lumière.

Des hoquets stupéfaits se firent entendre, mais l'Estien continua sans y accorder d'importance :

— À la suite de cette illumination, il semblerait qu'il ait pris la décision d'abandonner définitivement l'enseignement de la dracomancie selon les principes de la Voie du Vide. Vous n'ignorez pas que le pontife avait toujours honni cet héritage des Anciens Rois.

» Le nouveau pouvoir qu'il a mis à jour paraît pourtant très similaire, tant dans ses applications que dans l'apprentissage des *constructs*. Seules réelles différences : celui-ci semble procéder d'une connaissance plus profonde des mystères de Genesia, et surtout…

il serait bien plus puissant, bien moins limité, que la dracomancie actuelle. C'est du moins ce dont est persuadé l'Exégète, qui est maintenant résolu à renier tout lien avec les pratiques édictées par nos fondateurs. En lieu et place, il se prépare à prêter allégeance à des entités qu'il nomme les « Seigneurs du Dåzhie ». Il vise ainsi un pouvoir absolu. Je n'ai pas pu en apprendre davantage à ce sujet, mais je sais que le pontife a d'ores et déjà le soutien de l'empereur. Ils ont récemment créé des centres d'entraînement, dans de nombreux monastères, afin d'initier les membres de la Fraternité à cette magie de la Lumière. D'après les premiers échos, il semblerait que cette entreprise se déroule sans difficulté majeure. Comme je vous l'ai dit, les deux pouvoirs seraient très proches. La Voie du Vide, si on en croit les nouveaux initiés, n'aurait elle-même été qu'une forme abâtardie des réels Mystères de la Lumière.

— Tout cela me paraît fort inquiétant, en effet, l'interrompit le guerrier-mage orlandais. Mais je ne saisis pas le lien avec le rassemblement massif d'énergie effectué par l'Exégète…

Le résistant hocha la tête.

— J'allais y venir. Par chance, il semblerait que l'antique pouvoir exhumé par le pontife ne soit pas encore tout à fait utilisable. Concrètement, les Fraters peuvent commencer à en assimiler les *constructs*, mais ils sont pour l'instant impuissants à invoquer les puissants sortilèges de la Lumière. Apparemment, les sources primitives de ce pouvoir ressuscitent peu à peu, sans avoir encore achevé leur processus de réveil.

» Je ferai donc la supposition suivante : les colossales quantités de Manne amassées par l'Exégète pourraient constituer une sorte de réserve. Il attend probablement que les Puissances de la Lumière soient pleinement revenues à la vie, irradiant leur pouvoir sur Genesia, avant de lancer l'assaut contre les autres Voies. Alors, il pourra relâcher d'un seul coup l'énergie accumulée, sous la forme d'un sortilège terriblement destructeur. Un cataclysme qui balayera à la fois Sü'adim et les Peuples Cadets. Qui laissera la Lumière et le Saint-Empire seuls maîtres de

Genesia, avec la possibilité de reconstruire un monde à leur image.

Sans attendre réellement la fin de l'exposé du Frater, un brouhaha soucieux s'était installé autour de la table ivoirine. Chacun y allait de son hypothèse, affichait ses craintes ou proposait sa solution. À la droite de Lothéa, sa Mémoire clignait des yeux follement, peinant à analyser toutes ces informations, tandis que le rythme du discours s'emballait.

Que faire pour stopper les projets de la Fraternité ? Leur opposer un rituel similaire ? Chercher le soutien des Puissances associées aux autres Règnes ? Élaborer un puissant sortilège défensif ? En appeler aux royaumes concurrents et mener contre l'empire une guerre conventionnelle ?

— Damnation..., jura bientôt l'alchimiste nain, adepte de la Voie des Runes.

Il n'avait pas parlé spécialement fort, mais la force de conviction dont était chargée cette lamentation avait suffi à attirer l'attention de ses confrères.

— Je ne voulais pas y croire..., marmonna-t-il, à demi pour lui-même. Le réveil des anciennes Puissances, le retour des Anciens Rois... Je ne voulais pas y croire. Mais l'Exégète, plus que tout autre, a toujours rejeté ces anciennes prophéties. (Il leva vers les autres mages un regard perdu.) Alors, si aujourd'hui, lui aussi prête foi à leur véracité... Eh bien, je suppose qu'il me faut envisager que tout soit vrai, admit-il à contrecœur. Et je crois que nous, Dracomanciens, avons beaucoup à craindre des changements à venir.

Comme l'écho même de la voix grave et lugubre du Nain s'était tu, Lothéa reprit la parole dans le silence inquiet.

— Nous serons bientôt fixés, professa-t-elle. Quinze années ont passé depuis le passage du fleuve Invisible. Ce qui veut dire que l'Ost-Hedan, s'il existe, doit être presque un homme, à présent. En supposant qu'elle doive apparaître, la Septième Étoile ne devrait donc plus tarder à se montrer. Alors... nous serons fixés.

— Pour le meilleur ou pour le pire, conclut la voix douce de l'Elfe Nî-Qin.

Chapitre 21

Après qu'on l'eut sommairement soigné, Evan n'était resté inconscient que quelques minutes. Au bout du compte, il en serait quitte pour une grosse bosse sur l'arrière de la tête. Il en allait différemment pour Caessia, qui avait connu le coma profond durant plusieurs heures.

Pendant tout ce temps, Evan avait été consigné dans son lit, avec obligation de se reposer. À chacune de ses questions, Aiswyn répondait par un froncement de sourcils sévère, et arguait que l'ensemble du groupe se réunirait pour parler dès que la noble sudienne irait mieux.

Lorsque cette dernière était enfin revenue à elle, Evan commençait à croire qu'il allait devenir fou. Il brûlait de savoir ce qui leur était exactement arrivé. Et surtout de quelle manière il s'était retrouvé à l'auberge d'Umberto, comme si rien ne s'était passé. L'attitude exagérément protectrice d'Aiswyn, laquelle prenait très à cœur son rôle de garde-malade, aurait suffi à le faire sortir de ses gonds… et de sa chambre, si Gaelion et Aljir eux-mêmes ne l'avaient crûment mis en garde.

Pourtant, le garçon ne se sentait objectivement pas si mal, surtout en comparaison de la malheureuse Caessia. La jeune fille était à nouveau consciente – au grand soulagement général – mais

Aljir semblait croire qu'elle devrait demeurer alitée plusieurs jours. Et, toujours d'après le Troll, elle souffrirait d'une grande faiblesse encore plus longtemps.

— Étant donné la gravité de ses blessures, dit-il en venant chercher Evan, elle pourra s'estimer bien chanceuse si elle n'a pas d'autres séquelles que le fait de boitiller quelque temps. Par mes Ancêtres, ajouta-t-il avec une moue d'incrédulité, cette petite doit avoir du sang troll dans les veines…

Puis, voyant que le jeune baladin s'apprêtait à poser mille questions impatientes, il le saisit sous l'aisselle et le traîna hors de sa chambre.

— Caessia est encore trop faible pour se lever, expliqua-t-il en soutenant le garçon à travers le corridor. Nous allons donc nous réunir dans la chambre des filles.

Evan, tandis qu'il était ainsi emporté de force, voulut d'abord protester. Mais contrairement à ce qu'il allait dire, il se rendit compte que la solide étreinte du Troll ne lui était pas inutile. La tête lui tournait même un peu, lorsque Aljir le déposa doucement sur une chaise, au chevet de la jeune aristocrate.

Cette dernière avait le visage tuméfié et les lèvres plus pâles que jamais, mais elle se fendit néanmoins d'un sourire en direction d'Evan. Pour une fois, elle n'avait rien d'arrogant ou de querelleur… elle ressemblait à un petit être doux et fragile. Face à ce sourire, le garnement se sentit fondre et eut aussitôt l'impression que ses joues devenaient écarlates.

Gaelion était déjà dans la pièce, sa harpe sur les genoux, et occupait la seule autre chaise. Aljir, qui – comme le remarqua subitement Evan – ne portait plus la moindre blessure ou cicatrice, vint prendre place au pied du lit de Caessia. Il s'installa en prenant bien soin de ne pas s'appuyer sur elle, tandis qu'Aiswyn s'asseyait en tailleur sur son propre matelas, faisant ainsi face à Evan.

Mais le garçon n'avait d'yeux que pour la jeune blessée. Lui rendant son sourire, il souffla :

— Alors, est-ce que quelqu'un va finir par me dire ce qui s'est passé ? Comment ça s'est déroulé avec les Manteaux Noirs ?

Caessia pouffa, presque aimablement :

— Je te garantis que, *moi*, ils n'essayaient pas de me prendre vivante... expliqua-t-elle avec un rictus entendu. Heureusement, j'ai obtenu de l'aide. Nous ne serions pas ici, sans ça.

— De l'aide ? s'intrigua Evan. Comment... ?

La voix de baryton du Troll le coupa :

— Quand l'un d'eux a réussi à t'assommer, les spadassins t'ont emmené, et Caessia s'est élancée à leur poursuite.

— C'est vrai ? s'exclama le garnement, jetant un regard troublé à la jeune noble.

— Evan ! tonna Aljir. On ne va pas s'en sortir, si tu m'interromps à chaque mot !

Curieux d'entendre la suite, le garçon hocha sagement la tête. Néanmoins toujours ébranlé, il n'avait pas détaché ses yeux brillants et interrogateurs de ceux de Caessia.

— À ce moment-là, j'ai reçu un vilain coup et je me suis écroulé, poursuivait le Troll. J'ai pensé que nous étions perdus, mais bizarrement, les Manteaux Noirs n'ont pas insisté. Apparemment, ces gredins ne travaillent jamais gratuitement. Je crois qu'il n'y avait que vous deux qui les préoccupiez, fit-il en désignant Evan et Caessia. Une fois que nous nous sommes retrouvés seuls, nous avons perdu tout intérêt à leurs yeux. Voyant que je gisais à terre, ils se sont retirés prudemment et sont allés rejoindre leur chef au masque de crocodile.

Aiswyn, qui avait sorti ses trois pantins de son sac pour les serrer contre elle, acquiesçait doucement à tous les événements narrés par Aljir.

— Alors, continua ce dernier, nous avons attendu où nous étions. Puis, quand je me suis senti capable de me relever, nous avons pu nous enfuir. (Il baissa les yeux, l'air gêné.) Il était trop tard pour nous lancer à votre recherche, expliqua-t-il à l'intention d'Evan et Caessia. Tout ce que nous pouvions faire, c'était espérer que vous

vous en seriez tirés, vous aussi. Et que nous vous retrouverions à l'auberge.

Evan, malgré ses bonnes résolutions, fit retentir une nouvelle exclamation :

— Mais... tu viens de dire que j'avais été emmené par les Manteaux Noirs ! Comment j'aurais pu... comment *j'ai* pu atterrir ici ?

Le colosse à la peau verdâtre se contenta de hausser les épaules.

— Juste quand nous arrivions en face de l'auberge, nous avons vu un Nain vous déposer tous les deux sur le pas de la porte. Il a frappé trois coups, avant de s'enfuir dans la plus proche ruelle. C'est ainsi que nous vous avons trouvés inconscients, mais vivants. (Une fois encore, il eut l'air embarrassé, tandis qu'il ajoutait :) À propos de ce mystérieux Nain, j'imagine que Caessia va pouvoir nous en dire plus ?

Le regard que tous deux échangèrent alors n'échappa pas à Evan. Le Troll et la jeune noble leur dissimulaient quelque chose, c'était évident. Toutefois, le garçon décida ne pas relever cette cachotterie pour le moment, espérant au fond de lui que Caessia lèverait le secret d'elle-même.

— C'est exact, répondit-elle laconiquement. Je connais ce Nain, car il travaillait autrefois pour ma famille. J'ignore... j'ignore ce qu'il faisait là et pourquoi il nous a sauvés.

Aljir lâcha un étrange soupir, comme s'il s'était attendu à ce qu'elle dise autre chose, mais lui-même n'ajouta rien.

Sur l'autre lit, Aiswyn n'écoutait plus que d'une oreille, distraite par ses marionnettes, qu'elle animait en silence grâce aux fils noués à chacun de leurs membres. La petite danse improvisée qu'elle leur faisait exécuter avait aux yeux d'Evan quelque chose de totalement incongru, considérant le fait que leur groupe venait d'échapper de justesse à la mort. Mais la bergère était plus solide qu'il ne l'avait imaginé. Elle se remettait vite, maintenant, de situations qui l'auraient encore traumatisée quelques semaines plus tôt.

— Je n'arrive pas à croire que nous n'ayons pas changé d'auberge, déclara Caessia, donnant à Evan la désagréable impression qu'elle voulait coûte que coûte changer de sujet. Les spadassins m'ont pourtant donné l'impression de savoir où nous trouver...

— Nous l'avons envisagé, admit Gaelion. Hélas, nous ne serions guère plus en sécurité ailleurs. Je pense que rien n'échappe aux Manteaux Noirs dans cette ville. J'ai donc suggéré que nous restions ici. Au moins, Umberto est un homme de confiance, qui ne nous vendra pas pendant notre sommeil.

» À propos de confiance..., poursuivit le ménestrel avec un sourire en coin, je crois que les Étoiles ont bien mal placé la leur, Evan, en mettant entre tes mains un Aether.

Le musicien tendit alors le bras, désignant au garçon un objet posé contre la tête du lit d'Aiswyn. C'était Sorcelame, l'épée magique, bien rangée dans son fourreau. Evan hoqueta, stupéfait de ne pas y avoir pensé plus tôt.

— Heureusement que je suis là pour ramasser tes petites affaires lorsque tu les égares, mon garçon. En particulier celles dont dépend le sort de Genesia, n'est-ce pas ?

Le garnement fit la moue, puis se dérida, devant l'expression à la fois amusée et résignée de son mentor.

— Une chance, en effet, messire Harpiste. (Il soupira.) Rappelons néanmoins que je ne suis pas, à proprement parler, ravi de porter cette lame. Ni d'être affublé des responsabilités que cela implique... Mais, je le concède, il vaut mieux que nous l'ayons plutôt que nos ennemis.

Gaelion acquiesça avec une moue fataliste, comme si voir un artefact aussi crucial que Sorcelame entre les mains d'Evan le laissait vaguement incrédule.

— Cela me fait penser..., commença le garçon, je voulais vous remercier pour vos conseils. Ils m'ont bien aidé, lorsque j'ai dû me battre contre ses spadassins. Mais je me pose une question : comment diable un ménestrel qui a abjuré toute violence peut-il en savoir autant sur le maniement de l'épée ?

À ces paroles, le Harpiste se renfrogna aussitôt. Ses yeux gris redevinrent indéchiffrables, et ses lèvres se réduisirent à une mince ligne. Malgré tout, il dut se sentir obligé de répondre, car Evan n'était pas le seul que cette bizarrerie semblait avoir intrigué. Tout le petit groupe paraissait avide d'entendre l'explication du musicien. Ce dernier haussa les épaules, faussement détaché, avant d'affirmer :

— Si tu avais assisté à autant de tournois que moi, mon garçon, tu en saurais autant. Il n'y a rien de bien sorcier là-dedans. C'est la mise en pratique qui nécessite du talent. D'ailleurs, je dois reconnaître que tu ne t'en es pas si mal sorti…

Evan s'inclina et sourit en réplique au compliment, mais il n'était pas vraiment serein. La voix de Gaelion sonnait faux. Ou plutôt non, elle sonnait parfaitement juste, comme toujours… mais c'était son argument qui sonnait faux. Et le garçon ne pouvait s'empêcher de repenser à une certaine vision mystique qu'il avait eue, un soir, lors de leur première représentation en public. Tandis qu'Aiswyn et lui présentaient leur spectacle de marionnettes, il avait été assailli d'images : il se souvenait bien de l'une d'elles, mettant en scène le ménestrel, qui portait alors une armure et une énorme épée. *Cela n'a peut-être aucune signification, mais…*

L'apprenti troubadour fronça les sourcils. Il savait d'expérience qu'il ne pourrait pas soutirer à son maître davantage que ce qu'il désirait dire. Mais il aurait aimé sentir moins de secrets entre eux tous…

Reportant son attention sur Sorcelame, il changea de sujet :

— C'est bien dommage, tout de même, de posséder un artefact aussi puissant et de ne pas pouvoir s'en servir pour nous protéger de nos ennemis ! Si seulement je savais la manier convenablement, nous n'aurions plus rien à craindre… Ni des Fraters, ni des Templiers, ni des Manteaux Noirs ! Je me souviens de la première légende que vous nous avez chantée, Gaelion. Avec cette lame, l'Ancien Roi Brenghenann a défait toutes les armées de Sü'adim, à l'époque.

— Hum, fit Aljir avec scepticisme. Il n'a sûrement pas fait ça tout seul. L'Histoire ne retient que les grands hommes, et jamais le peuple qui les porte… (Il grogna d'un air bougon.) De toute façon, ce serait trop risqué d'utiliser l'épée. Vous savez bien que les

Chaosiens nourrissent toujours le but de s'emparer d'elle, et ses vibrations magiques les attirent d'autant plus lorsqu'elle utilise ses pouvoirs. Enfin, si j'ai correctement compris.

Aiswyn frissonna, soudain de retour dans le monde réel.

— Vous pensez qu'ils oseraient nous poursuivre jusqu'entre les murs de Farnesa ?

— Non, sans doute pas, la rassura gentiment Gaelion. Du moins, pas les Templiers. Mais nous ne sommes pas à l'abri d'espions ombriens. Dans le doute, mieux vaut nous tenir sur nos gardes et ne pas les renseigner sur notre localisation en éveillant les pouvoirs de Sorcelame. (Il s'adressa ensuite à Evan.) Mais en ce qui concerne l'épée, le plus grand péril est sans doute la possession et la transe meurtrière qui pourrait alors s'emparer de toi. N'oublie pas ce point, si tu ne souhaites pas revenir un jour à toi pour constater que tu nous as tous tués au cours d'une tragique absence…

Evan acquiesça, non sans avoir ressenti quelque difficulté à déglutir.

— Quoi qu'il en soit, nous en apprendrons bientôt plus par Finrad, conclut le Harpiste. Il ne t'a pas fait venir ici pour rien, tout de même. À mon avis, il ne tardera pas à te contacter.

» D'ailleurs, j'ai également hâte de pouvoir converser avec lui. Bien hâte.

Tandis qu'il prononçait ces derniers mots, la voix du musicien s'était assourdie, devenant une sorte de monologue intime, comme s'il ne faisait que penser tout haut. Evan s'agita sur sa chaise, mal à l'aise. *Encore un foutu secret !* pesta-t-il. Depuis leur arrivée en ville, il avait remarqué que son mentor paraissait beaucoup plus intéressé par leur futur entretien avec le mystérieux vieillard. Il avait mentionné à plusieurs reprises sa détermination à accompagner les adolescents lorsqu'ils rencontreraient ce dernier, et Evan devinait quelque chose de caché derrière cette attitude. L'implication du Harpiste à ce sujet avait changé trop brusquement à ses yeux, passant d'un simple intérêt pragmatique à cette sorte de ferveur. *Qu'est-ce que cela peut bien vouloir dire ?* s'interrogeait le garnement, maudissant le tempérament hermétique de son maître.

Posant à nouveau les yeux sur ce dernier, il constata que sa main avait été proprement bandée. La flèche semblait avoir été extraite de la blessure sans trop de dommages. Durant sa période de repos forcé, Evan avait même entendu le ménestrel tirer quelques notes maladroites de sa Compagne.

Soudain, le musicien reprit la parole.

— Je crois que j'ai des remerciements à adresser, moi aussi, souffla-t-il pudiquement.

Levant son regard profond vers Caessia, il déclara d'une voix chargée d'émotion :

— Tu m'as sauvé la vie, jeune fille. Si tu n'étais pas intervenue, ce spadassin m'aurait vraisemblablement porté un coup fatal...

L'aristocrate haussa les épaules en baissant les yeux. Evan aurait juré la voir rougir de timidité. Cela l'étonna grandement, mais pas autant que le sourire qu'elle adressa ensuite au ménestrel. Ce n'était pas un sourire charmant et frais comme celui qu'elle avait offert au garçon un instant plus tôt. C'était une expression tout en nuances, à la fois séductrice, hésitante et presque douloureuse. Evan sentit un poignard s'enfoncer dans son cœur en constatant la manière dont les yeux de la jeune fille brillaient.

Gaelion ne parut pas le remarquer, ou du moins n'en montra rien. Néanmoins, il s'inclina galamment et poursuivit sur un ton onctueux :

— Le moins que je puisse faire à présent, c'est t'offrir le chant de ma Compagne. Ma main blessée n'a pas retrouvé toute sa souplesse, mais je devrais parvenir à tisser pour toi une Ballade de Réconfort. C'est un sortilège mineur, qui ne guérira pas tes blessures, mais t'aidera toutefois à te rétablir plus rapidement.

Sur ces paroles, le baladin saisit sa harpe et commença à en caresser doucement les cordes. Le silence s'était fait dans la chambre, tandis que s'élevaient les notes rassurantes et consolatrices de la ballade.

Evan lui-même sentit comme une suave chaleur l'envahir, une torpeur qui lui rappela l'effet des berceuses que leur chantait autrefois la mère d'Aiswyn.

Gaelion jouait lentement, avec précaution, un regard attentif posé sur les mouvements de sa main bandée. Si le rythme de la mélodie semblait parfois un peu gauche, le troubadour ne manquait aucune note. Même la fragilité hésitante de sa musique paraissait totalement intégrée à l'ensemble, participant à la sensation d'intimité délicate qui avait investi la petite pièce.

Evan nota que Caessia, plus que tout autre, semblait sous le charme de ce moment feutré. Elle était aux anges, s'il fallait se fier à son expression paisible et béate. Cela n'avait rien d'étonnant, puisque l'adolescente était la bénéficiaire privilégiée du sortilège… mais le garçon ne put s'empêcher d'y voir autre chose.

Depuis les tout premiers temps de leur rencontre, la jeune aristocrate n'avait certes pas paru indifférente au pouvoir de séduction du Harpiste. Sa courtoisie, son expérience, sa virilité pleinement épanouie… tout cela faisait de lui l'exact contraire d'Evan. Ce dernier n'avait tout d'abord pas voulu croire que la Sudienne puisse porter un intérêt sincère à un homme de deux fois son âge, mais il n'en était plus si sûr.

Il avait remarqué que la jeune fille semblait, par-dessus tout, estimer profondément le pacifisme assumé du ménestrel. Lorsque ce dernier prenait sa singulière expression pudique et grave, se refusant obstinément à toute forme de violence, elle l'observait comme on regarde un trésor à jamais hors de portée.

En dépit de son tempérament hautain et de sa froideur affichée, Caessia avait ainsi en présence de Gaelion des coquetteries inhabituelles. Les sourires et les minauderies qu'elle adressait au troubadour, peut-être malgré elle, n'avaient pas échappé à l'apprenti. Et cela lui déplaisait. De plus en plus.

Pour l'heure, la mélodie flottait dans l'air et leurs regards s'étaient enlacés. Le garçon n'avait pas de mots pour décrire le sentiment irrationnel qui s'emparait de lui en observant cette complicité les unir. Ou plutôt si, il en avait un. Trahison. Aussi injuste et infondé que cela lui eût paru s'il avait pris le temps d'y réfléchir, c'était bien ce qu'il ressentait en les regardant partager cette intimité.

Fallait-il y voir un effet du sortilège invoqué par le Harpiste ? Un rapprochement né de la magie qui circulait entre eux à cet instant ? Evan se hérissa à cette idée. Non, pas cela. Cela, c'était à lui ! Le lien mystique et surnaturel qui l'unissait à Caessia, depuis qu'ils avaient mêlé leurs âmes pour échapper aux sentiers fous dans l'esprit de Sorcelame, c'était quelque chose qu'il refusait de céder à quiconque. La perspective que Gaelion pût lui dérober même cet ultime petit privilège fit monter en lui une colère irrépressible. Il parvint à n'en rien montrer, peu désireux de se ridiculiser, mais le feu était toujours là, dans sa poitrine.

Lorsque la musique se tut, tous – sauf lui – semblèrent émerger d'un rêve agréable. Et la Sudienne paraissait effectivement plus reposée. Elle avait retrouvé son air hardi, ainsi que l'éclat dur de son regard. Evan se demanda comment il avait pu la juger tendre et fragile, un moment plus tôt. Peut-être avait-il été victime d'une hallucination. Mais quoi qu'il en fût, Caessia était de nouveau la jeune personne décidée et sûre d'elle qu'il connaissait.

La conversation reprit, sur des sujets badins. Nul n'avait envie d'aborder des questions sérieuses en cette soirée. Au grand dam du jeune Ouestien, le petit jeu de séduction continua discrètement entre son maître et l'aristocrate. Cette joute de traits d'esprit et d'attentions galantes paraissait plutôt innocente de la part du premier, si même il s'en rendait compte. Peut-être n'était-ce après tout que sa façon coutumière de traiter les dames, songea Evan en tâchant de calmer son propre agacement. En revanche, plus l'heure avançait, plus il lui semblait que l'attitude de Caessia devenait provocante. Nul, à part lui, ne paraissait s'en apercevoir, mais c'était pour lui criant.

Tandis qu'Aiswyn jouait toujours avec ses marionnettes et qu'Aljir regardait par la fenêtre d'un air distrait, la Sudienne avait adopté des intonations subtiles, une manière de mouvoir son épaule à demi recouverte par le drap, quelque chose dans son regard, entre l'invitation et le maintien à distance... Sans rien de concrètement choquant ou scandaleux, la jeune noble faisait preuve d'un art très particulier. Evan, qui n'avait aucune expérience en la matière, brûlait de savoir si elle prenait ces attitudes à dessein ou si elles lui venaient de manière spontanée. Ce mystère le fascinait presque au point de lui faire oublier son irritation.

Mais que tout cela fût calculé ou non, Caessia montrait un don pour user de sa grâce, une profonde conscience de sa féminité qui dépassaient de loin tout ce à quoi avait pu l'habituer Aiswyn. Le petit Orlandais avait toujours du mal à croire que les deux adolescentes avaient le même âge. C'était à présent plus frappant que jamais.

Bientôt, le ménestrel accepta de répondre aux supplications mutines de son interlocutrice, en interprétant un nouveau morceau. Evan pesta intérieurement. Gaelion était-il aveugle ? Ou bien se prenait-il au jeu ? En tout cas, il enlaça sa Compagne en souriant de l'étrange manière qu'il réservait à ce moment précis, comme s'il avait souri davantage à l'intérieur de lui-même que sur ses lèvres. Et il commença à en tirer quelques notes exquises.

Cette fois, la mélodie était exempte de tout sortilège. Mais à elle seule, la musique des Harpiste était magique, propre à faire chavirer les cœurs. Caessia bascula la tête en arrière sur son oreiller et sourit à son tour, les yeux mi-clos.

Alors, Evan se sentit bouillir de plus belle. Bientôt, il ne put contenir plus longtemps les frissons de rage qui le parcouraient. L'expression dédaigneuse, il lâcha sèchement :

— Ma foi, ces talents musicaux auraient été plus utiles cette nuit, lors de l'embuscade...

La musique s'interrompit. Gaelion paraissait surpris, plus qu'autre chose. Les autres observèrent l'adolescent d'un air choqué, comme s'il avait commis quelque impiété en provoquant l'arrêt de la mélodie.

— Toute l'élégance du monde ne remplace pas la bravoure, j'en ai peur, ironisa le garnement sans se laisser intimider par ces réactions. C'est au combat qu'il faudrait se monter habile et ardent, avec tous les ennemis que nous avons...

Au fond de lui-même, Evan aurait voulu se mordre les lèvres, pouvoir empêcher ses mots de quitter sa bouche. Mais l'aiguillon de la jalousie était plus fort que son affection sincère pour le troubadour.

Cette fois, ce dernier se figea, le regard totalement inexpressif. Puis un orage commença à se former dans ses yeux remplis de nuages, avant de disparaître tout aussi brusquement.

— Je dois me tenir au serment que j'ai prêté, mon garçon, dit-il simplement, d'un ton aussi aimable que possible.

On sentait toutefois dans sa voix que la remarque de l'adolescent l'avait blessé. Le regard d'Aljir quitta la lucarne, au-delà de laquelle la nuit commençait à recouvrir Farnesa, pour se poser sur les deux Ouestiens, intrigué.

Evan avait à présent le souffle court, et la tête lui tournait comme s'il avait bu plus que de raison. *Il fait une chaleur, dans cette chambre... On suffoque !* se dit-il confusément.

Aiswyn, elle aussi, paraissait avoir remarqué l'éclat haineux dans le regard de son ami d'enfance. Craignant sans doute qu'il ne devienne vraiment odieux, elle intervint. Elle agita son pantin préféré, messire Soliloque, et lui fit dire :

— Quels vilains mots, mon bon maître ! Chacun a son rôle, comme au théâtre. Regardez-moi : sans Soliloque le magnifique, point de représentation ! Et pourtant, de quoi aurais-je l'air avec une épée ?

La marionnette s'inclina dans une parodie de révérence, Aiswyn poursuivant par son intermédiaire :

— N'était-ce pas vous, bon maître, qui remerciiez Gaelion pour ses bons conseils, il n'y a pas une heure ?

La pantomime et la voix travestie de son amie arrachèrent un sourire au garçon, qui répondit au pantin :

— Tu as raison, Soliloque. Je suis désolé. Ça ne me réussit guère de prendre un coup sur la tête, dirait-on.

Sur ces mots, il s'apprêta à adresser au Harpiste un sourire penaud et repentant. Mais Caessia le prit de vitesse, ne semblant pas d'accord pour le laisser s'en tirer à si bon compte.

— Cela te va bien de parler de bravoure et de batailles, comme si tu y connaissais quelque chose…, se moqua-t-elle. Dis-moi, qui est le plus honorable : celui qui s'apprête à mourir dignement pour ses idées, ou bien celui qui se laisse bêtement assommer après une minute de défense désordonnée ? Tu te prends pour un guerrier ? Tu es ridicule, mon pauvre ami.

Toutefois, au lieu de le réduire au silence, cette remarque acerbe ne fit que raviver la colère frustrée de l'adolescent. Se sentant de nouveau prêt à exploser, il dut prendre sur lui pour murmurer entre ses dents :

— J'ai fait de mon mieux, figure-toi.

Mais l'aristocrate, qui donnait l'impression d'avoir été atteinte presque personnellement par les railleries de l'apprenti baladin, poursuivit sans tenir compte de ses présents efforts.

— Depuis le début, nous devons sans cesse rattraper tes bêtises, martela-t-elle sévèrement. Cette nuit, dont tu sembles si fier, j'ai encore été contrainte de voler à ton secours. Tu serais aux mains des Manteaux Noirs, sans notre aide… et tu te permets de nous donner des leçons ?

Evan agrandit les yeux, fulminant. Il avait de plus en plus chaud. La flamme dans sa poitrine était devenue un véritable brasier.

— Il ne fallait pas te donner cette peine ! cracha-t-il, avec une haine si soudaine que même la Sudienne eut un léger mouvement de recul.

Il se leva, chancelant.

— Surtout si c'était pour me le reprocher par la suite…, conclut l'adolescent.

Puis, englobant tous ces compagnons d'un seul regard, il déclara :

— Vous me jugez tous. Vous êtes attentifs au moindre de mes faux pas. Vous ne voyez jamais ce que je fais de bien.

Le garnement s'entendait bredouiller de manière puérile, ce qui le mettait encore plus en colère. Ses récriminations elles-mêmes sonnaient comme naïves et enfantines, à ses oreilles. Mais c'était bel et bien ce qu'il avait sur le cœur.

— Vous m'étouffez, tous autant que vous êtes ! ajouta-t-il encore. Qu'est-ce qui vous retient ? Je ne vous demande rien. Je n'ai pas demandé non plus que Sorcelame me revienne. Si… si c'est comme ça, prenez-la, débrouillez-vous avec et fichez-moi la paix !

À présent, ses quatre camarades le fixaient, immobiles. Certains paraissaient surtout peinés, d'autres surtout contrariés. Tous avaient l'air surpris.

Le silence pesant qui avait suivi l'éclat de voix du garçon se prolongea quelques instants, puis un concert de paroles apaisantes ou réprobatrices s'élevèrent, toutes en même temps.

Aiswyn, avec cette fois sa propre voix et un ton suppliant, demandait à son ami de mettre un peu d'eau dans son vin. Il se trompait, disait-elle, tous ici l'appréciaient et le soutenaient.

Gaelion et Aljir tâchaient également de dénier ses derniers propos, mais leur intonation était plus proche de la réprimande et ils affichaient des expressions sévères, comme face au nouveau caprice d'un enfant insupportable.

Caessia, enfin, se montrait agacée et ouvertement méprisante. À la différence des autres, elle ne dit rien. Elle n'avait rien besoin de dire. Sa seule manière *d'écouter* s'était révélée suffisamment cassante.

Au bout d'un moment, toutefois, elle lâcha en soupirant :

— Et dire que nous n'avons pas le choix… Il va nous falloir supporter tes enfantillages et tes sautes d'humeur jusqu'au bout…

Evan serra les poings. Cette expression de fatalisme arrogant dans la voix de la jeune noble, c'en était trop.

— Espèce de sale catin ! cracha-t-il, son regard faisant le va-et-vient entre elle et Gaelion. Tu crois que je n'ai pas compris pourquoi tu prends sa défense ?

Il expira violemment, haletant de fureur, avant de conclure :

— Amusez-vous bien tous les deux ! Je m'en vais !

Alors, tandis qu'il tournait les talons et qu'Aiswyn se levait déjà pour courir à sa suite, Aljir fronça les sourcils comme s'il allait se fâcher pour de bon. L'Orlandais s'immobilisa, sa colère subitement douchée. Il réalisait soudain qu'il avait été trop loin et se demandait s'il n'allait pas le payer cher.

— Bonne idée, se contenta pourtant de décréter le Troll, sans hargne particulière. Il est tard et nous avons tous encore besoin de nous reposer, à l'évidence.

Son ronronnement se fit néanmoins rauque et menaçant, tandis que ses yeux à la lueur animale allaient de l'un à l'autre des adolescents, s'arrêtant finalement sur Evan.

— C'est une heure où tous les gamins comme vous devraient être au lit, ordonna-t-il d'un ton sans appel.

Chapitre 22

Cette nuit-là, bien loin de Farnesa, l'astrologue royal Ahiqam veillait au sommet de son minaret. Le plus haut de tous les minarets de Shem, en vérité. Une tour érigée aux frontières du Loin-Sud, pour abriter les bibliothèques, les laboratoires et les appartements de l'érudit.

Ahiqam était un homme fier. Fier de son savoir et de sa position. Fier des nombreux écrits qu'il laisserait aux générations futures. Mais c'était également un homme las, persuadé que l'essentiel de sa vie se trouvait désormais derrière lui. La somme de connaissances qu'il avait amassée était telle qu'il ne pouvait guère espérer en apprendre encore autant, eut-il eu la chance de vivre plus vieux que la plupart de ses semblables. Il existait bien peu de livres, dans tout Genesia, qu'il n'ait pas déjà lu et commenté.

Ainsi le savant, penché au-dessus d'un parchemin ancien dont il exécutait une énième traduction, considérait les années qui lui restaient et les mettait en perspective. Il avait choisi une vie et s'y était tenu. Il avait vécu. Un homme avait-il le droit de demander davantage ? Mais comment expliquer cette sensation de manque, cette envie de tout oublier, pour tout recommencer ? Cette impression d'être passé à côté du plus important ?

J'ai vécu, se répétait l'érudit. *J'ai vécu et tout est derrière moi,* acceptait-il avec philosophie.

Pourtant, ce soir-là, il lui suffit de lever les yeux vers le ciel et de contempler un instant la voûte étoilée, pour faire la découverte qui allait bouleverser toute son existence. La seule pour laquelle l'Histoire retiendrait son nom.

Au moment précis où son regard entra en alignement avec la constellation des Rois, Ahiqam sut qu'il était venu au monde pour cet instant. Pour être le premier à contempler l'astre nouveau-né dans la forme stellaire autrefois connue sous le nom des Six Étoiles.

— La Septième Étoile ! s'étouffa-t-il, son exclamation mourant dans sa gorge serrée par l'émotion.

L'astrologue shemite se leva en chancelant, faillit en perdre son turban de stupeur. Des prophéties l'avaient annoncée, mais il n'avait pas voulu y croire. Pourtant elle était bien là, à présent, brillant d'un éclat blanc et glacial parmi ses sœurs. Il n'y avait plus l'ombre d'un doute.

Ahiqam, surexcité comme un enfant, songea qu'il lui faudrait débattre de ses implications avec tous ses confrères… Organiser des colloques qui rassembleraient les astrologues du monde entier… Les philosophes, les religieux et les historiens, les mages des Six Voies : tous auraient une opinion sur la signification de cet événement cosmique inédit.

Mais, pour le moment, sa tour des confins de l'Orient lui donnait l'avantage sur la plupart de ses pairs. Pour le moment, sa découverte n'appartenait qu'à lui seul. Dans une heure ou deux, quelque autre érudit retranché dans son observatoire connaîtrait le même frisson… mais pas encore.

Souriant à cette idée, Ahiqam s'allongea sur le dos et observa le paysage céleste à travers le dôme cristallin qui coiffait son minaret. Pendant une heure, la plus belle de sa vie, il allait savourer sa rencontre avec la Septième Étoile.

Cette nuit-là, Caessia dormit mal.

Lorsqu'elle s'éveilla pour la quatrième fois, elle constata qu'un corbeau était posé sur le rebord de sa fenêtre. Il regardait dans sa direction, semblant l'observer attentivement.

— La peste soit de ces volatiles…, murmura la jeune fille, qui ne voyait plus les corbeaux du même œil depuis les récentes remarques d'Aljir à ce sujet.

Sentant qu'elle ne pourrait retrouver le sommeil aussi longtemps que l'oiseau la fixerait ainsi, elle se leva et s'approcha de la fenêtre. Pieds nus, elle prit soin de ne pas faire grincer les lattes du parquet, pour ne pas risquer de réveiller Aiswyn. En atteignant la croisée, elle tendit les bras dans un geste brusque, espérant effrayer l'animal. Mais ce dernier ne broncha pas. L'observant toujours, il se contenta de hocher sa petite tête emplumée, puis d'étendre paresseusement ses ailes noires, comme pour la narguer.

Caessia s'apprêtait à ouvrir la fenêtre afin de chasser l'intrus pour de bon, lorsque le bec de celui-ci s'ouvrit.

— Suis-moi…, croassa-t-il, la voix rauque et traînante.

La princesse, pétrifiée, crut un instant qu'elle était encore en train de rêver. Mais Aiswyn, alors, s'agita et gémit dans son sommeil. Ce détail parut trop tangible à Caessia. Elle admit donc qu'elle était bel et bien éveillée et que cette voix était réelle.

Le corbeau quitta le rebord de la fenêtre, pour rejoindre d'un coup d'ailes un balcon en contrebas. La jeune fille comprit qu'il voulait la voir descendre à son tour.

— Je dois en avoir le cœur net…, chuchota Caessia pour elle-même.

Toujours avec d'infinies précautions pour ne pas réveiller sa compagne de chambre, elle passa sa cape par-dessus sa chemise de nuit et quitta secrètement la pièce. Après avoir dévalé l'escalier tout aussi discrètement et franchi la porte de service de l'auberge, elle déboucha dans la rue. Le froid la saisit, malgré sa cape. Le corbeau était maintenant posé au sol, tout près d'elle.

Il attendit d'être certain qu'elle l'avait vu, puis s'envola à nouveau, descendant la petite rue vers l'est. Caessia le suivit, courant pieds nus et tâchant d'éviter les flaques. Elle avait l'esprit embrumé, pas encore vraiment sorti du sommeil. Mais elle était toujours certaine de ne pas rêver. Le froid mordant, les détails des maisons sinistres qui défilaient dans sa course suffisaient à l'attester.

L'oiseau noir la conduisit deux pâtés de maisons plus loin, à l'endroit où la ruelle débouchait sur un cul-de-sac. Elle s'achevait par une volée de marches en pierre grise, puis c'était le lagon et ses eaux sombres. Ou peut-être un canal particulièrement large, pour ce que la jeune fille pouvait en voir, dans cette obscurité.

Elle chercha à nouveau le corbeau du regard, mais il avait disparu. Un instant, l'aristocrate avisa sa position vulnérable – seule, coincée au fond d'une venelle – et craignit d'être tombée dans un piège. Mais, alors, une apparition mobilisa toute son attention, lui ôtant même la peur d'une embuscade.

Dans l'eau noire du lagon, huit petites formes lumineuses venaient de surgir. C'était une grappe d'alvéoles violettes, phosphorescentes, qui tournoyaient lentement en formant une sorte de rosace. Intuitivement, Caessia comprit qu'il s'agissait d'yeux. Pas des yeux humains, bien entendu, mais un amas de petits yeux luisants… un regard d'insecte.

Soudain, un concert assourdissant de voix étrangères résonna dans son esprit, la faisant tomber à genoux. La jeune fille hurla de douleur, mais cette cacophonie couvrait même son propre cri.

Tandis que la présence arachnéenne la scrutait toujours, elle tenta en haletant de trier les échos qui l'assaillaient ainsi. Il y avait parmi eux beaucoup de plaintes, de pleurs, de récriminations. Des peines par centaines. La plupart de ceux qui exprimaient ainsi leur désolation étaient des noyés, des suicidés, des assassinés. Tous ceux, en vérité, dont l'existence s'était achevée non loin de cette ruelle lugubre.

Les voix des morts…, comprit Caessia. Ce n'était pas la première fois que cela lui arrivait. Elle se souvint les avoir déjà entendues, le soir de sa première bataille. Les morts avaient chanté pour elle, alors. *Ils ne me veulent pas de mal...*, se rassura-t-elle. *Ou du moins, ils ne peuvent pas m'en faire.*

Mais la cacophonie perdurait néanmoins entre ses tempes. Le souvenir de l'inquiétante nécropole qu'elle avait traversée avec Aljir remonta lui aussi à la surface de son esprit. *Des morts qui parlent, là encore...*, se rappela-t-elle. Et ceux-là, en revanche, avaient bien paru la haïr. Pas un jour ne s'était écoulé, depuis cette éprouvante expérience, sans que la princesse n'y repense avec angoisse.

Dans l'onde, les yeux violets observaient toujours, forme silencieuse et malsaine. D'un seul coup, les voix se turent, et Caessia fut persuadée que c'était cette *présence* qui les avait chassées.

Une voix profonde, aride, une voix comme un vent sec et glacial qui aurait soufflé sur des milliers de déserts avant d'arriver jusqu'à elle, s'éleva alors de nulle part :

— L'heure est venue, ma fille. C'est la nuit de l'Étoile.

À la simple écoute de ces mots, la princesse se sentit pénétrée par la voix rocailleuse, dure comme la pierre noire des volcans, froide et brûlante comme les plus obscurs abîmes souterrains. Un frisson de terreur la parcourut et elle aurait fondu en sanglots, si elle n'avait pas fait appel à toute sa fierté pour repousser cette démonstration de faiblesse.

— Je n'aurais pas dû venir..., réalisa-t-elle à voix haute. Je n'aurais pas dû laisser cet animal me guider jusqu'à vous. Laissez-moi en paix !

Elle tremblait de tout son corps, et son ton était plus suppliant que menaçant, mais elle parvenait toujours à retenir ses larmes.

— Tu n'as plus le choix, reprit la voix terrible. Tu es à moi, dorénavant...

— Non ! s'exclama Caessia par réflexe. Non ! Non ! hurla-t-elle, de plus en plus fort, les mains plaquées sur les oreilles.

Une partie de son esprit s'étonna fugitivement que ses cris stridents n'alertassent pas les occupants des demeures alentours mais elle se rappela que la population de Farnesa n'était pas du genre à se mêler des affaires d'autrui. Surtout en pleine nuit, dans ce quartier douteux.

La princesse était toujours à genoux, sa chemise de nuit et sa cape trempées d'une eau sale. Le vent glacial souffla à nouveau :

— Tu me reconnais, n'est-ce pas ? Nous nous reverrons bientôt, ma fille... Je sais que tu viendras à moi. En attendant, n'oublie pas : tu m'appartiens !

Puis les yeux arachnéens disparurent enfin, emportant avec eux la pesante sensation de présence. Caessia frissonna et laissa enfin couler les larmes qu'elle avait empêchées.

Presque aussitôt, cependant, un bruit dans son dos la fit sursauter. Quelqu'un s'était-il décidé à descendre à sa rencontre, finalement ? Comme elle se relevait et se retournait vivement, elle constata que ce n'était qu'Aljir.

Le Troll avança jusqu'à son niveau, mais s'arrêta sans rien dire, se contentant de la rassurer par sa stature silencieuse. Tandis qu'il conservait ainsi le silence, la jeune Sudienne tenta de rassembler ses pensées éparses. Le souffle malveillant de la voix terrible les avait dispersées comme autant de feuillets d'un journal à la reliure déchirée. Caessia avait le sentiment d'avoir perdu toute unité, et même jusqu'à la sensation d'en avoir jamais possédé une. Comme si elle n'avait toujours été que ces éclats de conscience flottant nébuleusement, ces parcelles rétives et ombrageuses, incapables de former un ensemble cohérent.

Puis, peu à peu, ses esprits lui revinrent. Elle fit l'effort de reconstituer l'enchaînement de faits qui l'avaient conduite jusqu'ici, face à ce regard d'insecte, à cette heure de la nuit. Tout avait commencé avec le mystérieux visiteur de la Première conseillère. Puis le vilain stratagème de cette dernière pour précipiter son mariage avec le comte Drekvo. Ensuite, il y avait eu la fuite, l'abandon soudain d'un destin tout tracé. La rencontre avec Aljir, son enlèvement, puis l'engagement dans la République...

Mais surtout un étrange événement, dans les premiers temps de son périple. Un incident qui l'avait marquée plus que tout autre chose. Le simple fait d'y repenser lui faisait froid dans le dos. C'était cette horrible nécropole, immense, apparue comme par magie au milieu d'une vallée désolée... *Ces voix !... Les voix des morts...* Elles l'avaient appelée « meurtrière », elles l'avaient appelée « Dévoreuse ». Pas un jour sans y penser. Un expérience tellement bouleversante, mais aussi douloureusement familière. *Et du sang sur mes mains... j'ai beau les laver, il ne part jamais... Jamais.*

La main du Troll se posa doucement sur son épaule.

— Caessia..., chuchota-t-il enfin. Ça va aller ?

La princesse fut arrachée à sa sombre rêverie. Elle opina, bien qu'encore tremblante.

Elle songea qu'elle aurait pu demander conseil à Gaelion. Après tout, l'homme était dracomancien. Mais elle doutait qu'il puisse fournir une explication aux choses étranges et malsaines qui lui arrivaient. Celles-ci n'étaient certainement pas la manifestation de quelque sortilège. *Nul dans ma lignée n'a jamais fait montre de talent pour les arts magiques... Non, cela n'a rien à voir avec la dracomancie. C'est seulement... une malédiction. Je suis maudite.*

Une fois encore, elle se demanda si elle ne perdait pas tout simplement la tête. Aljir n'avait jamais reparlé de leur traversée de la nécropole. Tout cela n'avait aucun sens : n'était-il pas plus probable qu'elle entende des voix, qu'elle soit victime d'hallucinations ? Elle avait certes de bonnes raisons de voir sa santé psychique vaciller. Il s'était produit tellement de changements dans sa vie ! Aujourd'hui, elle œuvrait pour la République, elle, l'infante de la maison royale de Tireldi. Elle s'apprêtait à assassiner son propre père...

Elle voyageait avec un Troll parlant, à qui il arrivait même de faire de l'esprit, et avec un petit berger mal dégrossi dont dépendait vraisemblablement le sort du monde. En quelques semaines, son existence entière avait basculé. Si elle avait été du genre à douter d'elle-même, certainement aurait-elle eu matière à remettre en cause ses souvenirs. Il aurait été facile de les mettre sur le compte de la nervosité, de les reléguer au rang de fantasmes cauchemardesques.

Mais non... Caessia savait ce qu'elle avait vu et entendu.

Je dois me ressaisir, scanda-t-elle mentalement. Elle avait traversé ces épreuves dignement et devrait venir pareillement à bout des prochains obstacles qui se dresseraient sur sa route. *Pas de repos,* se souvint-elle. *Pas tant que mon peuple souffrira du tyran et que la Mère Stérile menacera Genesia...*

— Tes vêtements sont trempés, déclara doucement Aljir. Nous devrions regagner l'auberge avant que tu ne prennes froid.

La princesse secoua négativement la tête.

— Pas encore, répondit-elle sur le même ton. Dans une minute.

Puis elle demanda :

— Comment as-tu su que j'étais ici ? Tu m'as entendue me lever et suivie depuis le début ?

Le Troll hocha la tête à son tour :

— Je t'ai entendue te lever, mais je ne t'ai pas suivie. J'ai supposé que tu avais tes raisons, et je suis ton camarade, pas ton chaperon. En revanche, j'ai accouru lorsque j'ai perçu l'écho de la xhatoq. Les voix des morts, précisa-t-il. C'est une chose mauvaise, dangereuse.

La Sudienne leva vers lui un regard pénétrant.

— Tu les entends, toi aussi ? questionna-t-elle d'un ton excité, presque implorant.

Les mâchoires du Troll claquèrent dubitativement.

— Pas toujours, avoua-t-il. Je ne suis pas un chaman. Quand j'entends le xhatoq, ce n'est jamais très distinctement. Mais cette nuit est une nuit étrange, frissonna-t-il. Cette nuit, j'ai entendu les morts *crier...*

— Des chamans..., répéta pensivement la princesse. Ton peuple a aussi ses sorciers...

Aljir fronça les sourcils.

— Tu nous imaginais trop primitifs ? ronronna-t-il. (Il montra du doigt ses quatre oreilles, avant de citer en souriant :) Les miens ont un vieux proverbe à ce propos : « une paire d'oreilles pour ce monde, une paire d'oreilles pour le monde invisible ». Rien n'échappe à un

Troll, ma jolie. Qu'il s'agisse de choses mystiques, ou bien réelles. Ces perceptions de l'au-delà, c'est ce que nous nommons le xhatoq, ou la Voix des Ancêtres dans ta langue.

Caessia acquiesça pensivement, puis posa la question qui lui brûlait les lèvres :

— Tu t'en souviens, n'est-ce pas ? Je ne l'ai pas inventée ?

— De quoi parles-tu ?

— La nécropole géante, apparue alors que nous traversions la lande, au sortir des marais. Tu te rappelles ces voix horribles ?

Dans les yeux sauvages du Troll, elle put alors lire qu'il s'en souvenait parfaitement, sans même avoir besoin d'attendre sa réponse.

— Comment pourrais-je l'oublier ? confirma Aljir. J'ignorais pourquoi tu refusais d'aborder le sujet. Après tout, c'est à toi que ces voix s'étaient adressées... J'ai supposé que tu avais tes raisons de ne pas vouloir en parler.

La jeune fille haussa les épaules avec fatalisme.

— De toute façon, qu'y aurait-il à en dire ? Nous avons vécu cette expérience, à laquelle nous aurions tous deux préféré ne pas être confrontés. Il n'y a pas grand-chose à ajouter.

Aljir marqua son approbation de son feulement caractéristique.

Caessia ouvrit la bouche comme si elle allait ajouter quelque chose, mais la referma sur un silence. Elle savait qu'elle ne parviendrait pas à exprimer la peur et le malaise que lui inspirait le souvenir de cet événement. Néanmoins, la colossale créature referma ses mains autour des épaules de l'adolescente, dans un geste délicat et protecteur.

— Je comprends..., murmura-t-il.

Et Caessia comprit qu'ils n'en parleraient plus.

Un silence pudique s'installa, durant lequel les ombres de leur angoisse parurent s'éloigner un peu. La terreur partagée n'était plus tout à fait aussi terrifiante. Puis, dans cette atmosphère plus détendue, le Troll changea de sujet :

— Tout à l'heure, tu as été un peu dure avec ce pauvre Evan, déclara-t-il.

La jeune fille réajusta autour d'elle les pans de sa cape, se préparant maintenant à rentrer.

— Je sais. Mais il l'avait bien cherché. Il est parfois tellement puéril, tellement odieux et... agaçant !

Aljir pouffa.

— Ce qui n'est *jamais* ton cas, bien évidemment, se permit-il de tempérer avec un sourire entendu.

Caessia commença par froncer les sourcils, vexée, mais décida finalement de rendre son sourire au Troll. Puis, saisissant son bras comme celui d'un cavalier de bal, elle le laissa la reconduire jusqu'à l'auberge.

Cette nuit-là, Evan fit un nouveau rêve étrange.

Tout d'abord, à la lisière du sommeil et de l'état de veille, il fut assailli de sensations désagréables. Il sentait, de manière lointaine, qu'il devait être en nage, que son oreiller était sûrement trempé. Il avait très chaud et très soif, mais ces messages que lui envoyait son corps n'avaient pas la force suffisante pour le réveiller tout à fait. Il avait l'impression de s'être immobilisé à jamais sur cette frontière, suspendu à l'instant où l'on bascule du songe vers la vie consciente.

Fort heureusement, cet état ne dura pas. Depuis sa torpeur pénible, l'adolescent sombra peu à peu dans un oubli plus profond.

Il marchait à nouveau le long du Fleuve. Les eaux argentées écumaient avec des reflets monochromes, et Evan observait ses pieds nus avancer dans l'herbe couleur de fer blanc. Celle-ci n'était ni fraîche, ni tiède. L'air lui-même ne semblait avoir aucune température.

— Qui arpente un chemin une fois est le fruit du hasard, fit une voix. Deux fois, et c'est une coïncidence. À la troisième fois, il s'agit d'un destin.

Le garçon leva les yeux face à lui. Sans surprise, il reconnut le vieillard à la peau de salamandre, avec qui il avait conversé lors de sa visite précédente.

— Cela ne fait que deux fois, dans mon cas..., corrigea-t-il distraitement.

— Qui sait ? chuchota le sage aux longues moustaches de plumes roses.

Il sourit avec une joie d'enfant, si bien que sa langue bifide glissa hors de ses lèvres, sifflant comme celle d'un serpent.

— Es-tu venu pour la nuit de l'Étoile ? demanda-t-il à Evan.

— La quoi ? fit ce dernier, apparemment plus fasciné par le mouvement lancinant des moustaches du petit vieux que par ses interrogations énigmatiques.

— La nuit de l'Étoile, répéta patiemment le grand-père saurien. La Septième Étoile. Si je ne m'abuse, c'est cette nuit qu'elle apparaît, en amont du Fleuve. Tu es venu pour que je t'apprenne à muer ?

L'Ouestien haussa les épaules.

— Je ne sais pas. Vous... vous n'êtes pas de la même couleur que la dernière fois, s'avisa-t-il, remarquant la teinte orangée de sa peau écailleuse. Vous étiez *vert*...

Le vieil humanoïde pencha la tête sans répondre, comme si la remarque du garçon n'avait pour lui aucun sens. Ce dernier eut l'impression qu'il l'observait comme on regarde un fou inoffensif, mais qu'on se refuse à contrarier, par compassion.

Soudain, Evan se sentit violemment rappelé vers son corps. Quelque part, loin du monde des songes, il se souvint qu'il avait chaud, très chaud. Sa peau le brûlait, au point de manquer le réveiller. Il avait certainement beaucoup de fièvre. Malgré tout, cette constatation lointaine ne suffit pas à l'arracher aux rives du fleuve Invisible. La douleur se calma, et il put reprendre sa conversation paisible avec Grand-Père Caméléon.

— La Septième Étoile, acquiesça l'adolescent comme si son interlocuteur venait à l'instant de prononcer ces trois mots. Que voulez-vous dire ? Dans mon pays, ce sont les Six Étoiles, que l'on vénère...

Si le vieillard donna une réponse, Evan ne l'écouta pas. La chaleur au fond de sa tête lui interdisait toute concentration. Et l'apparence de l'être voûté qui lui faisait face ne cessait de le distraire. Plus il contemplait l'étrange personnage, plus l'analogie avec le serpent à plumes lui paraissait flagrante. Ce dragon de contes était censé vivre quelque part dans les jungles du Loin-Sud, ou même au-delà. Était-ce là-bas qu'il se trouvait en ce moment ? Là-bas que coulait le Fleuve ?

Une autre idée vint le frapper, bousculant la précédente.

— Je me suis encore mis en colère, ce soir, avoua-t-il avec embarras. Ça s'est *encore* produit.

Grand-Père Caméléon leva son bâton d'un air navré :

— C'est le lot des fils du Tatrøm..., déclara-t-il, une peine sincère pouvant se lire sur ses traits à la fois cacochymes et enfantins.

Evan soupira, avant de se lamenter :

— Rien à faire, c'est ça ? Mais j'ai été ridicule... et ordurier. Maintenant, Caessia va me détester, en plus de me mépriser.

— Tu apprendras, mon enfant, soupira à son tour le saurien. As-tu finalement vu Finrad ?

Le garçon fit non de la tête.

— Pas encore. Mais j'espère que...

Il s'interrompit brutalement. La chaleur était revenue, plus intense que jamais. Sa gorge était sèche comme si jamais une goutte d'eau ne l'avait irriguée. On lui brûlait les yeux au fer rouge.

— J'ai mal ! gémit-il, tandis que l'image du vieillard se brouillait.

Des picotements parcouraient son corps comme autant de petites piqûres urticantes. Si seulement il avait été libre de ses mouvements dans le monde réel, il aurait pu s'arracher toute la peau pour venir à bout de telles démangeaisons.

Les rives du Fleuve commencèrent à disparaître, tout devint encore plus flou et irréel. Sauf la douleur et la brûlure, qui se révélaient cruellement plus concrètes au contraire.

La dernière chose qui lui parvint du monde des songes fut la voix de Grand-Père Caméléon, douce et rassurante :

— Courage, mon enfant, tentait-il de le réconforter. C'est le Passage. Tu dois accomplir le Passage.

Il y eut une partie de la phrase du sage qui fut totalement avalée par les remous dans l'esprit du garçon, malmené entre le sommeil et la veille. Seule la fin, lointaine, fut audible :

— ... la Septième Étoile ! La mue !

Evan se redressa brusquement dans son lit. Il était couvert de sueur, comme il l'avait prédit. Jetant un œil à travers la lucarne, il constata qu'on était encore loin de l'aube.

Il se sentait comme souffrant d'une mauvaise grippe. Endolori, la gorge sèche, la tête lourde. Mais il y avait autre chose. Un poids indéfinissable qui pesait sur ses veines et ses nerfs.

Son cœur battant inexplicablement la chamade, il se leva sans bruit, incapable de rester allongé. Gaelion dormait paisiblement dans l'un des deux autres lits. Curieusement, celui d'Aljir était vide. Mais le jeune Ouestien ne s'interrogea pas plus avant sur l'absence du Troll. Il était trop préoccupé par...

Il ne savait même pas par quoi il était préoccupé, en vérité. C'était peut-être ce qu'il y avait de plus troublant. En tout cas, il était électrique, ses bras fourmillaient de sensations étranges et sa respiration lui semblait malaisée. Il se mit à faire les cent pas à travers la chambre, sans pouvoir s'en empêcher.

Soudain, comme il essuyait d'un revers de main la sueur qui avait goutté dans ses yeux, il perçut un très fin renflement sous ses paupières. Toujours fébrile, il le tâta du bout de ses doigts. Cela ne l'avança pas plus. Il finit donc par allumer une petite chandelle pour s'observer dans le miroir accroché près de la porte.

Il constata alors avec un début de panique qu'une pellicule opaque et argentée recouvrait ses yeux. Il voulut la chasser de la main, mais rien n'y fit. *C'est insensé ! Je ne devrais rien pouvoir voir, à travers !* frissonna-t-il. Après deux ou trois tentatives, l'adolescent comprit que cette chose *faisait partie de lui*, à présent. Essayant avec succès de les mouvoir, il eut la confirmation que ces membranes étaient en réalité une nouvelle paire de paupières, couleur argent, qui se glissaient sous les autres. Il remarqua qu'elles avaient la particularité de cligner verticalement, lui faisant comme des yeux de chat lorsqu'elles étaient entrouvertes.

Evan secoua la tête. Il avait l'impression d'être devenu un monstre. *Bon sang, que se passe-t-il encore ?* se demanda-t-il. *Que suis-je, à la fin ?...* Qui *suis-je ?* hurla-t-il intérieurement. En proie à une angoisse terrible, il entreprit de se tâter sur tout le corps, se palpant dans des mouvements nerveux et désordonnés comme un homme assailli par une nuée d'abeilles.

De prime abord, rien d'autre ne lui sembla anormal. Puis il tressaillit, étouffant un gémissement affolé. Toutes ses cicatrices avaient disparu ! Celle sous le menton, gagnée en recevant un coup de bâton après avoir asticoté Tehan. Celle sur la jambe, la plus longue, datant du jour où il avait plongé dans la rivière sans vérifier s'il y avait assez de fond. Ainsi, sans exception, les multiples marques attestant sa turbulence et la violence de ses jeux d'enfant s'étaient envolées. C'était comme si son épiderme avait été remplacé par une nouvelle couche, toute neuve et lisse.

Alors seulement, le regard de l'Ouestien tomba sur la forme souple qui avait glissé au pied de son lit. Il prit d'abord la chose pour un linge emmêlé parmi les draps. Puis il appréhenda dans un spasme la nature de ce qui gisait réellement sur le sol, au bord de sa couche. C'était la peau d'un être humain, chiffonnée comme un vieux vêtement. Sa peau.

Qui suis-je ? se répétait Evan sur un rythme obsessionnel. Les mots tournoyaient follement dans son esprit. *Le passage. La Septième Étoile. La mue.* Totalement désorienté, il marchait toujours de long en large dans le maigre espace entre les lits.

Qui suis-je ?

Alexandre Malagoli

LE SEIGNEUR DE CRISTAL

Le jeune empereur Odrien
découvre un matin que tout son peuple s'est volatilisé. Avec une poignée d'autres " rescapés ", il va devoir comprendre ce qui s'est produit. Ensemble, ils voyageront à travers des miroirs magiques jusque dans des mondes à la fois similaires et étrangers. Découvrant d'autres cultures, grandissant à leur contact, ils dévoileront la terrible bataille mystique qui est en train de se livrer. La guerre entre quatre mondes siamois, gouvernés par quatre visages de la lune.
Mais pour Odrien, il ne s'agit pas seulement de vaincre les hommes-démons de la pleine lune. Il doit se vaincre lui-même, l'héritier d'une tradition autocratique, pour devenir un monarque digne de son peuple. En cela, l'amour d'une jeune reine, souveraine du féerique royaume des neiges, sera son meilleur conseiller…

Alexandre Malagoli est né en 1976 en Bretagne… d'origine italienne, bien sûr. Il a enchaîné de nombreux métiers, dont dresseur de chevaux, avant de devenir écrivain. Son premier cycle de Fantasy, La Pierre de Tu-Hadj *(Mnémos), fait montre des qualités d'un grand de la Fantasy française.*

Dave Duncan

LES LAMES DU ROI

1. L'Insigne du Chancelier
2. Le Seigneur des Terres de feu
3. Un ciel d'épées

Imaginez *Les Trois Mousquetaires* avec de la magie !

Il est un fort, sur la lande, où l'on envoie les enfants rebelles : le Hall de Fer. Quand ils en sortent, des années plus tard, ils sont devenus les meilleurs épéistes du royaume. Un rituel magique les a assignés à la protection d'un pupille : le roi lui-même ou une personnalité de son choix. Ils le serviront jusqu'à la mort, qu'ils le veuillent ou non. Ces combattants d'exception sont les Lames du Roi.

Le plus grand d'entre eux fut messire Durendal. Et voici l'histoire de sa vie.
Sa carrière commence fort mal : son rêve, protéger son seigneur des ennemis, des traîtres et des monstres, est mis en pièces lorsque Durendal est assigné à un bellâtre noble et veule.
Pourtant le destin a prévu bien des péripéties étranges et inattendues pour la jeune Lame. Car une mission, une joute et peut-être un fabuleux trésor l'attendent dans un pays lointain. Pour servir son souverain, Durendal devra sacrifier son amour et ses amis, et affronter la trahison et les intrigues infâmes.
Or, les conjureurs ont prédit qu'il finirait lui-même par trahir le roi…
Mais les Lames ne sont jamais seules devant le danger : la loyauté qu'ils doivent à leur pupille, ils la dédient aussi à leurs compagnons. Pris entre le devoir et l'honneur, Durendal fera tout pour rester fidèle à l'amitié. Car la mort et la folie hantent le chemin des Lames du Roi… et peu reviennent indemnes.

Dave Duncan est né en Ecosse et vit au Canada. Il a été géologue avant d'embrasser la carrière d'écrivain quand il s'est aperçu que les univers imaginaires le satisfaisaient plus que le monde réel. Il a publié plus de 30 romans Fantasy, jeunesse et historiques. La série des Lames du Roi *est le sommet de son talent.*

BRAGELONNE, C'EST AUSSI LE CLUB :

Pour recevoir la lettre de Bragelonne annonçant nos parutions et participer à des rencontres exclusives avec les auteurs et les illustrateurs, rien de plus facile !

Faites-nous parvenir vos noms et coordonnées complètes, ainsi que votre date de naissance, à l'adresse suivante :

Bragelonne
35, rue de la Bienfaisance
75008 Paris

info@bragelonne.fr

Venez aussi visiter notre site Internet :
http://www.bragelonne.fr
Vous y trouverez toutes les nouveautés, les couvertures, les biographies des auteurs et des illustrateurs, et même des textes inédits, des interviews, des liens vers d'autres sites de Fantasy, un forum et bien d'autres surprises !

Achevé d'imprimer sur rotative
par l'imprimerie Darantiere
à Dijon-Quetigny en
septembre 2005

Dépôt légal : octobre 2005
Numéro d'impression : 25-1111
7062-1

Imprimé en France